Bibliothèque
des
IDÉES

L'art féodal et son enjeu social

par

ANDRÉ SCOBELTZINE

nrf

Éditions Gallimard

BIBLIOTHÈQUE DES IDÉES

ANDRÉ SCOBELTZINE

L'art féodal et son enjeu social

nrf

GALLIMARD

L'art est une main tendue à l'ennemi pour le transformer.

Les enfants de Barbianna.

AVANT-PROPOS

A travers l'organisation des volumes voûtés qui composent l'église romane, la disposition des pierres dans la muraille, le décor tortueux d'un chapiteau ou le mouvement d'une figure peinte à fresque sur une paroi; puis, plus tard, dans l'ordre et la clarté des grands ensembles sculptés du premier art gothique et dans la rigueur de son architecture, j'ai cherché la trace de l'homme féodal, de ses conflits et de ses aspirations.

Pour cela, j'ai utilisé une méthode d'approche particulière : un peu comme le psychanalyste cherche à relier les éléments disjoints et apparemment absurdes du rêve ou des phantasmes aux désirs inconscients qui animent l'individu et qui puisent leurs racines au plus profond de son histoire, j'ai tenté de relier systématiquement les caractères particuliers de l'art roman, puis du premier art gothique à toutes sortes d'autres phénomènes : économiques, sociaux, idéologiques, spécifiques de la civilisation féodale contemporaine.

Dans un premier temps, je me suis souvent contenté de noter des analogies de structure, des ressemblances morphologiques entre des phénomènes disparates, sans chercher à établir entre eux des liens de causalité. Ensuite je me suis efforcé d'ordonner le matériel constitué par ces nombreuses associations et d'en justifier l'existence sur le plan théorique.

Je me suis aperçu alors que le « style » roman, comme par la suite le « style » gothique, ne sont pas des agrégations de pratiques artisanales et de recettes d'ateliers sans liens les unes avec les autres, mais des ensem-

bles cohérents régis par un certain nombre de principes, d'aspirations, de schémas de structure communs, qui ne sont pas spécifiques au domaine de l'art, mais intéressent le mouvement de la société tout entière, et puisent leur vigueur au cœur même des conflits sociaux qui parcouraient alors le monde féodal.

LANCHE I - Saint-Benoît-sur-Loire : chapiteau de la tour porche.

a

b

c

d

PLANCHE III - Saint-Benoît-sur-Loire : chapiteau provenant de la croisée du transept.

◀ PLANCHE II

1/ Chauvigny : chapiteau.
2/ Autun : chapiteau.
3/ Saint-Benoît-sur-Loire : chapiteau de la tour porche.
4/ Souillac : trumeau.

a

ANCHE V

Chauvigny : chapiteau.
L'initiale S d'un tropaire-prosier provenant de Moissac.
L'initiale S d'un manuscrit provenant de Cîteaux.

PLANCHE IV - Saint-Genis-des-Fontaines : linteau, détail.

b c

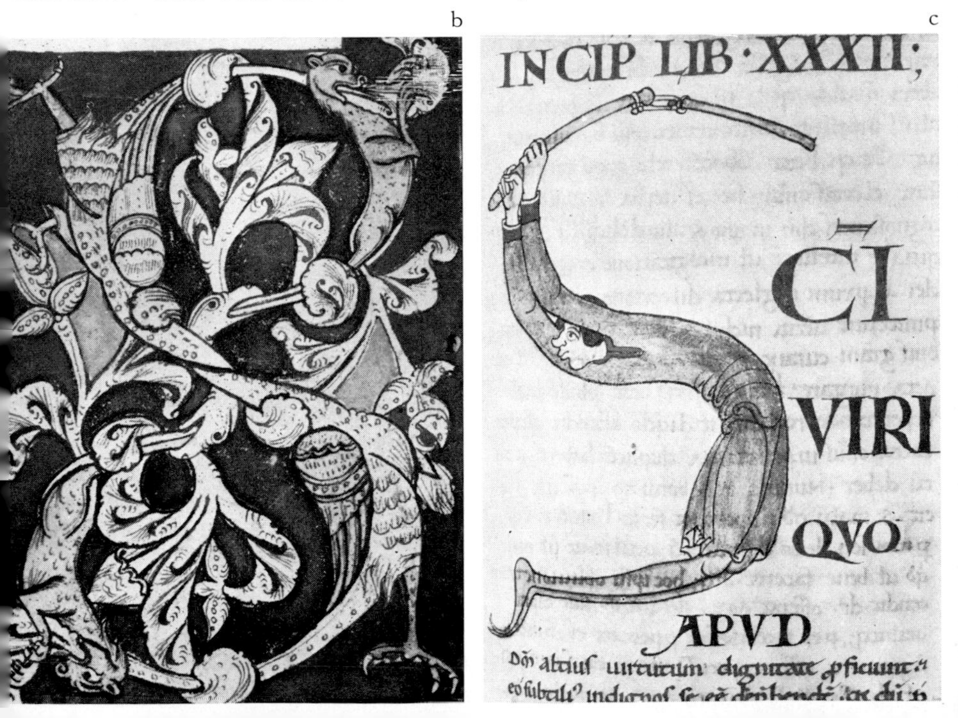

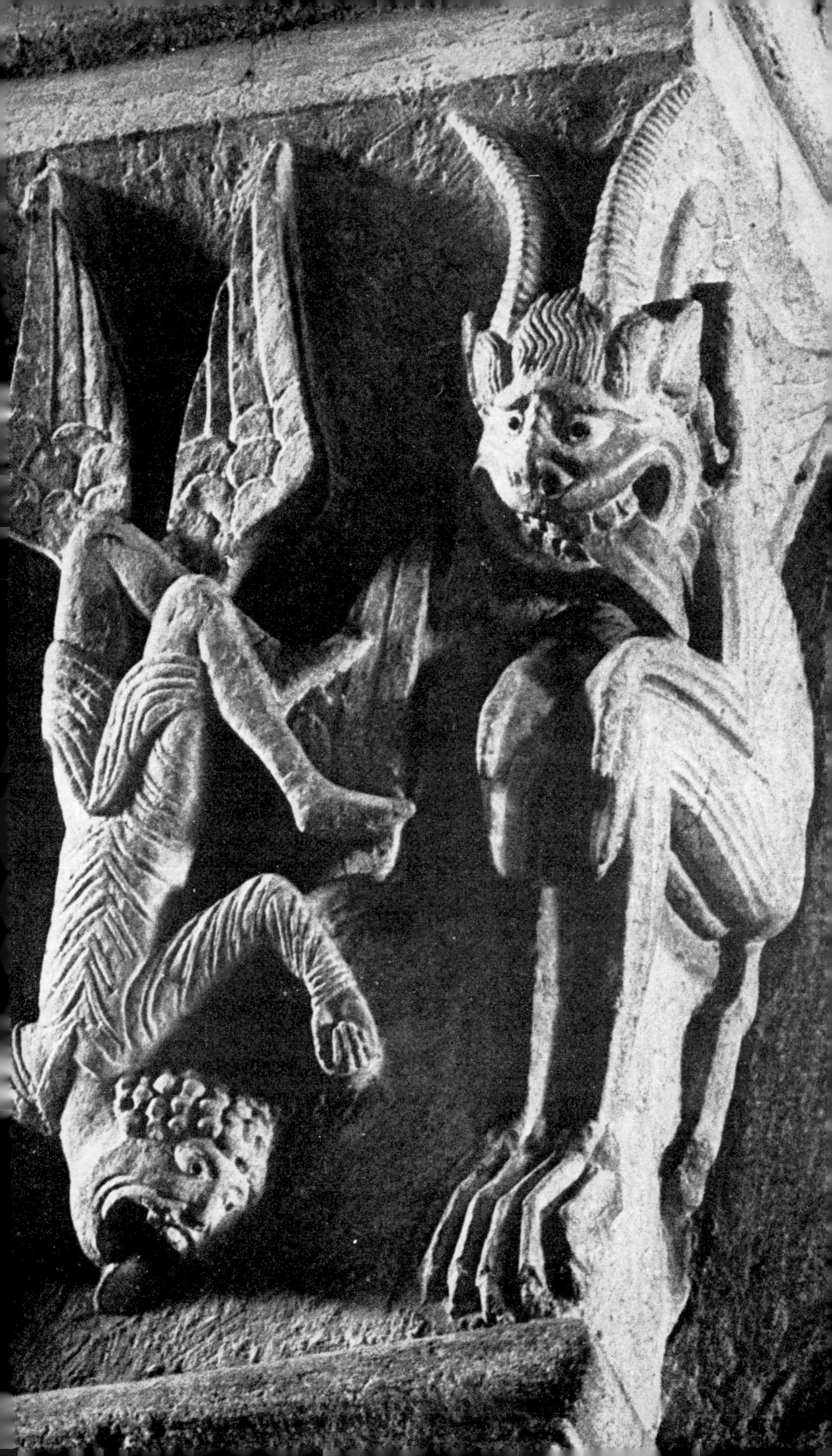

PLANCHE VIII - Moissac : tympan, détail.

◀ PLANCHE VII - Autun : chapiteau, « La chute de Simon le Magicien ».

◀◀ PLANCHE VI - Souillac : Isaïe.

PLANCHE IX - Moissac : tympan, « Le taureau de saint Luc ».

PLANCHE X - Serrabone : chapiteaux de la tribune, détail.

PLANCHE XI - Fresque du musée d'Art de Catalogne.
Provenant de Tahull : tête du Pantocrator de l'abside.

PLANCHE XII - Mozac : chapiteau, « Sainte femme au tombeau ».

PLANCHE XIII - Moissac : porche, « La luxure ». ▶

PLANCHE XVI - Moissac : porche, « Abraham et l'âme du pauvre Lazare ».

◀ PLANCHE XV - Saint-Benet-de-Bages : chapiteau.

◀◀ PLANCHE XIV - Notre-Dame de Saint-Gervazy.

I

L'insaisissable réalité

Autant il y a de formes et autant de normes,
autant d'hommes sur terre,
Autant il y a de sanglots et autant de flots,
autant de tourbillons dans la mer,
Autant il y a de grues et autant de porcs
et autant d'ordres de vie.

Réginald, moine († 1109).

L'insaisissable réalité

Pour aborder l'art roman, qui s'épanouit du début du XIe siècle au milieu du siècle suivant, dans les régions d'Europe occidentale où le processus de féodalisation était le plus avancé, et pour découvrir son message et sa portée sociale, nous allons commencer par observer les caractères originaux du décor ornemental roman sculpté ou peint, et plus particulièrement la façon dont les artistes se sont plus à représenter la figure humaine qui, nous le verrons, n'est pas sans rapport avec la manière dont ils envisageaient la place de l'homme dans leur univers féodal.

Si nous commençons par ce qui est apparemment le plus accessoire dans l'art monumental roman, c'est parce que c'est là que les liens avec la société se manifestent avec le plus d'évidence, et que fort de ces premières observations, il sera plus facile ensuite d'aborder le domaine abstrait de l'architecture.

L'homme roman est insaisissable, il est à la fois l'atlante au visage énorme sous le crochet * du chapiteau de Sérrabone, le prophète dansant de Souillac (Pl. VI), l'homme-chiffre des entrelacs * de Toulouse. Dans les clavaux * d'Aulnay (fig. 30, 31, 32, 33) il subit toutes sortes de mutations, qui le transforment partiellement en végétal ou en animal.

Les artistes romans ne cherchent jamais à se référer à une humanité déterminée ayant des caractères morphologiques fixes. Bien au contraire, ils semblent prendre plaisir à déformer

* Les mots marqués d'un astérisque sont inclus dans le glossaire final.

le corps humain à l'infini, profitant de chaque bas-relief, de chaque chapiteau pour tenter de nouvelles expériences.

Il ne s'agit pas là d'ailleurs d'un traitement spécifique à la figure humaine ; la bête, la plante, le motif décoratif, n'ont, pas plus que l'homme, de caractères fixes dans les représentations sculptées ou peintes. La flore ornementale, par exemple, est un prodigieux foisonnement de tiges entrelacées, de feuilles, de fleurs, de fruits mystérieux, dont les caractères varient au gré de la composition et qui ne se rattachent que de très loin aux modèles conventionnels hérités de l'Antiquité.

L'artiste roman ne fait pas référence, dans son travail, à une nature ayant des caractères bien déterminés, mais à une réalité souple, malléable, susceptible de se déformer suivant les besoins de sa composition ou du message qu'il cherche à nous transmettre.

Le morcellement, la diversité même du monde chrétien féodal, fractionné en de multiples dominations locales, dans lesquelles se développaient des traditions, des coutumes, des langues ayant des caractères bien particuliers, constituait un milieu certainement favorable à la multiplication des expériences et au foisonnement des modèles de référence en matière d'art décoratif, mais ne saurait rendre compte du dynamisme du phénomène que nous observons.

Même à l'échelle de leur région ou de leur atelier, les artistes ne cherchent pas à élaborer des modèles fixes. A l'intérieur d'une même œuvre, comme à Moissac (Pl. VIII et IX) on voit cohabiter des personnages de morphologie et de caractère complètement opposés. Les deux séraphins dansants du tympan * s'allongent démesurément afin d'exprimer la grâce et la légèreté de leur état angélique, tandis que les figurines minuscules, que l'on peut voir aux extrémités d'une des archivoltes * et qui représentent probablement les sculpteurs en train de terminer leur œuvre, ont des grosses têtes et des corps trapus, ce qui leur donne un air de sérieux qui sied à leur état d'artisan consciencieux.

L'art roman, s'opposant à l'art antique, comme aux traditions carolingiennes, s'est complu à regrouper dans la même vision des figures de taille et de caractère très différents.

Les théologiens, les philosophes d'alors ne s'intéressaient pas plus que les artistes à une réalité ayant des caractères intrinsèques irréductibles. E. Gilson remarque dans son étude sur la philosophie au Moyen Age que :

« Le point par où les hommes de cette époque sont le plus complètement différents de nous, est leur ignorance à peu près totale de ce que peuvent être les sciences de la nature. Beaucoup célèbrent la nature, mais aucun ne pense à l'observer. Les choses possèdent bien pour eux une réalité propre dans la mesure où elles servent à nos usages journaliers, mais elles perdent cette réalité aussitôt qu'ils entreprennent de les expliquer. »

Le peu de cas que les artistes et les penseurs de la période romane font alors d'une réalité objective et stable, ne peut pas être imputé à une quelconque maladresse, car on le retrouve aussi bien dans des œuvres frustes, que dans d'autres, techniquement très élaborées. Il correspond en fait à un parti pris, à une attitude générale des hommes de cette époque à l'égard du monde.

L'observation d'un des chapiteaux de la croisée du transept de Saint-Benoît-sur-Loire (Pl. III) va nous permettre de sentir la résonance sociale de cette conception étrange d'une nature et d'une humanité sans consistance bien définie. Il représente un miracle du saint. Le Christ est la figure centrale, c'est lui qui domine toute la scène, son visage énorme et frontal, presque circulaire, semble rayonner d'une puissance mystérieuse, avec ses yeux immenses, dessinés par plusieurs cernes concentriques. Saint Benoît est nettement moins grand, son bras vient se confondre avec celui du Christ qui se termine par une main énorme (ce qui manifeste qu'il ne tire son pouvoir que de la liaison qui l'attache presque physiquement à son seigneur). Les autres personnages de la scène, sur lesquels s'exerce sa puissance, sont encore beaucoup plus petits que lui.

La taille et la morphologie des figures sont ici entièrement conditionnées par cette hiérarchie très féodale du pouvoir miraculeux, qui passe par procuration du Christ à saint Benoît, et qui s'exerce sur ses compagnons.

Dans la société du XIe siècle, comme sur ce chapiteau, la valeur, l'existence même d'un individu est fonction des liens qui le relient à un plus puissant, auquel il a prêté hommage s'il est chevalier, et à des plus faibles sur lesquels il exerce son pouvoir de commandement.

Dans l'Europe du XIe siècle, et plus particulièrement en France, toute autorité centrale avait quasiment disparu depuis l'effondrement de l'empire carolingien et les ravages des invasions normandes, maures et hongroises. La puissance publique s'était morcelée progressivement. Tout grand seigneur, jadis mandataire d'un prince, s'était alors emparé à son propre profit de l'autorité publique, et cherchait à affirmer sa domination sur un nombre aussi grand que possible de dépendants, en faisant prêter hommage aux plus puissants, notamment aux chevaliers, pour en faire ses vassaux, et en s'efforçant de dominer, de commander, de juger et de protéger le plus grand nombre possible de paysans aux alentours de sa forteresse, en les assujettisant à sa personne par une sorte de lien héréditaire.

En 1016 un prélat allemand décrivait ainsi la situation dans le royaume de Bourgogne :

« Le roi, n'a plus du roi que le nom et la couronne... il n'est capable de défendre contre les dangers qui les menacent, ni ses évêques, ni ses autres sujets. Aussi voit-on les uns et les autres s'en aller mains jointes, servir les grands, par là ils obtiennent la paix. »

L'existence d'un individu était alors subordonnée à ces liens de dépendance qui le reliaient à un plus puissant que lui et dont il pouvait attendre le meilleur comme le pire.

Par-delà même la dépendance vassalique, dans ce monde anarchique où aucune autorité, aucune loi n'est susceptible de protéger l'individu et ses biens on va voir s'opérer dans tous les domaines un reflux de l'individualisme. L'homme cherchera à abdiquer ses prérogatives particulières pour s'insérer dans toutes sortes de liens de dépendance et il prendra : « une conscience plus vive de ses attaches avec les petits groupes, quels qu'ils fussent, dont il pouvait attendre un secours. » (Bloch).

La société à l'époque romane n'est pas une juxtaposition hiérarchisée d'individus à caractères bien définis, protégés par une loi et une police communes, mais une imbrication de réseaux de dépendances qui enserrent et déterminent les caractères de ceux qui la composent.

Dans l'art roman, comme par analogie, on voit l'homme et la réalité se modeler suivant leur importance dans la scène et se soumettre physiquement au milieu dans lequel ils se trouvent.

Les artistes romans se sont dégagés de l'individualisme gréco-romain pour qui l'homme, la statue, la caryatide *, la figure peinte sur le vase, était une puissante individualité à l'image du citoyen libre, qui pouvait affirmer son autonomie, protégé qu'il était par une loi et une police efficaces.

Ils ont renoué avec les arts plus « primitifs » dans lesquels le personnage ne peut être figuré d'une façon réaliste, car il est avant tout conçu dans ses rapports avec les structures des groupes auxquels il appartient. L'individu n'existe alors que par appartenance à des ensembles : sa tribu, son clan, sa famille, et ne peut pas, ne doit pas être conçu et figuré comme ayant une existence indépendante.

La façon dont les artistes de l'époque romane ont dénié à l'individu, comme à la réalité, toute autonomie, s'exprime particulièrement bien dans les œuvres des régions comme le centre de la France, où la décomposition du pouvoir central et de l'État était la plus avancée et où le processus de féodalisation était parallèlement le plus vigoureux.

Dans d'autres zones, comme en Germanie, où les empereurs sont arrivés à maintenir leur pouvoir plus longtemps et à assurer la pérennité de la puissance publique et par là, à accorder une certaine protection à l'individu isolé, on voit les artistes se référer tout naturellement à une réalité plus stable, et mettre en scène, comme dans les portes en bronze de Hildesheim, des personnages aux caractères bien typés, fortement dégagés en relief, et dont les caractères ne se modifient pas au gré de la composition ou suivant la place qu'ils occupent dans la hiérarchie chrétienne.

Dans les créations proprement romanes, comme dans le système féodal qui fut leur milieu d'élection, l'homme se définit par la manière dont il participe à un ensemble, et il nous faut l'observer dans ce contexte dans lequel il nous apparaît et qui le détermine.

Les liens de dépendance

Pour un penseur de ce temps, connaître et expliquer une chose, consiste toujours à montrer qu'elle n'est pas ce qu'elle paraît être, qu'elle est le signe d'une réalité plus profonde, qu'elle annonce ou qu'elle signifie autre chose.

E. Gilson

La philosophie au Moyen Age.

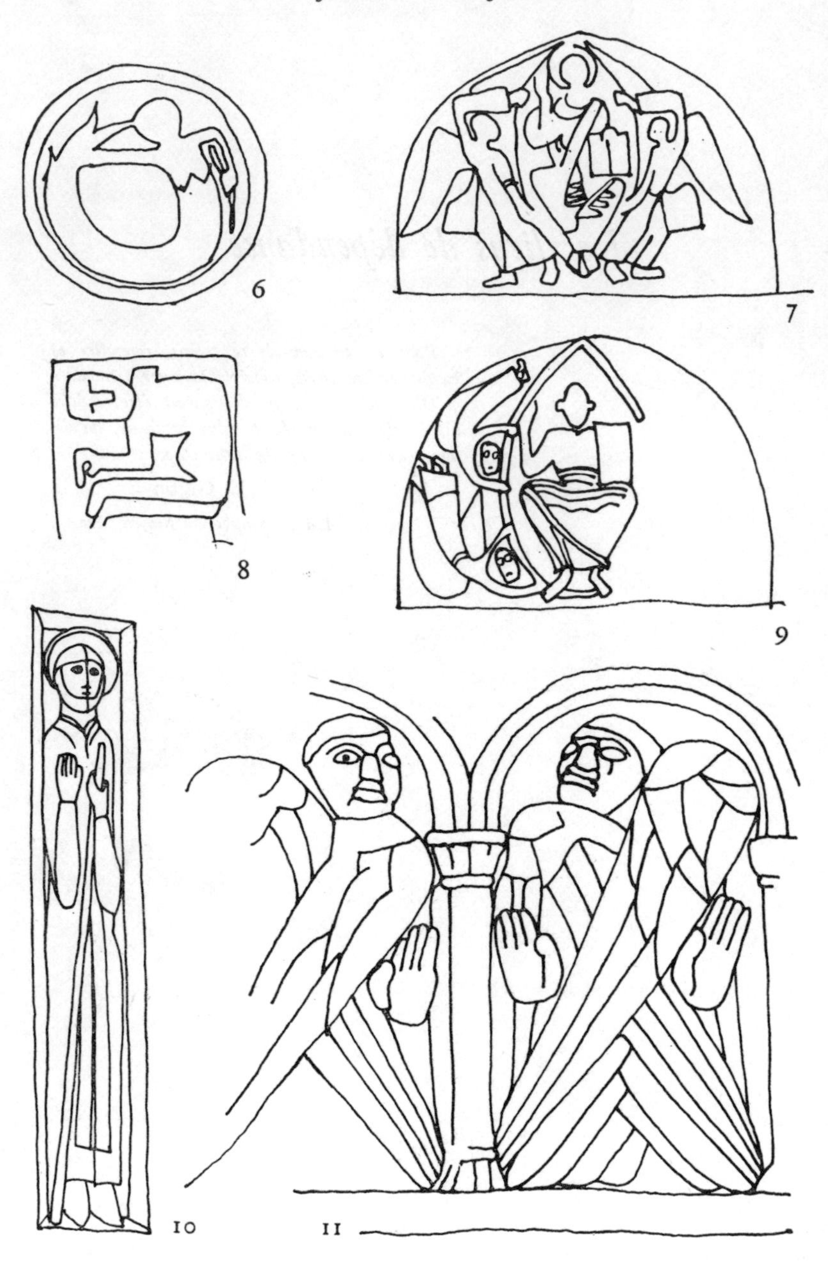

Les liens de dépendance

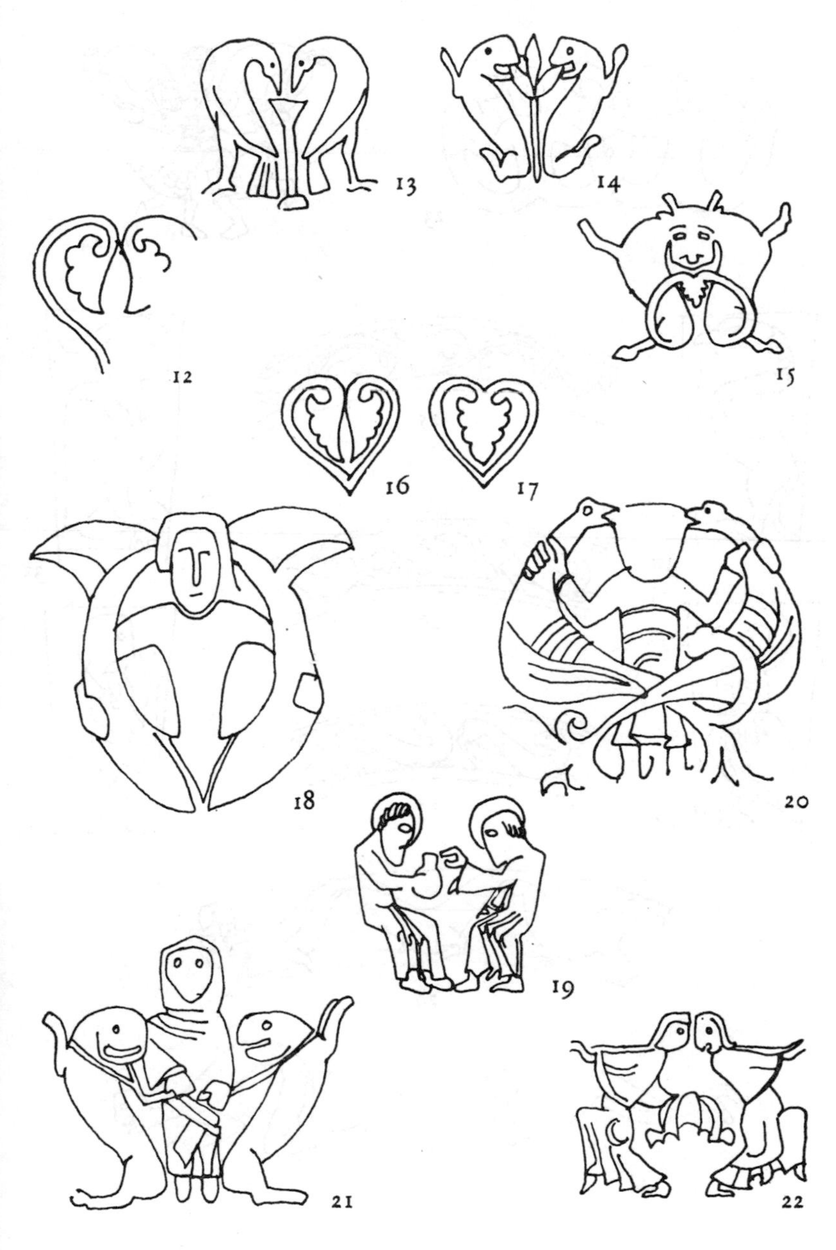

Les liens de dépendance

23

24

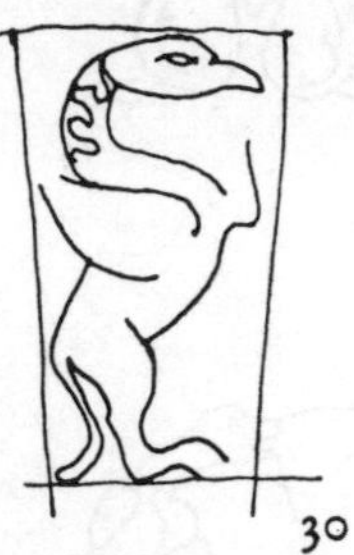

30

25

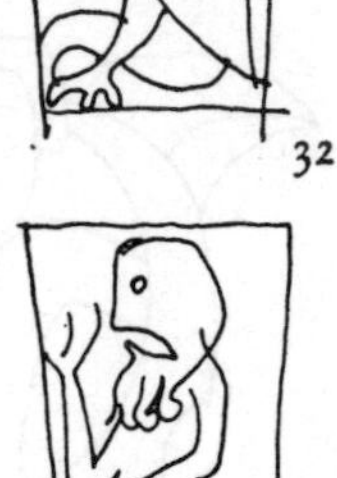

32

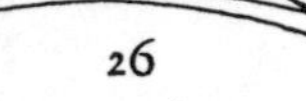

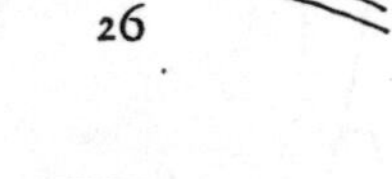

26

31

27

33

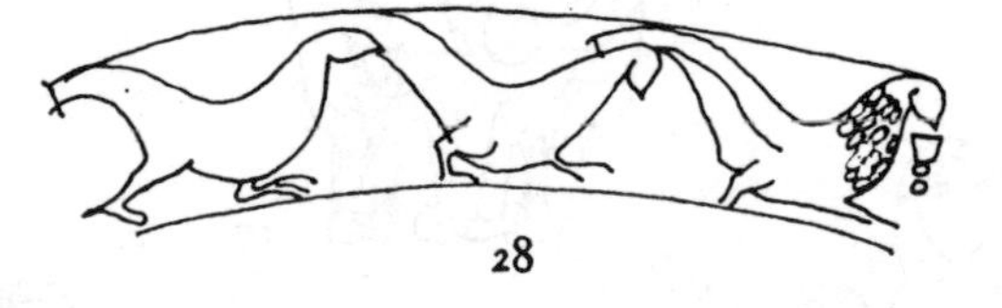

28

29

Les liens de dépendance

34

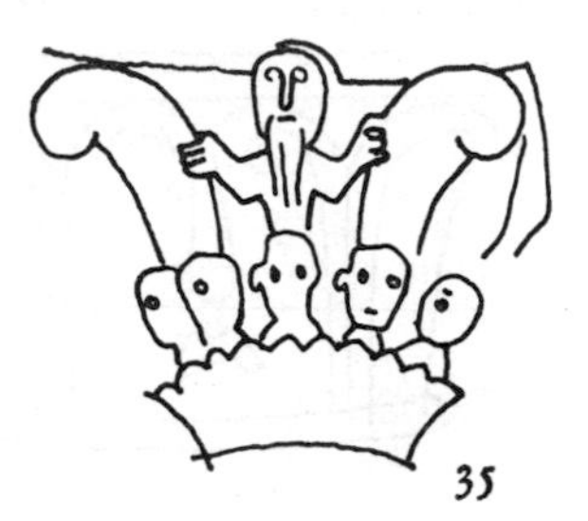

35

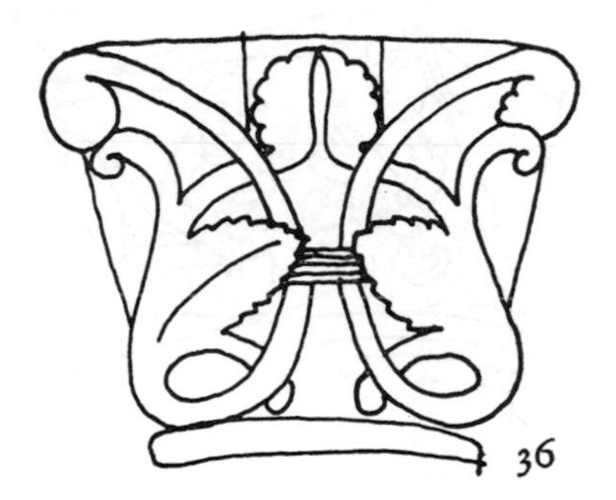

36

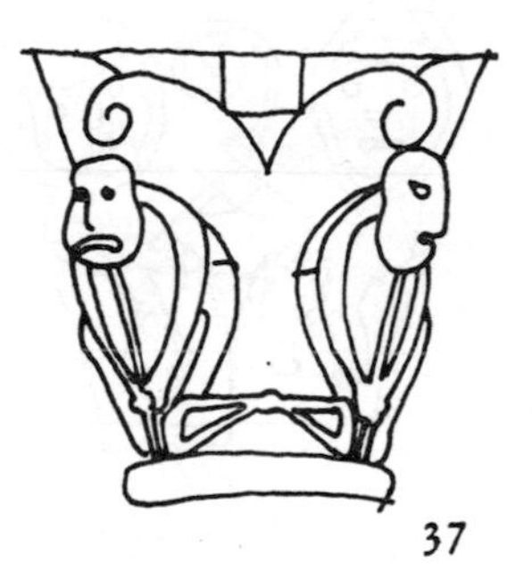

37

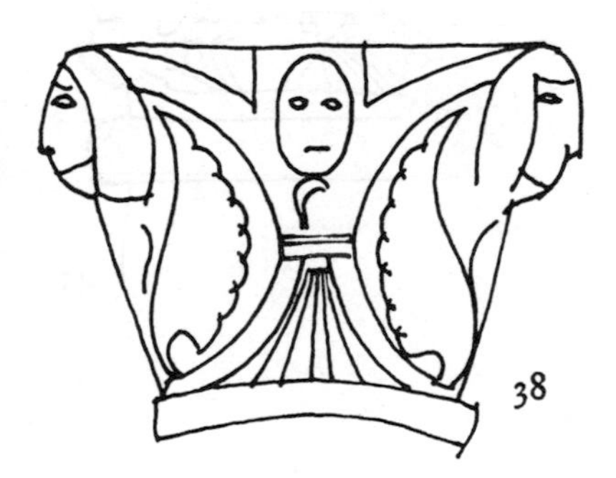

38

39

Les liens de dépendance

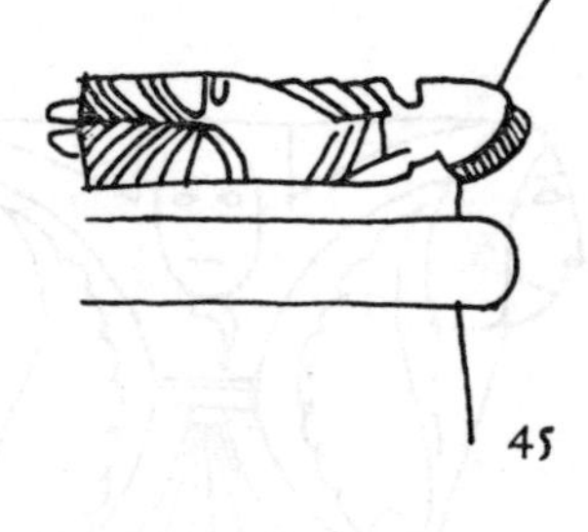

Les liens de dépendance

Le premier contexte dans lequel apparaît la figure de l'homme dans l'art roman, c'est le cadre matériel et architectural qui la contient et auquel les artistes se sont efforcés de l'assujétir. Regardons le linteau de Saint-Genis-des-Fontaines (Pl. IV). Cette œuvre, du tout premier art roman, nous présente le Christ, entouré des apôtres, chacun sous une petite arcade, selon la vieille formule de l'art hellénistique. Leurs têtes démesurées tendent à occuper tout l'espace libre des arcs outrepassés qui les enserrent, et leurs auréoles sont exactement dessinées par l'intrados de ces derniers; leurs épaules tombantes suivent les arêtes des chapiteaux, et le bas de leur corps se resserre pour s'insérer entre les profils des bases.

Est-ce par gaucherie ou pour plus de facilité dans l'exécution que l'artiste a polarisé les personnages aux limites du cadre qui les contient? C'est peu probable, car il s'agit là d'une œuvre savante et non d'une improvisation plus ou moins balbutiante. La frise décorative qui entoure la scène est parfaitement bien composée, et la calligraphie du texte latin très étudiée; ce dernier fait référence au règne de Robert le Pieux, ce qui témoigne d'une culture peu commune dans ce Roussillon des premières années du XIe siècle, si éloigné du domaine royal.

Si l'artiste s'est permis de déformer la morphologie des apôtres pour les enserrer dans les arcades, cela ne peut être qu'une volonté esthétique de sa part. Les deux anges qui soutiennent la mandorle du Christ le confirment, car ils sont composés avec le même souci de remplir l'espace qui leur est imparti, leurs têtes se renversent pour toucher la limite définie par la colonne et le chapiteau des arcades proches, ils sont agenouillés et le déploiement de leurs ailes vient heurter le cadre qui les contient.

Nous voyons à l'œuvre, dans cette sculpture, ce principe de composition caractéristique de l'art roman, qui veut que la figure s'efforce d'occuper complètement l'espace qui lui est assigné, perdant ainsi son autonomie, pour s'intégrer dans la composition de l'ensemble.

Par un curieux changement de sens, le fait de représenter un personnage sous arcade, qui était, dans l'art hellénistique et paléochrétien, une manière d'accentuer son individualité, vient ici, en le déformant au point de déterminer complètement son anatomie, manifester sa dépendance. Isolés de leur petit cloître, les apôtres de Saint-Genis-des-Fontaines deviendraient des marionnettes ridicules, alors que nous pouvons imaginer la figure hellénistique sans l'arcade qui lui sert de fond.

Dans l'art roman, le personnage et le cadre sont liés au point de former une unité de signification irréductible à la simple superposition des deux éléments constitutifs.

Les artistes ont intégré les figures dans les espaces les plus divers, ils ont créé l'homme-carré de Saint-Benoît-sur-Loire (Pl. II *c*), l'homme-trapèze des claveaux d'Aulnay (fig. 30, 31, 32, 33), l'homme-triangle de Saint-Rémy de Provence, l'homme-cercle des médaillons de Vézelay (fig. 6), l'homme-archivolte de Saint-Révérien. Le plus souvent, ce sont des scènes figurées complexes, qui se polarisent aux limites du cadre, qu'il s'agisse d'un linteau rectangulaire, comme à Charlieu, d'un linteau en bâtière, comme à Mozac (où la taille des personnages diminue à mesure qu'ils s'éloignent de la partie centrale), du demi-cercle d'un tympan (fig. 7, 9; Pl. VIII), ou du demi-cercle de la face d'un chapiteau cubique, comme à Autun (fig. 41, 43).

Ce cadre tout puissant, qui peut déformer à sa guise les corps des personnages les plus sacrés, est souvent marqué par une moulure. Quelquefois, alors, nous voyons la figure, comme la luxure de Charlieu, déborder très légèrement de cette limite, ce qui lui fait perdre sa valeur de contrainte physique, pour n'être plus qu'un schéma abstrait. A Souillac (Pl. II *d*), dans le trumeau* composé d'un incroyable enchevêtrement de bêtes et d'hommes qui s'entredévorent, les colonnettes d'angles, très fines et presque inconsistantes qui limitent la scène, ne peuvent pas être considérées comme une contrainte matérielle suffisante pour endiguer ce déchaînement de forces animales. Ce sont les êtres eux-mêmes, qui, de leur propre mouvement, se plient au cadre, et lui donnent ainsi sa valeur. La plupart du temps, d'ailleurs, ce dernier n'est qu'une abstraction définie par les arêtes du bloc de pierre originel, et c'est la figure, qui le met en valeur par son attitude.

Très souvent, au cadre extérieur correspond une trame intérieure tout aussi contraignante. A Toulouse, des personnages sont composés suivant les diagonales du rectangle qui les enserre.

A Toulouse toujours, sur le rebord d'une table d'autel, des anges, tout en se déployant pour occuper le cadre qui leur est assigné, se plient aussi dans leur mouvement à un schéma de composition sinusoïdal, transposition abstraite des ondulations d'un rinceau végétal. (Voir aussi fig. 12 à 33.)

Le cadre extérieur et la trame intérieure jouent un rôle similaire, enserrant la figure dans un réseau de contraintes multiples.

Dans les claveaux d'Aulnay (fig. 30 à 33), au schéma interne, défini originellement par une figure végétale conventionnelle en forme de S, s'ajoute la contraite extérieure du trapèze d'épannelage, pour mieux intégrer et définir tout un monde d'êtres chimériques, qui constituent autant de variations monstrueuses sur ce double thème de composition.

L'artiste ne se contente pas d'une intégration extérieure, il la veut profonde, totale. C'est pour cela qu'il utilise les lignes de forces géométriques et les combinaisons de courbes qui peuvent se composer dans le cadre.

Dans le trumeau de Souillac (Pl. II *d*) dont nous avons déjà parlé, nous percevons très nettement les grandes lignes d'un schéma de composition qui rythment et dominent ce chaos.

Cette toute-puissance, dans l'art roman, du cadre et de la trame ordonnatrice, fait que ces figures, mi-animales, mi-végétales, mi-humaines, troubles et terrifiantes, que l'on aperçoit sur tant de bas-reliefs, et que l'on pourrait croire issues d'une imagination maladive, sont en fait, entièrement dominées et maîtrisées, elles se plient à la volonté des artistes qui les enroulent à la base des colonnes, les étirent sur les tailloirs * des chapiteaux et sur les archivoltes, les enserrent dans les claveaux d'une baie. Plus la figure est expressive et mouvementée, plus le lien qui la détermine inexorablement prend de valeur et de signification. J. Baltrusaïtis, qui le premier a établi les principes de la « stylistique ornementale romane », et à qui j'ai emprunté certains exemples, constate que :

« La vie troublée des formes obéit à une loi plus pressante que l'équilibre de la vie physique; elle renonce à son canon propre pour entrer dans une ordonnance et s'y soumettre. »

Les sculpteurs romans ont cherché à nier l'existence indépendante de l'individu, comme de toutes les autres figures, en les enserrant dans des cadres contraignants et en les intégrant dans des trames de composition plus ou moins complexes.

Pour apprécier ce parti pris de la part des artistes, il faut se référer au climat de profonde anarchie qui régnait à cette époque, aux disettes, aux ravages des guerres privées, à l'arbitraire et à la violence qu'exerçaient sur les paysans bien des seigneurs, et que ne venait tempérer aucune autorité centrale, aucune législation admise par tous. Il faut se référer enfin au besoin corrélatif qui devait être profondément ressenti par l'immense majorité des hommes de s'insérer dans un cadre familial, religieux, social, stable, et de s'attacher physiquement à un seigneur puissant et généreux, afin de s'assurer par là un minimum de sécurité.

Cette résonance sociale du cadre, nous en trouvons une confirmation dans le tympan de Montceau-l'Étoile; là, le sculpteur a hésité entre deux limites pour inscrire les anges qui soutiennent le Christ en Gloire : celle extérieure du demi-cercle du tympan, et celle intérieure de la mandorle qui enveloppe le fils de Dieu, et, n'ayant pas su concilier ces deux pôles d'attraction, il a choisi le second. Les anges, par leurs mouvements, se rapprochent le plus possible de la mandorle, ils l'étreignent, et leurs jambes et leurs ailes en suivent très exactement le contour, alors qu'ils se détachent du demi-cercle extérieur. Le sculpteur a préféré inféoder les figures autour du Christ, car cette liaison-là avait, pour lui, une valeur spirituelle et sociale plus marquée, comme étant la manifestation idéalisée de l'attachement de l'homme à son seigneur et de ce mouvement de « fuite vers le chef » autour duquel l'ensemble de la société tendait alors à se reconstruire.

Le cadre est une notion charnière entre les domaines de la sociologie, de l'esthétique et de la psychologie. Il y a un cadre social, familial, dont les structures varient suivant les civilisations, et face auxquelles l'artiste prend parti quand il exprime sa vision plastique du cadre.

Les sculpteurs romans ont systématiquement recherché, pour présenter leurs scènes, les cadres les plus contraignants.

Ils avaient peur des surfaces géométriques simples, des espaces qui ne sont pas en eux-mêmes assez structurés et assez complexes pour enserrer et déterminer les scènes qu'ils nous présentent, aussi ils ont délaissé les frises et les panneaux rapportés utilisés par les Gallo-Romains, et ils ont sculpté en priorité les jointures de l'édifice, les claveaux, les archivoltes, les modillons *, les bases des colonnes et surtout, les chapiteaux.

Le chapiteau, lieu complexe par excellence a été l'espace de prédilection de la sculpture au XIe et au début du XIIe siècle.

Mises à part quelques créations originales, comme celui de Beaulieu, intersection d'un tronc de cône et d'un tronc de pyramide, ou quelques interprétations du modèle byzantin, intersection d'une sphère et de quatre plans (fig. 41, 43), le chapiteau roman est le plus souvent une transfiguration du chapiteau corinthien. Les sculpteurs n'ont pas considéré le modèle antique comme un objet déterminé une fois pour toutes, mais comme un espace complexe, possédant, avec ses volutes ou crochets d'angles, sa rosette centrale et sa succession de collerettes végétales, une structure bien marquée, capable d'accueillir et de déterminer toutes sortes de représentations figurées ou ornementales (fig. 34 à 40 et 42, 44, 45; Pl. I, II, *(a, b, c,)* III, V, VII, X).

Deux des chapiteaux de la rotonde de Saint-Bénigne de Dijon, datent du XIe siècle. Le sculpteur est passé insensiblement du modèle corinthien très fruste du premier, à la figure de l'orant les deux bras levés dans un mouvement de prière, que nous voyons sur le second. Son visage énorme se substituant à la rosette antique, timbre la face plane du chapiteau, sa barbe bifide en marque l'axe de symétrie, ses mains, remplaçant les crochets d'angle, semblent porter les voûtes de la crypte. La transfiguration s'est opérée en respectant et en magnifiant le schéma initial dérivé de l'antique.

La conception romane du chapiteau apparaît ici pour la première fois dans toute sa force. Il est le cadre extérieur par l'épannelage de son volume, il possède une trame interne de composition particulièrement riche dérivée du modèle antique, il est enfin un élément essentiel de l'architecture, qui canalise les poussées des voûtes dans le fût des colonnes et se doit d'exprimer sa fonction portante.

C'est un lieu privilégié qui va enserrer et définir toute une humanité à travers un réseau de contraintes enchevêtrées. L'homme de Saint-Benoît-sur-Loire est la transposition du crochet corinthien, il semble participer, par son effort, à la structure de l'édifice. Le visage énorme de celui de Saint-Martin-du-Canigou se substitue à la rosette antique, et son corps se moule sur la trame végétale originelle. Les apôtres de la Cène d'Issoire, serrés les uns contre les autres, jouent le rôle des feuilles d'acanthe classiques, et le corps de la petite figure de Moissac (fig. 45) s'allonge, et devient un anneau qui prend la place de la collerette traditionnelle.

Les chapiteaux sont, pour les artistes romans, autant de possibilités d'intégration, qu'ils ont utilisées avec virtuosité. Celui de Chauvigny (Pl. V *a*), nous présente l'annonce aux bergers; il dérive du modèle corinthien, l'ange immense occupe toute la face plane, sa tête vient se substituer à la rosette antique et ses ailes se déploient jusqu'aux angles du tailloir * qu'elles semblent soutenir, à la place des crochets classiques. Les bergers, plus petits, dont les têtes proportionnellement énormes semblent manifester la stupeur, composent avec les moutons minuscules qui leur arrivent à peine aux chevilles, deux registres analogues à ceux des acanthes originelles.

La taille et la morphologie des figures semblent être fonction, autant de leur importance dans la hiérarchie chrétienne, que de la place qu'elles occupent dans la structure du chapiteau. Elles sont intégrées, de ce fait, dans un double réseau de dépendance, et la valeur architecturale de la scène s'enrichit de son sens sacré.

A Autun, dans le chapiteau qui représente les vertus et les vices, nous voyons les deux jeunes adolescents qui personnifient la générosité et l'espoir, suivre, comme par une analogie spirituelle, le déroulement harmonieux de la volute de feuillage qui soutient l'angle du tailloir, et compose un paysage de fond. Leurs bras tendus et les plis de leurs vêtements épousent les courbes des rinceaux, tandis que les démons recroquevillés et grimaçants personnifiant le désespoir et l'avarice qu'ils foulent aux pieds, restent au niveau de la collerette du chapiteau, et constituent comme un premier registre d'acanthes monstrueuses.

La grâce et la douceur qui émane de ces deux longues figures de vertu est magnifiée par leur insertion dans le chapiteau; car ce sont elles qui semblent soutenir sans effort apparent les voûtes de l'église et il y a une association riche et complexe entre la signification de la scène figurée, le décor végétal, et la fonction architecturale.

Ce besoin qu'avaient les sculpteurs d'insérer leurs figures dans des imbrications de contraintes et de significations de nature différente, on le retrouve transposé dans d'autres registres d'expression, à la même époque.

Dans la peinture romane, qu'il s'agisse de l'enluminure ou de la fresque, la trame ordonnatrice et le cadre jouent parfois un rôle important. Dans bien des motifs décoratifs qui ornent des manuscrits, on retrouve des variations ornementales autour d'un rinceau où l'homme se métamorphose en animal ou en végétal. Très souvent, aussi, les initiales servent alors de cadre à des représentations diverses et imposent leur loi aux figures.

Dans un manuscrit de Moissac (Pl. V *b*), le S majuscule devient une savante composition d'oiseaux et de quadrupèdes qui s'épanouissent en des bouquets de tiges et de feuilles étranges, et à Cîteaux (Pl. V *c*), le même signe s'incarne dans le corps d'un personnage dégingandé, qui brandit un fléau pour compléter la partie supérieure de la lettre.

Néanmoins, dans le domaine pictural, bien des scènes sont composées sans que le peintre cherche avec autant de fougue que les sculpteurs à les insérer dans un cadre bien délimité ou à les inscrire sur une trame préétablie.

Le pinceau qui glisse sur les surfaces de parchemin ou sur les enduits des murailles se plie plus difficilement à une contrainte qui n'est pas matérialisée, comme en sculpture, par les arêtes d'un bloc de pierre qui résiste. La technique de la peinture a sa logique propre, qui n'est pas celle de la sculpture, et il est naturel que les procédés utilisés dans l'un et l'autre cas ne soient pas les mêmes.

Ce qui est important à noter, c'est que par-delà les différences de techniques, liées à des pratiques artisanales et à des matériaux divers, les peintres, comme les sculpteurs, s'efforcent de soumettre l'individu à un ordre qui le dépasse.

Tout d'abord, les peintres romans ne cherchent pas à exprimer le relief comme le faisaient les fresquistes romains ou les miniaturistes carolingiens. Ils travaillent par aplats colorés, et ne veulent pas différencier la figure du fond sur lequel elle nous apparaît.

Ils ne cherchent pas à substituer un espace fictif à celui de la paroi en y inscrivant des illusions de volume ou de perspective, mais s'efforcent au contraire de soumettre l'ensemble des figures à la toute-puissance du plan sur lequel ils travaillent. Ils utilisent souvent pour cela des fonds constitués de larges bandes de couleur. Couleurs que l'on retrouve dans le traitement des figures et qui tissent ainsi un lien entre elles et la paroi.

Dans l'église de Boï en Catalogne, le vêtement de saint Étienne est indiqué presque entièrement par des traînées brunes, couleur que l'on retrouve dans le sang qui jaillit de sa tête, et qui constitue le fond de la partie supérieure de la scène. Seule la manche gauche de son vêtement est traitée, contrairement à toute logique, en gris. Gris que l'on retrouve dans le fond de la partie inférieure de la scène, et qui entoure la main de Dieu jaillissant des nuées. Le peintre a ici nié l'existence autonome d'un vêtement ayant une teinte homogène pour mieux insérer la figure visuellement par des rappels de couleur à l'ensemble de la scène, et au plan de la muraille sur laquelle elle est figurée.

On peut dire que les peintres romans, en jouant sur le rythme des aplats colorés, simples et contrastés, ont su rattacher puissamment la figure à un ensemble qui la dépasse; ce que les sculpteurs avaient réussi à faire, quant à eux, en les enserrant dans des cadres et des schémas de composition contraignants.

Dans la poésie « romane », le vers, fortement rythmé, constitue la trame immuable autour de laquelle pourront s'opérer les improvisations du chant.

L'acte de chanter consistant à : « remplir de mots, ce cadre mémoriel, selon les exigences particulières du rythme », même quand celles-ci « ne coïncident pas nécessairement avec les exigences propres à la syntaxe et même au lexique courant » (Paul Zumthor). Les poètes affirment la suprématie du cadre rythmique sur son contenu linguistique, exactement comme les sculpteurs eux, affirment la prééminence du cadre et de la trame ordonnatrice sur l'autonomie et le réalisme de leurs figures.

Les strophes de l'hymne *Quot sunt horae* de la fin du XIe siècle, par exemple, nous présentent tout un amoncellement de mots hétéroclites groupés dans une structure bien marquée, constituée par des strophes de six vers, alternativement de huit syllabes séparées en deux parties rimant ensemble, et de sept syllabes découpées en deux parties de quatre et de trois syllabes rimant entre elles membre à membre.

Quot sunt mores, quot colores
Et quot rerum species,
Quot sunt vites et quot lites,
Quot bellorum acies
Quot sunt mortes et quot sortes,
Quot malorum rabies;

....

Autant il y a de mœurs, autant de couleurs
et autant d'espèces de choses
autant il y a de vignes et autant de procès,
autant d'armées en guerre,
autant il y a de morts et autant de sorts,
autant de rages des mauvais;

La réalité à laquelle se réfèrent les mots utilisés par le poète est prise ici dans un réseau si serré de contraintes formelles qu'elle n'a plus de valeur qu'en fonction de cet ordre auquel elle se soumet et qui la dépasse.

Cet hymne semble être la transposition d'un décor ornemental roman, où un monde de figures disparates viennent s'assujettir au cadre qui les contient et se plier au rythme des ondulations d'un rinceau (fig. 12 à 29).

Même au niveau de la calligraphie, on voit les scribes subordonner le contenu des textes aux cadres formels de leur présentation, en remplissant l'espace de la page de la façon la plus dense possible, au détriment de tout souci de clarté. Sur une inscription commémorative que l'on peut voir dans le cloître de Moissac, les mots se dilatent et se rétractent même pour occuper complètement la largeur du panneau, et une même ligne peut être constituée par trois signes distendus ou par seize lettres de dimensions variables, serrées et imbriquées les unes dans les autres.

Paul Zumthor dit que : « La poésie " romane " est polarisée

par une volonté de participation. » On pourrait dire exactement la même chose de la calligraphie, de la sculpture et de la peinture romanes, et aussi, comme nous allons le voir, de la pensée des théologiens.

L'imbrication entre des significations de nature différente, dans l'art roman, qui fait que la figure est à la fois une pièce architecturale, une maille dans un décor ornemental, un symbole social ou religieux, un prétexte à des métamorphoses, est un caractère que l'on retrouve également transposé dans les textes des théologiens et philosophes de l'époque, chez qui, comme le dit E. Gilson :

« A l'explication étymologique se joint souvent l'interprétation symbolique, qui consiste à traiter les choses elles-mêmes comme des signes et à démêler leurs significations. Chaque chose en a généralement plusieurs. Un minéral, une plante, un animal, un personnage historique, peuvent à la fois rappeler un événement passé, présager un événement futur, signifier une ou plusieurs vérités morales, et par-delà celles-ci, une ou plusieurs vérités religieuses. Le sens symbolique des êtres était alors d'une importance telle qu'on en oubliait parfois de vérifier l'existence même de ce qui le symbolisait. Tel animal fabuleux, le Phénix, par exemple, était un si précieux symbole de la résurrection du Christ, qu'on ne songeait pas à se demander s'il existait. Aux interprétations étymologiques et symboliques, joignons le raisonnement par analogie, qui consistait à expliquer un être ou un fait par sa correspondance à d'autres êtres ou d'autres faits. Méthode cette fois légitime et dont toute science fait usage, mais dont les hommes du Moyen Age ont usé moins en savants qu'en poètes. La description de l'homme comme un univers en réduction, c'est-à-dire comme un microcosme analogue au macrocosme, est l'exemple classique de ce mode de raisonnement. Ainsi conçu, l'homme est un univers à échelle réduite, sa chair est la terre, son sang est l'eau, son souffle l'air, sa chaleur vitale est le feu, sa tête est ronde comme la sphère céleste, deux yeux y brillent comme le soleil et la lune, sept ouvertures dans le visage correspondent aux sept tons de l'harmonie des sphères, sa poitrine contient l'haleine et reçoit toutes les humeurs du corps comme la mer tous les fleuves, et ainsi de suite, indéfiniment, comme en témoigne l'Elucidarium attribué à Honorius d'Autun. Lorsque ces divers modes de raisonnement concourent à l'explication du même fait, on obtient le type d'intelligibilité le plus satisfaisant pour un esprit moyen du XIIe siècle, qui fut constamment partagé entre l'imagination de ses artistes et la raison raisonnante de ses dialecticiens. »

L'individu, comme l'objet ou la réalité, qui n'a d'intérêt pour les penseurs que parce qu'il se rattache, par un réseau de symboles et de correspondances au monde matériel et spirituel qui l'entoure, et que les sculpteurs, les peintres et les poètes s'efforcent, chacun à leur manière d'insérer dans des ordonnances qui le dépassent; cet individu ou son modèle, est, dans la société de cette époque, assujetti à une succession de cadres sociaux enchevêtrés qui le contraignent et le protègent tout à la fois, et lui interdisent en fait tout comportement autonome. Pour un paysan, il y a la famille d'abord « qui se resserre pour défendre l'alleu ancestral » (G. Duby), famille qui se prolonge souvent aussi en une société de biens :

« (les) " fréreches " groupaient autour du même " feu " et du même " pot " et sur les mêmes champs indivis, plusieurs ménages apparentés. Le seigneur, souvent, encourageait ou imposait l'usage de ces " compagnies " car il jugeait avantageux d'en tenir les membres pour solidaires, bon gré, mal gré des redevances » (M. Bloch).

La communauté villageoise, ensuite, qui regroupe les paysans face à l'autorité judiciaire du châtelain.

« Devant les exigences du maître, les manants sont tous solidaires et, pour mieux se défendre sont conduits à s'unir... La seigneurie banale a cimenté la communauté villageoise, ce que n'avaient pu faire ni les pratiques agraires ni les contraintes économiques de la seigneurie foncière » (G. Duby).

Les divers seigneurs, enfin de qui l'homme tient certaines terres, et celui auquel il est attaché personnellement par le servage, s'il y a lieu. Tous ces cadres sociaux se superposent et s'enchevêtrent sans qu'il soit possible de les hiérarchiser.

Pour le chevalier, le « lignage » est un cadre plus puissant encore que pour le paysan. C'est un vaste réseau de relations dans lequel il trouve aide et protection et auquel il sacrifie une part de son autonomie. Il ne peut aliéner par exemple un bien sans l'assentiment de ses divers parents. Les actes de vente, ou de donation « ne manquent pas de mentionner... le consentement des divers proches du vendeur et du donateur. Ces approbations paraissaient à ce point nécessaires que le plus souvent on n'hésitait pas à les rémunérer » (M. Bloch).

Sur le plan des torts causés à autrui « l'acte d'un individu engageait toute sa parenté » et la vengeance privée était très répandue.

« Tout le lignage, groupé à l'ordinaire sous les ordres d'un " chèvetaine de la guerre " prenait donc les armes pour punir le meurtre ou seulement l'injure d'un des siens. Mais ce n'était pas uniquement contre l'auteur même du tort. Car à la solidarité active répondait également forte, une solidarité passive. La mort de l'assassin n'était pas nécessaire, en Frise, pour que le cadavre désormais apaisé fût couché dans la tombe, il suffisait de celle d'un membre de sa famille » (M. Bloch).

Dans la chanson de Roland les trente lignagers de Ganelon sont pendus pour expier la faute de ce dernier.

Les relations de vasselage se développent et interfèrent avec la solidarité familiale. L'hommage vassalique, qui était personnel au début du XIe siècle, se désindividualise très vite et « les clientèles » à la fin du XIe siècle tendront à réunir pour des générations, non plus des personnes isolées, mais des lignages. L'hommage tendra d'autre part à se multiplier, le chevalier ayant reçu des fiefs de seigneurs différents :

« A la fin du XIe siècle (dans le Mâconnais) il n'existe plus sans doute de chevalier qui ne soit l'homme de différents seigneurs, participant à plusieurs compagnies vassaliques, protégé par chacun de ses patrons contre tous les autres, le chevalier fieffé est pratiquement libéré de ses obligations les plus strictes, en fait il est insaisissable » (G. Duby).

Insaisissable comme la figure romane qui se plie à toutes sortes de cadres, de fonctions, de schémas de composition souvent enchevêtrés.

« Certes tous ces liens sont lâches, mais ils se complètent les uns les autres et prennent le noble dans un tissu si serré, qu'il est en fait attaché à tous ceux qui l'entourent et qu'il aurait l'occasion de léser » (G. Duby).

Ce phénomène d'intégration sociale multiforme, nous le retrouverons à l'œuvre dans le monde religieux.

Le monachisme va prendre un essor considérable au cours des XIe et XIIe siècles. L'abbaye-mère de Cluny, en Bourgogne, regroupe, en l'an 1109, mille cent quatre-vingt-quatre maisons de prière, dont huit cent quatre-vingt-trois en France.

En dehors de Cluny de nombreux autres ordres se sont créés ou développés. Cet essor n'est pas uniquement quantitatif, un peu partout des mouvements de réforme vont restaurer la discipline et rendre la règle plus stricte.

Le moine féodal n'est pas un ermite ou un stylite * qui se complaît à un héroïsme ascétique individuel. Il se caractérise par une insertion très forte dans une communauté régie par des règles contraignantes et assujettie à la personne de l'abbé. Parallèlement dans le clergé séculier, le mouvement canonial rénove l'institution des chanoines suivant la règle de saint Augustin et lui donne un caractère plus communautaire. Nous pressentons que cela doit être la même motivation qui pousse le moine féodal à vouloir s'intégrer sous la conduite du seigneur-abbé dans une communauté de prières forte et structurée, et à faire représenter, dans les bas-reliefs des églises et des cloîtres, la figure humaine désindividualisée parce que intégrée dans des cadres et soumise à des ordonnances très strictes.

Mais avant de chercher à comprendre le pourquoi de ce mimétisme qui relie les principes d'organisation du style roman, ceux de la société civile ou religieuse, et les lignes de force de la pensée des maîtres, il nous faut encore poursuivre nos observations.

La participation par le mouvement et l'expression

Il tient son olifant qu'il n'a jamais laché
Il l'en frappe sur le heaume, orné de pierres et d'or
Il brise l'acier, la tête et les os,
Et lui fait jaillir les yeux de la tête,
Il l'abat mort à ses pieds

La chanson de Roland.

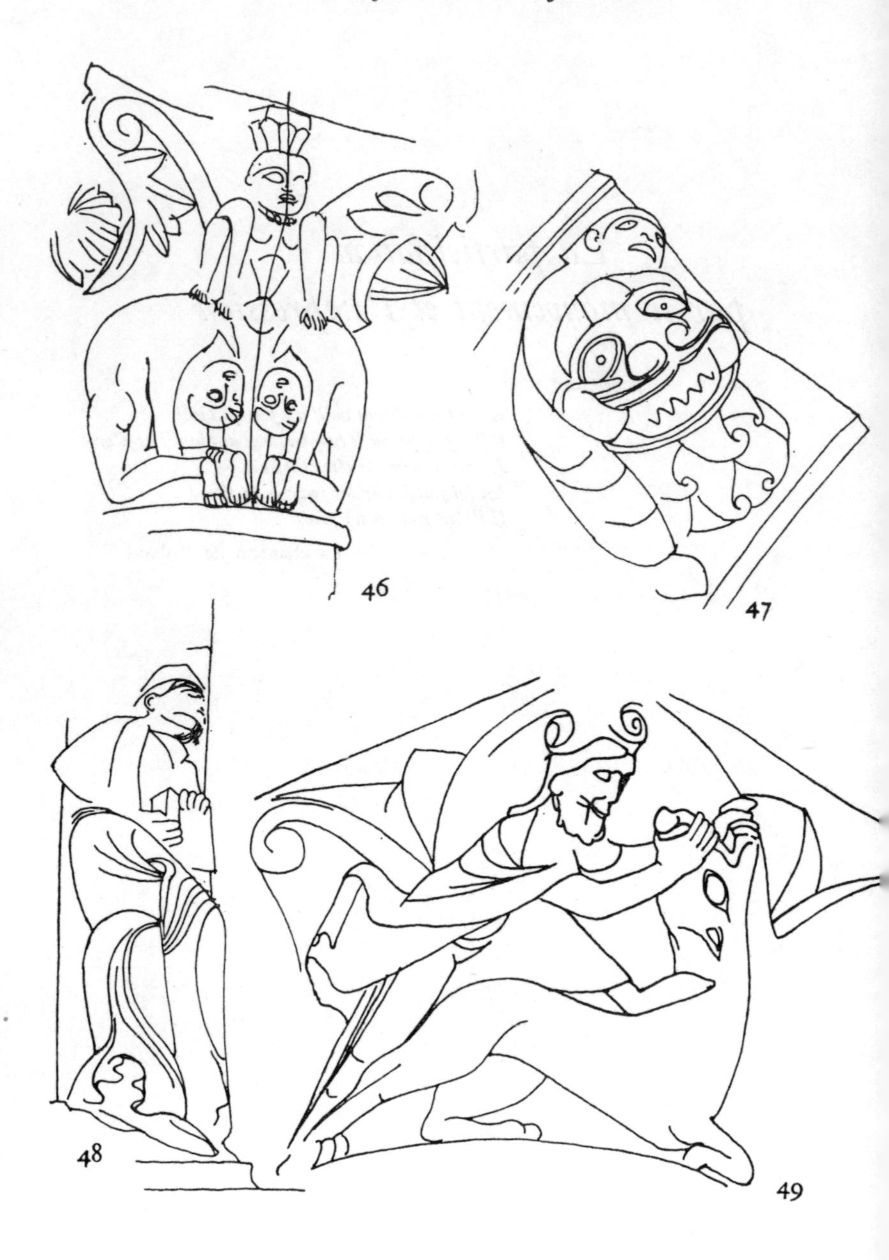

La participation par le mouvement et l'expression

Très vite, les artistes romans vont sentir tout le profit qu'ils peuvent tirer des principes de composition que nous venons d'analyser, pour donner à leurs figures des caractères et des mouvements violents et expressifs.

Alors que dans les œuvres du XIe siècle, comme à Saint-Genis-des-Fontaines (Pl. IV), le cadre semble paralyser les figures qu'il contient ; dans les œuvres plus tardives, on voit l'artiste se servir de façon plus subtile du cadre ou des schémas de composition imposés par l'architecture.

Dans le narthex * de Moissac (fig. 49), nous voyons l'homme et la bête prendre appui à l'extrémité basse du chapiteau et se projeter en avant, la tête du personnage venant soutenir l'angle du tailloir et le torse du monstre se cabrant pour s'inscrire dans la demi-face de la corbeille, et on ne sait plus très bien ici, si c'est le mouvement des figures qui détermine la structure du chapiteau, ou si c'est cette structure qui conditionne ce mouvement.

A Souillac (Pl. VI), le prophète Isaïe, ne se dilate pas pour occuper le rectangle qui lui sert de fond, mais il s'anime d'un mouvement mystérieux et vient toucher les limites de ce rectangle, avec ses mains qui tiennent un phylactère, avec ses pieds, sa tête et sa hanche, et le bas de son manteau, se replie pour pouvoir lui aussi se serrer contre ce cadre.

Le prophète est ici doublement assujetti à la scène : et par son insertion dans le panneau rectangulaire et surtout, par l'expressivité étrange du mouvement qui l'anime et qui lui permet justement de s'insérer dans ce cadre.

Le mouvement d'Isaïe n'est plus ici le simple résultat passif d'un procédé de composition, il a en lui-même une valeur et une fonction. Le prophète esquisse un pas de danse, et tout son corps semble parcouru par un frisson surnaturel, il s'arrache ainsi à notre univers quotidien, il renonce à sa propre loi, pour participer à une harmonie plus vaste.

Parfois les sculpteurs et les peintres animent leurs figures, sans pour autant se référer continuellement à des schémas de composition — c'est le cas notamment dans les vastes ensembles sculptés sur les tympans, ou peints à fresque dans les nefs et les absides.

Le mouvement et l'expressivité sont alors à eux seuls et sans référence à d'autres sujétions des facteurs d'intégration.

Dans le tympan de Moissac (Pl. VIII et IX), les vieillards de l'Apocalypse sont tous pris dans un même élan d'adoration vers l'apparition du Christ en Gloire. Leurs visages se tournent vers lui, leurs bras se lèvent et se plient, leurs jambes se tordent et se croisent, sans que l'on puisse discerner l'influence d'un schéma préétabli. Ils s'intègrent dans la composition d'ensemble, comme les séraphins dans l'élancement aérien de leurs mouvements ou les animaux hiératiques crispés dans des attitudes de tension et de torsion prodigieuses, par l'ardeur de leurs mimiques et l'intensité de leurs regards.

L'unité du tympan est due à cette multitude de mouvements et d'expressions, centrés sur la personne du Christ.

Ces figures qui participent physiquement au rôle qu'elles jouent dans la scène et par-delà à l'ordre de la création par la véhémence de leurs attitudes, ont aussi, bien souvent une expressivité accentuée par des déformations anatomiques.

A Vézelay, la main du Christ de la Pentecôte d'où s'échappent les rayons de feu est proportionnellement énorme. La force surhumaine de l'action divine est signifiée par cette déformation.

En modifiant la morphologie des personnages au gré de leurs fonctions dans la scène et en les animant de mouvements expressifs et violents, les artistes affirment la prééminence du rôle social ou religieux qu'ils jouent sur la logique interne de leur être.

Regardons la Vierge de Fenollar : le peintre ne s'est pas intéressé à sa beauté, il ne l'a pas traitée pour elle-même, c'est sa fonction de mère qu'il a voulu exprimer à travers la souffrance de la Nativité, par ces traits tirés et fatigués, ces grands yeux dissymétriques, les plis douloureux de sa bouche, la tête lourdement appuyée sur son bras.

Cette expressivité épique qui témoigne d'un engagement dans une action et qui caractérise tout l'art roman, on la retrouve dans les chansons de geste.

Les poètes ne cherchent pas à exprimer les caractères particuliers des héros qu'ils mettent en scène. Ils s'efforcent à travers leurs descriptions de les projeter dans le drame.

Les indications que donne l'auteur du Roland sur les corps de bataille des païens, engagés dans la mêlée avec les troupes de Charlemagne, n'ont aucune valeur anecdotique, mais tendent uniquement à renforcer la tension du récit.

Ils ont un nombre extraordinaire de chevaliers
Le plus petit corps en compte cinquante mille
Le premier comprend celui du Butentrot,
Le suivent celui de Misnes aux grosses têtes;
Sur l'échine au milieu du dos
Ils ont des soies comme des porcs;
. . . .
Et le dixième de ceux d'Occian la Déserte :
c'est une engeance qui n'honore pas le Seigneur;
Vous n'entendrez jamais parler de plus cruels;
Ils ont le cuir dur comme fer;
Et se passent de heaume et de haubert
Ils sont félons et obstinés au combat.

L'expressionnisme roman n'est jamais une fin en soi, mais la manifestation de la participation de la figure à un mouvement, à une action qui la dépasse. En cela il est aux antipodes du réalisme individualiste des portraits du Bas-Empire romain ou de l'Europe de la Renaissance, dans lesquels les caractères les plus particuliers des personnages sont traités pour eux-mêmes.

Deux chapiteaux d'Autun nous racontent l'histoire de Simon le magicien; sur le premier il a un visage angélique et s'élève dans les airs après s'être attaché des ailes aux chevilles et aux poignets. Sur l'autre c'est la chute (Pl. VII), Simon tombe et se fracasse le visage sur le sol et sa tête énorme et convulsée est celle d'un démon.

Sa physionomie a profondément changé entre les deux phases de l'action, ce qui montre qu'elle n'est pas conçue comme un caractère individuel qui lui est propre, mais qu'elle est l'expression physique de son destin.

Le sculpteur n'a pas uniquement utilisé ce procédé de représentation pour rendre la scène plus claire et plus vivante, mais parce qu'il exprime bien sa conviction que l'homme est charnellement imprégné par le péché, que son attachement à Dieu ou au diable se répercute au plus profond de sa chair.

A l'époque romane, quand on voulait s'assurer de la bonne foi d'un individu, on recourait souvent au duel judiciaire ou à l'ordalie; si sa chair brûlait au contact du feu, si elle était sensible à l'eau bouillante, s'il était vaincu au combat par son adversaire, c'est qu'il mentait. Si au contraire il triomphait des épreuves et ne semblait pas être affecté par les sévices qu'on lui infligeait, c'est que le Seigneur était avec lui.

Les hommes de cette époque pensaient que le corps humain, comme ceux des figures des bas-reliefs, était entièrement assujetti à un ordre supérieur susceptible d'en modifier les propriétés.

Cette relativité du mouvement et de l'expression, si elle a interdit aux artistes d'exalter inlassablement comme les sculpteurs grecs, la perfection d'une anatomie, leur a, par contre, permis de se créer un langage d'une puissance extraordinaire.

Qu'il s'agisse de la luxure de Tavant qui transperce ses seins démesurés que des serpents dévorent, ou du Christ de Tahull (Pl. XI) au visage hiératique et fascinant, les figures romanes sont toutes possédées par une frénésie d'expressivité épique, qui les arrache à leur propre « moi » pour les intégrer complètement à un destin qui les dépasse.

Les hommes ne craignaient pas à cette époque d'extérioriser bruyamment leurs sentiments. Même les plus rudes guerriers éclataient en sanglots publiquement dans les sanctuaires, manifestant ainsi leur soumission à Dieu et leur repentir.

Dans la société féodale, ce ne sont pas les choses inanimées, les objets, les richesses ou les hommes considérés comme des objets qui comptent, mais les relations entre les individus, le mouvement qui les fait se regrouper ou se disperser, les attachements que l'on peut nouer, les fidélités, les dévouements que l'on peut s'assurer et qui se concrétisent par des gestes de soumission rituels et l'expression de sentiments conventionnels.

« Les hommes étaient alors encore relativement peu nombreux, beaucoup plus précieux que la terre, qui sans leur travail serait restée sans valeur. La puissance d'un seigneur et l'essentiel de sa fortune tenaient donc d'abord à l'importance de sa " maison ", au nombre de ses serviteurs, à l'environnement de dévouements et de services qu'il pouvait attendre d'une large troupe de fidèles. Ni les champs, ni le petit trésor de bijouterie que l'on serrait dans la chambre du maître n'étaient l'objet de plus forts attachements ni de plus âpres convoitises » (G. Duby).

Dans l'art roman, comme dans la société féodale contemporaine, l'homme n'existe qu'en s'insérant par son mouvement et son expression dans une dynamique de groupe.

Ce n'est que bien plus tard, quand la rente du sol et la richesse matérielle primeront sur les liens de dépendance et le mouvement des hommes, quand les relations sociales se seront figées dans une juridiction écrite et stable, que l'on verra apparaître des figures au repos, comme dans ces portraits bourgeois qui nous montrent dans un cadre doré, un personnage seul et immobile.

Dans le monde troublé du XIe et du début du XIIe siècle, les châtelains doivent être constamment sur les routes avec leurs chevaliers, pour maintenir leurs prérogatives, et l'individu s'il veut survivre doit chercher à s'insérer par son mouvement et son attitude à des structures sociales protectrices. S'il veut gagner son salut dans l'au-delà, il faut qu'il rentre dans une communauté monastique et se plie à la discipline et aux oraisons rituelles, ou qu'il parte en pèlerinage ou en croisade.

Dans la société, comme dans l'art de cette époque, il n'y a pas de place pour l'homme au repos. Il n'y a pas de place pour un mouvement, un sentiment, une expression individuelle, qui ne soient pas d'abord la manifestation de l'engagement et de la participation de l'homme à un ensemble qui le dépasse.

Les jeux du vêtement et l'image du corps

Bienheureux votre ventre.
(Deus qui mundum)
Hymne bénédictin xe siècle.

50

51

52

53

Les jeux du vêtement et l'image du corps

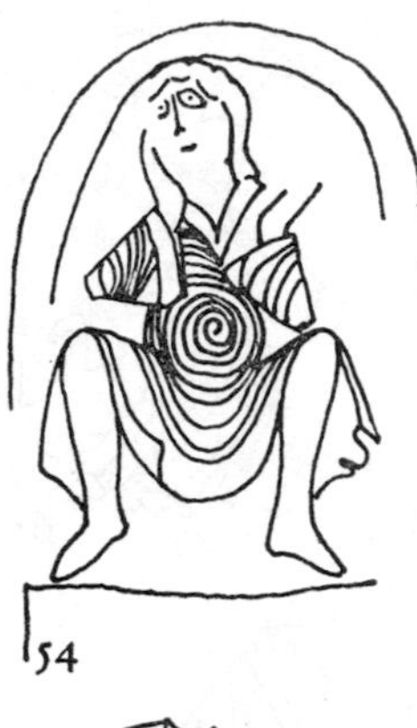

54

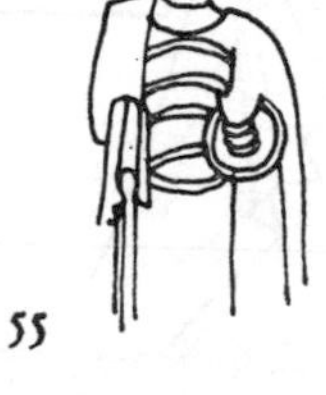

55

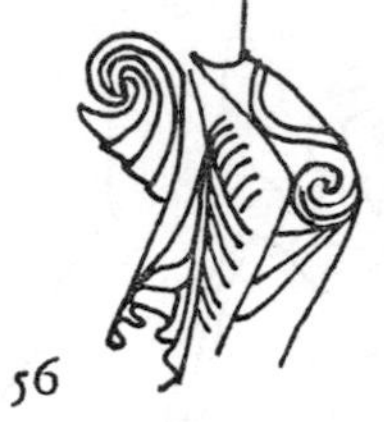

56

57

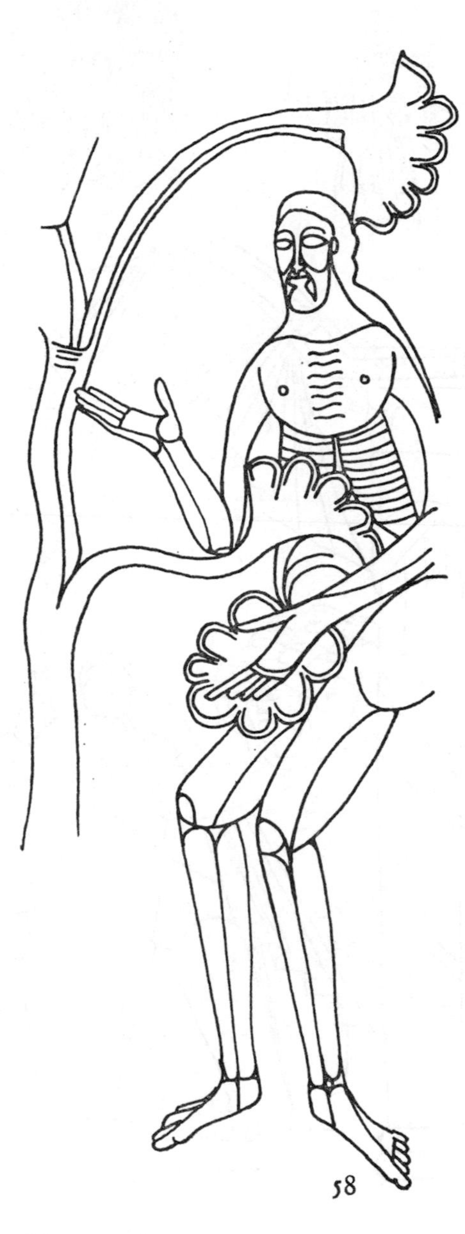

58

Les jeux du vêtement et l'image du corps

Les jeux du vêtement et l'image du corps

Le vêtement joue dans toute société des rôles multiples.

Il ne sert pas uniquement à protéger le corps des éléments extérieurs; les habits de deuil, comme les habits de fête, servent à marquer les circonstances de la vie; la parure rituelle ou le tatouage amène l'individu à participer à des univers différents; l'uniforme marque l'appartenance à un groupe; même les costumes civils sont, en dehors des nécessités pratiques, le signe d'une appartenance de classe.

La mode est souvent une expression des oppositions sociales ou des oppositions de générations. Les révolutions, les grands bouleversements politiques se sont toujours accompagnés de changements en matière de costume.

Le vêtement donne aussi une image particulière du corps qu'il recouvre, en le mettant en valeur ou en le masquant. Et l'on peut discerner à travers les habitudes vestimentaires d'une époque, les caractères de la morale et de la sensibilité dominante.

Dans les œuvres romanes, nous reconnaissons le roi à sa couronne, l'évêque à sa mitre et à sa crosse, le moine à son froc, le pèlerin de Saint-Jacques ou de Jérusalem à sa coquille ou à sa croix. Mais les artistes romans ne se sont pas contentés de cette simple transposition du réel sur le figuré.

A Moissac (Pl. VIII), le sculpteur a brisé, par un débordement de richesse dans le vêtement, ce que la grande figure du Christ pouvait avoir de trop humaine. Son costume est impérial, avec son encolure brodée, ses galons incrustés de cabochons, sa couronne carrée de Basileus. Il est assis sur un trône somptueux tout couvert de gravures savantes. Les plis drapés de son manteau et de sa tunique dessinent de larges courbes qui se terminent par des bouillonnements striés d'ombres. Sa silhouette se détache sur une mandorle étoilée et une auréole à fleurons. Le sculpteur l'a projeté, par cette parure majestueuse, dans un monde sacré et fastueux, tout rempli des nostalgies de Byzance et de l'Orient.

A Vézelay (fig. 56), les plis de l'ample tunique du Christ, partent en écheveaux de courbes parallèles qui s'entrecroisent et s'enroulent en spirales sur le genou et sur la cuisse en dépit de toute réalité.

Le vêtement n'est plus ici une construction de tissu plus ou moins signifiée. Comme dans certaines sociétés primitives, on amène l'individu à participer physiquement à un système religieux en lui tatouant des figures mythiques sur tout le corps. L'artiste, ici, a plongé le Christ dans un univers divin, grâce à cette parure mystérieuse qui couvre son grand corps maigre d'une composition hiératique de sillons d'ombres tourmentées.

Le vêtement, qui à Moissac et à Vézelay, marque la fonction sacrée de la figure, peut permettre aussi de la rattacher plastiquement à son contexte.

A Saint-Pierre de Burgal (fig. 53), l'habit d'un prophète, composé d'un écheveau de traits bruns et jaunes nous apparaît sur deux larges bandes de ce même brun et de ce même jaune, et se rattache, par là même, à ce fond dont il ne constitue qu'un bouillonnement.

Dans un chapiteau de Saint-Benoît-sur-Loire (fig. 52), le vêtement des personnages est signifié par des entailles parallèles, que l'on retrouve à l'intérieur de leurs mandorles, sur leurs mains et sur leurs pieds, ainsi que sur le fond, et qui tissent, par leur enchevêtrement, un motif abstrait reliant les figures à la masse du bloc de pierre.

A Vich, dans la peinture qui nous montre l'arrestation de Jésus, le vêtement constitue à lui tout seul une vaste fresque ornementale, qui unifie toute la composition par le mouvement tourmenté des robes et des manteaux, dont les courbes se prolongent d'une figure à l'autre.

Les artistes romans, nous le voyons, se servent du vêtement pour amener le personnage à sortir de son isolement, pour participer à un destin, à un cadre architectural, ou au mouvement général de l'action. Ce faisant, ils expriment, sur le plan plastique, ce désir de s'intégrer dans une structure protectrice, qui, nous l'avons vu, est une des préoccupations essentielles des hommes dans la société féodale.

Le vêtement figuré par les artistes romans, entretient aussi des relations de dépendance avec le corps qu'il recouvre.

A Souillac (Pl. VI), le pan du manteau du prophète Isaïe est comme une membrane striée, qui, contre toute vraisemblance vient se creuser entre le bras et la hanche, comme s'il était attiré par le corps du prophète. Des plis de tissus dessinent sur son ventre une composition de courbes concentriques, et viennent esquisser au niveau de la cuisse et du mollet, l'image de la structure musculaire qu'ils recouvrent et le bas de sa robe se fronce pour exprimer son mouvement. Le vêtement semble ici tout entier subjugué par le personnage. C'est à lui qu'il obéit, c'est sur son corps qu'il se polarise, au mépris du plus élémentaire réalisme. Il n'est plus une réalité de tissus, mais un élément dynamique qui vient se féodaliser sur la grande figure qu'il protège et dont il manifeste la puissance par cet attachement.

A Tavant, la robe brune de la Vierge est parcourue de grandes traînées blanches qui marquent l'emplacement des plis du tissu autour de son ventre et le long de sa cuisse. Ces traits blancs ne correspondent pas à une vision réaliste, car un pli est marqué normalement par une ombre, et non par une lumière. Ils sont ici traités comme un motif abstrait qui vient épouser les diverses parties de son corps. Les bords de son manteau, exprimés par de larges bandes vertes qui tombent depuis ses avant-bras, ne sont pas verticaux comme ils devraient l'être, s'ils obéissaient à la pesanteur, mais suivent la direction de sa cuisse et se courbent à la hauteur de ses genoux. Le vêtement renonce ici à sa propre loi pour suivre le mouvement et la morphologie de la figure.

Ces liens de dépendance puissants, entre le corps et son vêtement, sont comme une réplique de ceux que nous avons vu s'établir entre la figure et le cadre dans lequel elle nous apparaît, ou le schéma de composition auquel elle se plie. Tout se passe comme si le corps d'un personnage constituait pour l'artiste une trame ordonnatrice sur les axes de laquelle il s'efforce d'inscrire la réalité mouvementée d'une parure de tissus.

Si l'on admet assez facilement qu'il puisse exister des liens entre la place d'un individu dans la société, et celle d'une figure dans un ensemble sculpté ou peint, il semble plus difficile de comprendre ce qui relie le besoin social, dans un monde troublé, de rechercher la protection d'un plus puissant, et la tendance esthétique à vouloir polariser le vêtement sur le corps de la figure qu'il recouvre. Nous verrons, dans un chapitre ultérieur, que pour expliquer ce genre de phénomène, il faut accepter l'hypothèse qu'il existe une structure de pensée originale à l'époque féodale, comprenant, un peu comme une grammaire, un certain nombre de règles de composition, qui peuvent s'appliquer à des éléments tout à fait divers, comme l'attache sociale de l'homme à son seigneur, et la soumission du vêtement au corps du personnage qu'il protège.

Dans une enluminure de la vie de saint Aubin d'Angers (fig. 62), les draperies qui sont suspendues à l'arcade à l'intérieur de laquelle se déroule la scène, forment des plis, qui, au lieu de tomber verticalement comme dans la réalité, se focalisent sur la main tendue du saint et sur les hosties que les évêques lui demandent de consacrer. Un tel phénomène apparemment absurde s'explique très bien si l'on accepte l'hypothèse ci-dessus. La main du saint par où s'exerce sa puissance par le geste rituel, et les saintes espèces qui sont le symbole du corps de Jésus-Christ, sont les éléments majeurs de la scène et l'artiste qui voulait consciemment ou inconsciemment les magnifier, a utilisé pour ce faire, le schéma de pensée féodal qui veut que la puissance d'une chose se manifeste, avant tout, dans le mouvement de dépendance qu'elle peut induire autour d'elle. Que cette chose soit un seigneur ou une hostie figurée sur une enluminure, et que les éléments induits soient des chevaliers ou des plissements de tissus peints, le système qui sous-tend ces deux organisations a la même structure de base. Dans l'enluminure d'Angers le mouvement de dépendance centré sur la main du saint et les hosties, n'affecte pas d'ailleurs que les plis de la tenture, le regard des protagonistes, de même que bien des plis de vêtement et des éléments du décor ornemental, convergent vers ce centre d'intérêt, et concourent à donner à la scène une étrange tension dramatique.

L'habit est aussi le cadre dans lequel s'exprime et se définit une certaine forme de sensualité, dans laquelle s'élabore une image du corps particulière différente suivant les civilisations. Si l'on observe à travers l'art d'une époque la relation entre le vêtement et le corps qu'il recouvre, on peut pénétrer au cœur même de la sensibilité collective des hommes de ce temps, qui s'élabore à travers tout un jeu de répression et de sublimation sélectives. En effet, l'attitude de l'artiste vis-à-vis de la femme, par exemple, de son corps, de sa beauté, puise au plus profond de ses désirs et de ses nostalgies archaïques, et la façon dont il met en valeur tel ou tel de ses désirs, telle ou telle de ses nostalgies au détriment des autres, en jouant, notamment avec le vêtement, pour masquer ou magnifier le corps de la femme, constitue une tentative pour insérer les données brutes de ses pulsions affectives dans un ordre cohérent qui le satisfasse, et qui puisse être accepté par la société dans laquelle il vit.

Si l'on compare un drapé grec archaïque, un drapé classique puis hellénistique, on sent que les différences que l'on peut observer témoignent d'une profonde évolution de l'affectivité collective dans le monde grec.

Dans l'exemple archaïque, le vêtement est un cadre monumental qui amène le corps qu'il recouvre à participer à un univers presque cosmique, où la femme est associée à la mère, à la déesse, à la terre, dans un cercle de correspondances extrêmement vaste.

Dans l'exemple classique, le vêtement est plus réel, plus familier, tout en restant strict et monumental. On devine dans ses grandes lignes le corps de la femme sous le drapé, sans qu'il y ait là aucune complaisance. Il y a un accord, une harmonie entre le corps et son vêtement puissamment modelé, comme entre l'homme et le cosmos. Le cercle des associations est, on le sent, encore très large, mais la réalité, le présent y trouve aussi sa place; le corps humain, qui a ici une existence plus concrète, acquiert, dans cette relation avec des images qui plongent dans l'inconscient collectif, une dimension de plus, et inversement, le monde des hommes et des dieux qui l'entoure se trouve investi par transfert d'une valeur affective.

Dans l'exemple hellénistique, le vêtement n'est plus qu'une parure complaisante qui met en valeur les moindres rondeurs du corps qu'il a pour mission de faire désirer. L'artiste ne se réfère plus à des images archaïques qui puisent dans ses souvenirs et ses phantasmes les plus enfouis. Il limite le cercle de ses associations en traitant le corps de la femme uniquement comme un objet de désirs érotiques, et en faisant appel à des souvenirs de jouissances immédiates et concrètes, et le monde réel et mythique qui l'entoure se trouve par là appauvri et désinvesti de toute dimension affective.

Revenons au XIIe siècle, et regardons les saintes femmes au tombeau du chapiteau de Mozac (Pl. XII), les deux pôles d'intérêt de la composition plastique sont, d'une part, leurs visages extraordinairement travaillés, légèrement enfoncés dans leurs épaules comme dans un mouvement de retenue, entourés par les replis de leurs capuchons, puis par leurs auréoles, dont la courbure est prolongée par les plis des tentures qui leur servent de fond; d'autre part, les gros vases de parfums qu'elles tiennent serrés contre leurs ventres, qui sont comme un symbole de leur féminité, et autour desquels se composent les larges plis de leurs manteaux, ainsi que les courbes de leurs bras et de leurs mains. La beauté charnelle, la tendresse qui émane de ces femmes, n'est pas en opposition avec la lourdeur du vêtement, qui ne laisse apparaître que la tête et les mains. On ne saurait les imaginer nues. Leur sensualité n'est pas traitée pour elle-même, comme une force ou une qualité autonome, elle s'exprime à travers un contexte, vestimentaire, religieux, auquel elle communique de ce fait une valeur supplémentaire.

Les vêtements très stricts ne sont pas un obstacle à la sensualité, mais l'image du cadre que cette sensualité doit magnifier si elle veut être acceptée. La sensualité peut s'exprimer à travers les structures familiales, sociales, idéologiques d'une époque, à travers les contraintes imposées par le groupe et les vivifier, elle peut aussi s'exprimer contre des cadres établis et être une force de décomposition dans un système donné.

A l'époque romane, la vie sexuelle d'un individu concerne tous les groupes auxquels il appartient. Dans les classes laborieuses, l'adultère était puni par le châtelain qui imposait des amendes très lourdes aux fautifs, ce qui était pour lui une source de profit non négligeable. Il était interdit à un serf de se « formarier », c'est-à-dire de trouver un conjoint en dehors des dépendants de son seigneur. S'il enfreignait la règle, il devait dédommager ce dernier. La famille, la communauté rurale, qui était solidaire des peines encourrues, avait donc intérêt à s'imposer des règles strictes, afin d'échapper à ces exactions. Dans la classe chevaleresque, le choix d'un conjoint et les alliances que cela entraînait, avait des répercussions sur tout le lignage.

« Dans une société où l'individu s'appartenait si peu, dit Marc Bloch, le mariage, qui, nous le savons déjà, mettait en jeu tant d'intérêts, était très loin de paraître un acte de volonté personnelle. »

Dans le monde de l'église, les contraintes étaient particulièrement lourdes dans ce domaine. Elles avaient même tendance à se renforcer notablement sous la pression des laïques, qui tenaient en honneur la chasteté, et de l'émulation qui amenait les églises et les monastères à rivaliser de discipline entre eux pour tenter d'attirer des pèlerins et des aumônes. Dans tous les groupes sociaux en fin de compte, le resserrement des contraintes et des interdits moraux apparaissait alors comme la meilleure manière d'obliger l'autre à respecter la primauté du groupe et des structures protectrices sur ses propres pulsions.

A tous ces interdits correspond inversement un transfert affectif au profit des liens sociaux de dépendance. Exactement comme dans l'art figuratif roman, la lourdeur du vêtement ne fait pas obstacle à une certaine sensualité, mais lui donne une dimension plus vaste, on peut observer que les interdits et les renoncements auxquels avaient tendance à se soumettre, bon gré mal gré, les hommes de l'époque romane, semblent avoir par contrecoup entraîné un renforcement affectif, une érotisation des relations familiales, sociales ou religieuses.

L'attachement d'un vassal à son seigneur, par exemple, qui prend corps au XIe siècle et dont les modèles sont transmis par la poésie épique, se veut profondément investie d'affectivité. C'est une espèce d'entente charnelle entre deux hommes qu'aucune péripétie, qu'aucun intérêt ne devraient pouvoir remettre en cause. Quand Girard de Roussillon parle de son dévouement envers son chef, c'est en des termes, qui confinent à la passion amoureuse :

Si mon seigneur est occis, je veux être tué.
Pendu ? Avec lui me pendez.
Livré au feu ? Je veux être brûlé.
Et, s'il est noyé, avec lui me jetez. (Doon de Mayence.)

Cette relation de dépendance vassalique qui se veut si passionnée, va servir de modèle à la relation de l'amant avec sa dame, comme à celles des enfants vis-à-vis des parents et du chrétien face à son Dieu.

Dans le monde religieux, l'attachement du moine à son abbé, à son couvent, sa dévotion pour les saints, pour le Christ et pour Dieu, sont investis d'affectivité en proportion des renoncements qu'il s'impose sur le plan sexuel, comme en témoigne cet hymne cistercien un peu mièvre et assez tardif, mais néanmoins très clair quant à la nature profonde de la relation avec le Christ.

Je chercherai Jésus dans ma couche
Dans la chambre close du cœur ;
En privé et dans le monde
Je le chercherai avec l'attention de l'amour
....
Je te désire mille fois.
Mon Jésus, quand viendras-tu ?
Quand me feras-tu heureux ?
Quand de toi serai-je rassasié ? (fin du XIIe).

L'expression dans l'art roman d'une sensualité toujours intégrée dans des cadres rigides auxquels elle transfère sa puissance, correspond à un vaste phénomène de mobilisation des instincts, au profit des structures sociales protectrices.

Dans le bas-relief de Selles-sur-Cher (fig. 50) représentant la visitation, la fougue et la tendresse avec laquelle les deux femmes s'étreignent, s'exprime de façon vigoureuse et émouvante, malgré les lourds vêtements informes qui les enveloppent complètement et le cadre architectural qui les détermine. C'est parce que l'artiste n'a pas cherché à exprimer leur corps et leur beauté de femme mais s'est efforcé de les enserrer dans le cadre vestimentaire et architectural contraignant qu'il a réussi à donner à leur tendresse, à leur attachement, une vigueur mystique et monumentale incomparable.

Toute forme de sensualité individualiste ayant pour but sa propre satisfaction et s'exprimant en dehors des cadres établis, est alors rejetée aux Enfers — car c'est un ferment de désagrégation possible des structures sociales ou religieuses protectrices, basées sur l'attachement d'un homme à un autre ou à un groupe, sur le respect du serment et la fidélité inconditionnelle.

La luxure nue de Moissac (Pl. XIII) au corps maigre, au visage marqué, qu'un diable saisit par l'épaule avec un mauvais rictus et qui voit des serpents lui mordre le sexe et un crapaud s'accrocher à son sein, est une figure hallucinante qui nous montre la vigueur et la violence que les sculpteurs et leurs commanditaires d'église mettaient à combattre les formes de sensualité et de plaisir qui ne s'inséraient pas dans l'ordre social tel qu'il le désirait.

L'art roman a très peu représenté le nu (fig. 58), et quand il l'a fait c'est souvent avec une certaine réticence. Les ressuscités qui sortent de leurs tombeaux sont traditionnellement dépourvus de sexe et même sur bien des bas-reliefs on remarque que les caractères sexuels des personnages comme des animaux sont mal indiqués ou supprimés.

Mais ce n'est pas toujours le cas : la face externe du trumeau de Moissac, par exemple, nous présente des lions et des lionnes entrelacés qui sont sculptés avec un luxe de détails quant à leurs caractères sexuels. Les mâles ont le poil lisse tandis que les femelles l'ont strié, leurs queues se terminent par une espèce de fleuron ouvert alors qu'il est fermé chez les femelles; leurs sexes sont figurés avec précision et se trouvent presque en contact avec les mamelles des lionnes qui leur font face, chaque fois sur le fond ornemental d'une large rosace. La force animale et sexuelle que le sculpteur a exprimée dans ce trumeau composé de ces six félins tendus, crispés et rigoureusement composés, suivant un schéma ornemental traditionnel, n'est pas traitée pour elle-même mais est entièrement mise au service de la composition et de la signification de l'ensemble. Elle constitue le piédestal sauvage et vigoureux de la grande vision apocalyptique et c'est pour cela que l'auteur s'est permis de la représenter.

Si l'expression de caractères sexuels peut être mise au service de la composition générale de l'œuvre et l'insère dans un réseau de contraintes strictes, l'artiste n'a pas de pudeur à l'utiliser. Si par contre ce n'est pas le cas et que l'érotisme tend à se manifester pour lui-même, alors il est repoussé ou donné en pâture aux démons, comme le petit couple adultère d'Autun, tendre et effaré dont les anatomies sont très délicatement indiquées et qu'un immense diable crispé et ricanant s'apprête à enfouir dans un sac.

Le corps humain tel qu'il est décrit par le vêtement, n'est pas simplement nié ou sublimé dans l'art roman, il est aussi, quand il échappe aux déterminismes de la composition, remodelé en profondeur pour se conformer à une image bien particulière qui puise au plus profond de la sensibilité féodale.

Le vêtement roman n'exprime presque jamais les poitrines; la plupart des femmes comme celles de Mozac sont étrangement plates. Les ventres par contre, souvent pris dans des robes moulantes, qui se creusent à la naissance des cuisses, sont fortement modelés et même parfois rehaussés par une composition de plis concentriques. L'ampleur et la précision avec laquelle ils sont traités, nous paraît presque choquante tant elle s'oppose à notre conception moderne de l'érotisme et de la décence.

Le ventre, la matrice, c'est la première et la plus inestimable protection de l'individu dans le monde et c'est par là l'image même du refuge, de la sécurité à laquelle se réfèrent les nostalgies les plus enfouies, et c'est pour cela, je crois, qu'il fascinait particulièrement les artistes romans qui vivaient dans un monde troublé à la recherche d'un abri, d'un seigneur, qui puisse les accueillir et les protéger.

Dans l'art roman, les femmes que l'on met en avant, que l'on donne en exemple et qui focalisent la dévotion populaire, ne sont pas de frêles et belles jeunes filles, mais des êtres puissants et sécurisants (fig. 65, 68). Les vertus d'Aulnay qui foulent aux pieds les vices figurés par des bêtes recroquevillées et grimaçantes, sont de puissantes femmes fortement armées et munies de casques et de boucliers; et la Vierge romane (Pl. XIV) lourdement vêtue, solide et bien assise, qui tient son enfant serré contre son ventre, qui « l'enveloppe de la substance de sa chair » (saint Bernard) est l'image même de la mère protectrice et puissante, de « la mère de Dieu qui est aussi notre mère » (saint Anselme).

La psychanalyse nous montre que les expériences de la gestation et de la prime enfance, constituent des références dans le développement de toute vie affective. Le besoin d'attachement et de sécurité des hommes dans la société féodale troublée de l'époque romane, devait réactiver particulièrement la nostalgie du ventre et de la protection maternelle. Nostalgie qui s'avérait socialement féconde pour le resserrement des liens de dépendance et des structures protectrices. Et les artistes étaient amenés à travers leurs créations, à sublimer leurs souvenirs et leurs pulsions inconscientes qui s'y rapportaient. Alors qu'à d'autres époques, ce sont peut-être d'autres nostalgies, liées à des phases moins reculées de l'enfance qui sont réactivées par les nécessités de la vie sociale et que les artistes expriment en décrivant d'une façon particulière, à l'aide du vêtement, le corps de la femme.

L'artiste, nous le voyons prend parti, quand il nous présente un corps humain, quand il le drape dans un vêtement, pour l'insérer dans la composition de l'ensemble ou le relier à un destin qui le dépasse, quand il décrit le costume en le soumettant aux lignes de force du corps qu'il recouvre, ou quand il exprime à travers ce cadre vestimentaire rigoureux, certaines formes de sensualité qui se rattachent à des désirs et des nostalgies inconscientes qui trouvent un écho dans les préoccupations quotidiennes des hommes au milieu desquels il vit.

A travers sa façon de jouer avec le vêtement il dit sa façon de vouloir l'homme et, par-delà, le monde réel et mythique qui l'entoure.

L'emprise de la coutume

Le monde a changé de forme et perdu sa couleur ;
Il ne sera jamais plus comme il fut pour nos ancêtres.

La vie de saint Alexis.
(Poème du XIe siècle.)

Les artistes romans, qui cherchaient à insérer l'individu et la réalité éphémère dans un ordre sécurisant qui les dépasse et les détermine, vont se plier avec fougue à toutes sortes de traditions iconographiques immuables, sanctifiées par leur ancienneté, quitte à négliger le monde des formes naturelles qui les entourait.

Un artiste qui représentait la crucifixion ne se serait jamais permis, par exemple, de modifier la position traditionnelle des personnages : Marie et le porte-lance à la droite du Christ, saint Jean et le porte-éponge à sa gauche. Il se conformait volontairement à un modèle issu d'une longue tradition, dont les origines remontent à la Grèce hellénistique et à la Syrie chrétienne, et perpétuée de siècle en siècle par le biais de manuscrits enluminés, de sculptures et de peintures. Par contre, il ne se souciait nullement du réalisme de l'image qu'il élaborait. A Poitiers, dans un vitrail roman, nous voyons un Christ, deux fois plus grand que les personnages qui l'entourent, dont le corps ne semble pas peser sur les clous qui le fixent à une croix rouge bordée de bleu, qui ne correspond elle-même à aucune réalité matérielle. Pour l'artiste qui a fait cette œuvre, le modèle iconographique traditionnel auquel il se référait, avait beaucoup plus de valeur que les données brutes de sa perception visuelle du monde quotidien.

Quelques siècles plus tard, les choses seront absolument inversées. Quand Michel-Ange va créer le Christ maudissant les réprouvés, il se permettra d'inventer la scène de toute pièce, sans se référer à aucune tradition, ce qui eût été inconcevable au Moyen Age. Par contre, il s'efforcera de figurer les hommes dans leur réalité anatomique. Quand il représente le corps d'un personnage, il se réfère d'abord à ceux qu'il a pu observer lui-même, peut-être aussi, aux vestiges de l'Antiquité et aux œuvres de ses contemporains, mais certainement pas au monde des formes issues de la tradition chrétienne.

Chaque artiste, chaque style, se définit en partie, par le choix qu'il opère parmi ses sources d'information possibles et par la manière dont il les utilise.

Les artistes romans ont fait peu de cas des formes naturelles et se sont référés le plus souvent à des modèles d'origine savante et souvent livresque. On peut voir des lions à Saint-Benoît-sur-Loire ou à Moissac, des éléphants à Aulnay (fig. 63), des griffons à Angoulême, des basilics à Vézelay, ainsi qu'une foule innombrable d'êtres chimériques, qui évoluent sur des chapiteaux et des archivoltes au milieu d'une flore conventionnelle de feuilles d'acanthes et de végétaux complètement irréalistes. Mais, on ne trouve jamais représentées les bêtes et les plantes des forêts de l'Occident. Cela est d'autant plus surprenant que les hommes des XIe et XIIe siècles, quel que soit leur rang, vivaient en contact physique avec une nature non encore domestiquée, qui était pour eux la base de toute subsistance et de toute richesse, et qu'ils devaient pratiquement fort bien connaître. A l'époque romane, la nature est transfigurée par la tradition. L'artiste féodal refuse la réalité objective, de l'homme, de l'animal ou de la plante, il refuse le témoignage immédiat de ses sens, pour bâtir un monde étrange et cohérent qui plonge ses racines dans toutes sortes de traditions anciennes et immuables.

63

Dans le monde féodal roman, anarchique et dangereux, qui se restructure lentement, les artistes se souciaient beaucoup plus de contribuer à construire un ordre bien établi fondé sur l'autorité de la tradition et qui puisse leur servir de guide et de protection, que d'inventorier et de décrire méthodiquement l'univers morcelé et périlleux qui les entourait ce qui ne leur aurait été d'aucun secours. En d'autres termes, ils avaient bien plus besoin de pouvoir s'appuyer sur une vision normative du monde, que sur une approche objective qui eût été désespérante et inefficace. Pour les artistes comme pour les théologiens qui pensaient à cette époque que « chercher des raisons, c'est manquer de respect à Dieu qui parle », les enseignements de la tradition chrétienne, validés par leur ancienneté devaient primer sur toute observation, sur toute analyse, risquant de remettre en cause le système de pensée et de valeur traditionnel et patriarcal, auquel ils s'accrochaient de toutes leurs forces.

A l'époque romane, les moindres enluminures, les moindres tissus brodés importés d'Orient ou d'Espagne et amassés dans les trésors des églises, avaient, aux yeux des artistes, une valeur exemplaire, du seul fait de leur ancienneté, et conditionnaient leurs propres possibilités d'invention.

Dans le chapiteau de Toulouse représentant l'arrestation de Jésus, nous voyons un groupe de soldats aux têtes entremêlées, portant des lances et des flambeaux, se presser autour du Christ; leurs visages aux aguets sont rejetés en avant comme pour mieux voir, leurs bras sont tendus pour se saisir de sa personne, tandis que Judas pose sa main sur son épaule et l'embrasse sur la joue. Le visage calme et frontal du Christ abandonné, est le centre d'un bouillonnement féroce. On pourrait croire que l'artiste a disposé ses personnages ainsi, de son plein gré, pour mieux exprimer le pathétique de l'action. En fait, il n'en est rien. La position de Judas par rapport au Christ, le groupe de soldats portant des lances et des flambeaux, et dont les têtes s'étagent en demi-cercle autour d'eux, saint Pierre qui, un peu à l'écart, coupe l'oreille d'un Malchus beaucoup plus petit que lui, tous ces éléments se retrouvent dans des enluminures byzantines plus anciennes, et l'artiste de Toulouse, qui devait en avoir une version sous les yeux, s'est efforcé de la transposer fidèlement sur la pierre.

Dans le cloître de Moissac, un chapiteau nous présente des oiseaux inscrits dans la demi-face de la corbeille, leurs cous se replient, leurs têtes se rejoignent en un bec unique à l'angle du tailloir, et leurs corps se modulent sur le schéma traditionnel de la double palmette en forme de cœur. La dalle de pierre qui les surmonte est décorée de deux autres oiseaux aux cous entrelacés, qui occupent, par le déploiement de leurs ailes, tout l'espace qui leur est imparti. On pourrait penser que l'artiste a créé ces motifs décoratifs librement, en prenant appui sur les lignes de force du cadre architectural, et en les pliant aux schémas traditionnels de composition d'origine végétale. En fait, le motif des oiseaux aux cous entrelacés se retrouve dans les ivoires sculptés plus anciens, originaires de l'Espagne musulmane, et les animaux à tête unique et à corps double sont un des motifs classiques de l'art oriental transmis à l'Occident par le biais des étoffes conservées dans les trésors des églises. L'étude d'E. Mâle sur l'iconographie au XIIe siècle, montre que les artistes de ce temps, n'ont pratiquement jamais créé de thèmes nouveaux, et se sont contentés de transposer ceux qu'ils pouvaient connaître, d'après des modèles ou des traditions plus anciennes.

Ce qui est extraordinaire, c'est que ce conformisme auquel se sont pliés les artistes, et qui aujourd'hui apparaît comme une contrainte épouvantable, ne les a pas empêché de se trouver une marge de liberté considérable, et de créer des œuvres originales.

Les réemplois et les copies sont fréquents dans l'histoire de l'art, mais ce sont souvent des œuvres médiocres, comme les copies romaines d'originaux grecs, ou les reproductions d'icônes dans l'art byzantin et slave. Le respect du passé est souvent pour l'artiste une négation de sa propre créativité. A l'époque romane, il n'en est rien.

Regardons le vase du trésor de Saint-Denis, actuellement au Louvre, et qui représente un oiseau. L'orfèvre avait pour mission de réutiliser une petite amphore ancienne de forme assez médiocre. Il lui a fixé une tête, des ailes et des pattes en argent, et le vase de marbre rouge moucheté, est devenu le corps d'un animal fantastique. Il a su, tout en respectant l'objet antique, le projeter dans un univers nouveau, où il n'existe plus que comme le symbole d'une réalité mystérieuse.

Les artistes romans ont su digérer des éléments arrachés à d'autres cultures, pour les faire participer à un style nouveau.

Dans l'art décoratif, on remarque que si les racines iconographiques telles que l'acanthe, la sirène, le lion, etc., sont presque toutes empruntées à la tradition orientale ou antique, leur décomposition et leur recomposition suivant les courbes des entrelacs ou l'épannelage des cadres qui est spécifiquement romane, leur a communiqué une expression, un mouvement, une densité particulière et que les artistes sont arrivés ainsi, tout en restant fidèles à leurs modèles, à se créer un art ornemental très nouveau.

Dans les grandes scènes figurées, le modèle auquel l'artiste se réfère consciencieusement, est souvent, au bout de compte, complètement transfiguré.

La grande vision apocalyptique du tympan de Moissac (Pl. VIII et IX) a été directement inspirée par une enluminure plus ancienne dont nous possédons une version (fig. 64). Les vingt-quatre vieillards tournant leurs regards vers l'apparition divine, leurs visages couronnés et barbus, l'instrument de musique et la coupe qu'ils tiennent à la main, les trônes de menuiserie sur lesquels ils sont assis, le type des quatre animaux disposés dans un certain ordre autour de la figure divine, trois d'entre eux tenant un livre, le quatrième, l'aigle tenant un rouleau entre ses serres, tous ces détails précis sont communs à la miniature et au tympan. Les sculpteurs, tout en étant fidèles à leur modèle, ont pourtant créé une œuvre rigoureusement différente. Le taureau de Saint-Luc, par exemple, aux ailes rigides, au corps lourd, au mouvement mal défini, qui semble perdu sur le fond coloré de l'enluminure, se métamorphose sur le tympan (Pl. IX) : une double torsion de l'échine lui donne un mouvement de tension d'une force terrible, ses ailes souples épousent tout l'espace qui lui est assigné, il se presse contre la figure divine, pour mieux exprimer son adoration.

64

Les sculpteurs de Moissac avaient sans doute vu l'enluminure dont ils se sont inspirés dans la bibliothèque du monastère, mais ils ne l'avaient certainement pas sur le chantier, dans leur travail quotidien. Ils devaient donc se fier à leur mémoire, et dans une transposition entre des ouvrages d'échelle et de matière aussi différentes, en croyant peut être faire une simple transcription, ils ont créé une œuvre originale. Ce phénomène de génération inconsciente a dû souvent jouer, dans un monde où les sources iconographiques étaient peu nombreuses et serrées dans les trésors des églises. Il ne faudrait pas en déduire pour autant, que le respect de la tradition était pour les artistes une contrainte passive qu'ils s'évertuaient à tourner.

Le conformisme iconographique n'est pas une bizarrerie ou une timidité, mais un phénomène capital dans l'art roman. C'est la même préoccupation de base, qui pousse le sculpteur à se soumettre plastiquement aux impératifs du cadre et de la trame ornementale et à se conformer à des thèmes contraignants issus de la tradition. Les artistes avaient à cette époque besoin d'un schéma iconographique immuable, pour développer leur propre créativité, comme ils avaient besoin d'un cadre architectural ou ornemental puissant. Toute la fougue de l'art roman s'exprime dans cette recherche d'une structure d'accueil. Là où nous verrions une contrainte insupportable, ils voyaient une sécurité, un enracinement salutaire.

Ce double phénomène de conformisme, vis-à-vis de la tradition, et de créativité n'est pas spécifique au domaine de l'art, mais imprègne toute la civilisation de l'époque.

Le vocabulaire poétique roman est souvent constitué de mots rares et savants, « voire étrangers et comme géographiquement abstraits », qui ne renvoient pas à une expérience réelle, mais sont issus de la tradition. Ce conformisme au niveau du mot, de la formule, du cliché, n'a pas empêché les poètes de créer des œuvres originales en assemblant ces éléments conventionnels à leur manière et nous retrouvons là, transposé, le même mouvement qui conduit l'art décoratif roman à composer des œuvres originales à partir de motifs conventionnels hérités de l'Antiquité et de l'Orient.

Au niveau des thèmes d'inspiration, on retrouve presque toujours dans la poésie épique, la trace d'événements historiques, transfigurés par une foule d'indications légendaires. Entre l'attaque par des montagnards basques chrétiens en 778 de l'arrière-garde des troupes de Charlemagne qui s'était allié en Espagne à des chefs arabes, et dans laquelle périt un certain comte Roland, et la vision épique de la chanson de geste nous montrant les heurts des multitudes païennes, fastueuses et terrifiantes et des chevaliers chrétiens obéissant à la plus pure morale féodale du XIe siècle, on retrouve le même mélange de conformisme et de créativité que, dans le domaine de l'art, entre la source iconographique d'un manuscrit enluminé et les grandes compositions sculptées ou peintes qui s'en inspirent.

Dans le domaine de la pensée et de la théologie, le conformisme vis-à-vis des « autorités » était, en principe, sans appel.

« Un auteur " authentique ", comme on disait alors, ne peut ni se tromper, ni se contredire, ni suivre un plan défectueux, ni être en désaccord avec un autre auteur " authentique ". On avait recours aux artifices de l'exégèse la plus forcée pour accommoder la lettre du texte à ce que l'on considérait comme la vérité » (Ch. Thurot).

En fait, là encore, les théologiens, en ne différenciant pas, dans les textes, ce qui est le noyau d'origine, des commentaires et des additions ultérieures, en citant les auteurs de mémoire, c'est-à-dire souvent de façon erronée, ont, bien souvent, recomposé les anciennes doctrines en fonction de leurs propres aspirations.

De la même façon, bien des mouvements religieux qui se pensaient comme un retour vers une tradition authentique, ont été, en fait, des créations de la sensibilité et de la mystique féodales.

Dans le domaine social, cet attachement au passé, à la tradition, fut très marqué; c'est à l'époque romane que se constituèrent les premiers arbres généalogiques, et bien souvent les « grands » s'inventèrent peu à peu des ancêtres prestigieux. « Par un curieux paradoxe, note M. Bloch, à force de respecter le passé, on en arrivait à le reconstruire tel qu'il eût dû être. »

Cette attitude ambiguë de soumission et de liberté, vis-à-vis de la tradition, que l'on observe alors, est liée à un phénomène juridique capital, qui intéressait la société tout entière : la suprématie de la coutume. Dans l'Europe féodale du XIe siècle et de la première moitié du XIIe l'immense majorité des hommes et même des chefs, étaient analphabètes, et comme les vestiges de droit écrit, issus du droit romain ou des usages des peuples germains, ne correspondaient plus aux nouveaux besoins de la société, la « coutume » était devenue le fondement de toute juridiction. Le droit écrit subit une véritable éclipse à cette époque. Seule l'ancienneté d'un fait était alors la marque de sa légitimité.

En cas de contestation, c'était la pratique la plus ancienne qui primait sur la plus moderne.

« Deux plaideurs se disputent-ils un champ ou une justice? Quel que soit le détenteur actuel, celui-là l'emportera qui pourra prouver avoir labouré ou jugé pendant les années précédentes, ou mieux encore démontrera que ses pères l'ont fait comme lui, avant lui. Pour cela, dans la mesure où l'on ne s'en remet pas aux ordalies ou au duel judiciaire, il invoquera généralement " la mémoire des hommes, aussi loin qu'elle s'étend " » (M. Bloch).

Les règles qui régissent les rapports sociaux sont toujours l'enjeu de luttes, plus ou moins manifestes. La tradition était à cette époque l'objet d'une surenchère sociale, chaque individu, chaque groupe, cherchait à établir l'ancienneté des pratiques qui l'avantageaient et à disqualifier les autres en les taxant de modernisme.

« Tout acte, une fois accompli, ou mieux, trois ou quatre fois répété, risquait de se muer en précédent, même s'il avait été, à l'origine, exceptionnel, voire franchement abusif...

« Inversement, une rente qui cessait d'être payée durant un certain nombre d'années, un rite de soumission qui cessait d'être renouvelé, se perdait, presque fatalement, par prescription » (M. Bloch).

Ce droit était plus populaire que ne pouvait l'être un droit écrit, fondé sur la mémoire des hommes et sur leurs témoignages, li demandait la participation du plus grand nombre, et favorisait la solidarité de groupe.

« Il existe dans la seigneurie banale une coutume qui s'applique à tous les sujets. Ils en sont en commun les dépositaires, et c'est à leur témoignage que l'on a recours en cas de contestation » (G. Duby).

Il était plus mobile aussi; la « coutume » qui se voulait inamovible et respectueuse du passé, était basée sur la mémoire des individus, que des désirs conscients ou inconscients peuvent influencer. Elle fut en réalité le creuset dans lequel de nouvelles structures sociales et un nouveau système de pensée allaient pouvoir naître et s'affirmer. Comme le dit M. Bloch :

« Ce droit, aux yeux duquel tout changement paraissait un mal, fut l'un des plus plastiques qu'on vit jamais. »

Pour un homme de l'époque romane, la réalité n'avait d'intérêt que par rapport à cette grille coutumière qui lui était appliquée, et grâce à laquelle on pouvait avoir prise sur elle. Voir les choses de façon objective et scientifique ne lui aurait servi à rien, car cela ne pouvait pas déboucher sur une pratique efficace, dans ce cadre traditionnel où il était plongé.

D'autre part, comme cette coutume n'était pas imposée d'en haut par des instances inaccessibles, mais était au cœur même de tous les conflits et de toutes les contestations de la vie quotidienne, les hommes de ce temps ont dû acquérir une agilité d'esprit particulière pour tirer parti des éléments existants dans cette tradition, dont ils ne remettaient pas en cause les fondements, et c'est cette agilité d'esprit qui s'est forgée dans les conflits de la vie sociale, que l'on retrouve à l'œuvre dans l'art roman, et qui explique ce mélange paradoxal de conformisme et de créativité que l'on peut y observer.

Les puissants et les pauvres

A tout homme valeureux qui l'aura servi
Il a donné au-delà de toute espérance.
. . . .
Il fut tel pour ses fidèles
Qu'il ne manqua de l'amour d'aucun.

Chant de la mort
de Guillaume le Conquérant.

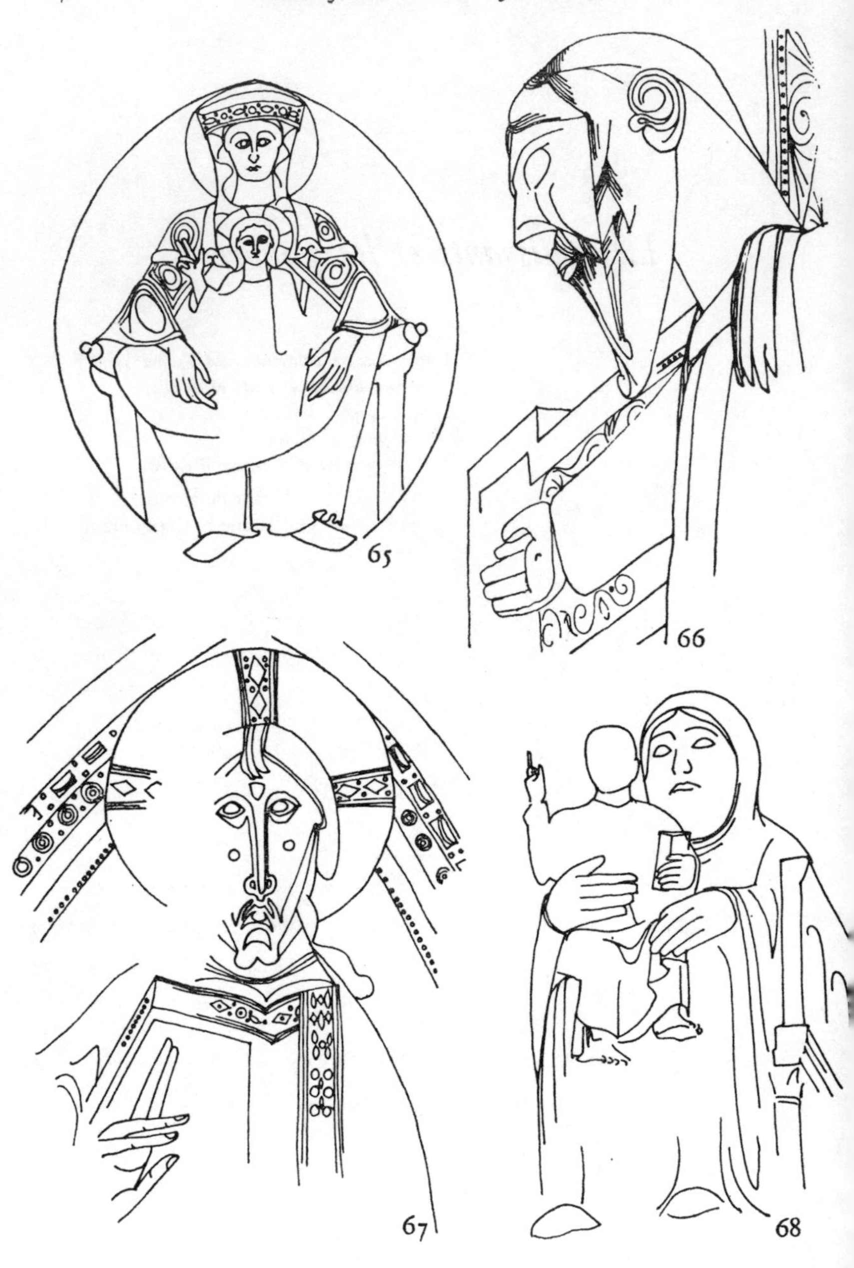

Les puissants et les pauvres

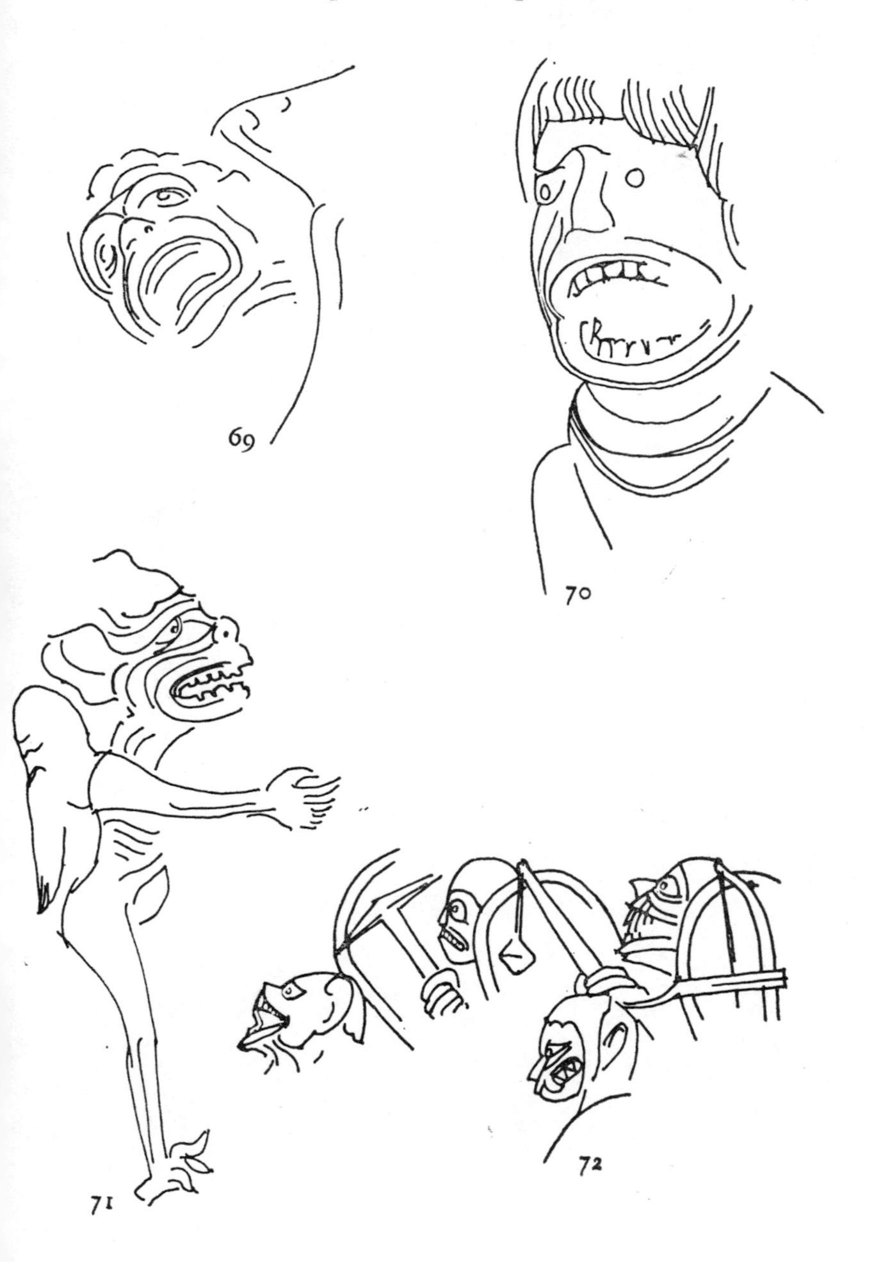

Les puissants et les pauvres

Dans tout l'art roman, on observe un clivage entre les figures dominantes, qui occupent une position-clef dans la composition et qui sont traitées de façon hiératique et monumentale, et les petits personnages placés dans des espaces de second ordre, qui sont traités de façon plus familière, et dont les anatomies et les mouvements sont souvent, dans la mesure évidemment où ils échappent à la contrainte du cadre, plus conformes à la réalité.

Henri Focillon a très bien décrit, dans le tympan d'Autun, la distinction qui existe entre les petites figures, dont les « reliefs anatomiques des membres sont indiqués avec une justesse délicate », et les grands personnages, beaucoup plus hiératiques.

« Si, dit-il, le modelé de cette humanité de statuettes était appliqué aux figures colossales de Dieu et des anges, l'ordre monumental serait compromis, en même temps que cette perspective hiérarchique qui maintient sa grandeur. »

Nous pouvons nous demander si, par-delà « l'ordre monumental », dont parle Focillon, ce ne serait pas l'ordre social lui-même qui serait compromis, si le leader était appréhendé et décrit de façon objective comme un individu parmi d'autres.

On peut en effet penser que ce clivage, que l'on observe dans l'art roman entre les grandes et les petites figures, était associé, dans l'esprit des artistes et des spectateurs du moment, au grand clivage social qui séparait alors les puissants des pauvres, les « potentes » des « pauperes », ceux qui détenaient le pouvoir de commander et de punir de tous ceux sur qui s'exerçait ce pouvoir.

L'association inconsciente entre les parents et ceux qui détiennent socialement le pouvoir est un phénomène que l'on retrouve à toutes les époques. Freud nous dit que dans les rêves « les parents ont pour symbole l'empereur et l'impératrice, le roi et la reine ou d'autres personnages éminents ». A l'époque féodale, nous l'avons déjà noté et nous en reparlerons encore, ces interférences sont particulièrement marquées et il y a des associations constantes entre l'image de Dieu, du seigneur, de l'abbé et du père. Le pouvoir de Dieu est alors conçu suivant le modèle féodal. Saint Anselme, à la fin du XIe siècle, nous le montre qui commande à trois catégories de vassaux :

« Les anges qui tiennent des fiefs en échange d'un service fixe et perpétuel; les moines qui servent dans l'espoir de récupérer l'héritage perdu par leurs parents félons; les laïcs plongés dans un servage sans espoir. Ce que tous doivent à Dieu c'est *servitium debitum,* le service du vassal. Ce que Dieu recherche dans son comportement à l'égard de ses sujets, c'est la conformité à son honneur seigneurial. Le Christ offre sa vie *ad honorem Dei*, le châtiment du pécheur est voulu par Dieu *ad honorem suum* » (Le Goff).

Si donc l'artiste roman s'est plu à distinguer les grandes des petites figures et à leur accorder des traitements différents c'est que par là il exprimait sa façon différente de vouloir les puissants auxquels il était soumis et les autres personnes dont il était l'égal et qui constituaient la petite communauté familiale et sociale dans laquelle il vivait.

Les grandes figures romanes sont toutes de puissance, de majesté et d'amour. La qualité recherchée, désirée, chez le père-seigneur, dans le monde troublé du XIe et du début du XIIe siècle, c'est la force protectrice et la générosité.

Les Pantocrators des tympans et des absides sont immenses (Pl. VIII), beaucoup plus grands que les personnages qui les entourent et qui se serrent physiquement contre eux.

Les Vierges peintes ou sculptées dans le bois sont des mères puissantes et tendres (Pl. XIV; fig. 65, 68).

Même les Christ en croix romans (fig. 66) sont à leur manière des pôles de ralliement. Ils ne semblent pas souffrir, leurs visages calmes sont empreints de majesté. Ils ne portent pas la couronne d'épines mais le diadème royal. Leurs corps ne semblent pas peser sur les clous qui les relient à la croix. Ils apparaissent les deux bras ouverts, comme le bon Seigneur capable d'accueillir et de protéger ses hommes. C'est à cette vision féodale du Christ en croix, Seigneur protecteur, que fait référence saint Anselme quand il dit :

« O Jésus, ouvrant ses bras pour nous inviter à nous y jeter, comme s'il appelait : vous qui peinez et ployez, venez refaire vos forces ! Voyez, je me prépare à vous rassembler entre mes bras, venez donc tous. »

A Beaulieu, apparaissant au dernier jour le Christ du tympan retrouve le mouvement qu'il avait sur la croix, pour montrer ses stigmates, et pour accueillir les bras grand ouverts, au porche de l'église, le monde de ses fidèles.

A León, la croix grecque, richement ornée et démesurément grande, semble amplifier le mouvement de possession du Christ sur l'univers, et illustrer ce passage d'un sermon d'Yves de Chartres († 1116).

« Le Seigneur Jésus en croix est lui-même le signe de l'universalité de l'amour. La tête à l'orient et les pieds au couchant, les mains tendues vers le nord et le midi, il réalise ce qu'il avait prédit avant sa passion : " une fois élevé de terre j'attirerai tout à moi ", c'est-à-dire je convoquerai le monde entier. »

Ces grandes figures, images idéalisées du « leader », ne sont magnifiées, dans l'art roman, que dans la mesure où elles se plient à des canons très stricts, et s'insèrent manifestement à leur destin sacré.

Les crucifiés, victorieux et accueillants, sont inexorablement reliés à la croix qui les supporte. Cette croix, qui est souvent décorée de fleurons à ses extrémités et couverte de motifs sculptés ou peints, n'est pas un instrument de supplice, mais une figure symbolique qui détermine le corps du Christ, et par là, manifeste sa participation totale à son destin.

Au Puy, le Christ, et la croix qui semble prolonger le mouvement de ses bras, et qui est entièrement masquée sauf à ses extrémités par le corps qu'elle décrit, sont indissociables. L'artiste, pour bien relier visuellement les deux éléments, a utilisé les mêmes couleurs pour décorer le bois de la croix et la robe de Jésus.

Saint Anselme (1033-1109) résume cette association étrange et spécifiquement romane quand il dit :

« J'adore ta croix, je t'adore en elle et je l'adore en toi. »

Ce mimétisme entre la croix et le Christ correspond aux recherches des sculpteurs romans pour insérer la figure dans son cadre, pour intégrer totalement l'individu à son destin.

Dans les scènes figurées complexes, plus la figure est grande, plus elle est traitée dans un style hiératique et irréaliste, comme si l'artiste cherchait à la plier à des canons esthétiques et des règles strictes de comportement, pour conjurer les dangers que sa grandeur même recèlerait si elle s'exprimait de façon brutale et égoïste.

Les pieds des grandes figures sont presque toujours inclinés en avant (Pl. VIII). Elles sont en déséquilibre dans un espace immatériel, leurs visages sont souvent, comme à Tahull (Pl. XI), d'un hiératisme qui frise la caricature, et leurs vêtements sont particulièrement irréalistes et contraignants. La parure fabuleuse et abstraite du Christ de la Pentecôte à Vézelay est un hommage qui doit marquer sa suprématie, mais c'est aussi une façon de montrer qu'il n'est pas, qu'il ne doit pas être comme les autres hommes, qu'il doit se plier à un écheveau de règles et de contraintes, s'il veut tenir son rang, s'il veut être accepté en tant que leader.

On peut même penser qu'une certaine agressivité à l'encontre du Père-seigneur, dérivée des conflits familiaux et sociaux, se manifeste à travers les créations des artistes. Le hiératisme, la déshumanisation très poussée des grandes figures, peut être reliée à ces tabous des seigneurs dont parle Freud, qui sont autant de rites contraignants et d'interdits de tous ordres imposés aux chefs, dans certaines sociétés, sous prétexte de les amener à tenir leur rang, et qui témoigneraient de l'agressivité inconsciente de leur entourage.

Cette attitude fondamentalement ambiguë vis-à-vis du leader, que l'on magnifie et que l'on s'efforce parallèlement d'insérer dans un ordre strict et contraignant, on la sent à l'œuvre dans divers secteurs aux XIe et XIIe siècles. Les modèles de comportement qui étaient proposés aux grands seigneurs par leur entourage, dérivés du modèle royal, étaient passablement répressifs.

Le moine Helgaud, par exemple, dans sa *Vie du roi Robert*, nous montre ce dernier multipliant les offrandes et les attitudes d'humilité les plus excessives et les plus contraignantes.

« Le jour de la Cène du Seigneur, chose incroyable pour qui ne l'a point vue, et vraiment admirable pour ceux qui en ont été témoins et y ont prêté leurs concours, il n'y avait pas moins de trois cents pauvres réunis par sa prévoyante bonté; et, un genou en terre, il remettait de sa sainte main entre les mains de chacun d'entre eux des légumes, du poisson, du pain et un denier.
« ... Puis, après son repas, cet humble roi se préparait au service de Dieu, quittait ses vêtements, endossait un cilice à même la peau; il réunissait une assemblée de plus de cent soixante clercs; à l'exemple du Seigneur, il leur lavait les pieds et les leur essuyait avec les propres cheveux de sa tête, et obéissant à l'ordre du Seigneur, leur donnait à chacun deux sous. »

La générosité du roi décrite par Helgaud prend quelquefois l'aspect d'une castration symbolique, comme quand il nous le montre, au cours d'un banquet, se laisser trancher, sans rien dire, par un pauvre, couché sous la table et armé d'un couteau, une pièce de six onces d'or qui pendait à ses genoux, ce qui provoque l'irritation de son épouse, fachée de voir son seigneur ainsi « dépouillé de ses glorieux ornements »; ou bien quand nous lisons un peu plus loin dans le même récit que :

« Comme il s'était retiré dans sa chambre, pour y reposer son corps plein d'humilité, après avoir, comme de coutume, répandu au cours de ses oraisons, un déluge de larmes il s'aperçut que sa lance avait été magnifiquement ornée d'argent par son orgueilleuse épouse. Ce que voyant, il regarda par la fenêtre s'il pouvait trouver quelqu'un à qui cet argent serait nécessaire. Et, avisant un misérable, il lui demande discrètement quelque bout de fer pour arracher l'argent. Et ce serviteur de Dieu engageait le pauvre, qui ne comprenait pas la raison de sa demande, à chercher au plus vite. Entre-temps il se livrait à la prière. Celui qu'il avait envoyé revint avec un outil qui pouvait faire l'affaire. On ferme les portes de la pièce, et le roi, aidé du pauvre, arrache l'argent de la lance; il en gratifie le misérable, dans la besace duquel il le glisse lui-même de ses saintes mains, non sans lui recommander, selon sa coutume, de faire bien attention en s'en allant pour n'être pas vu par son épouse. »

La piété du roi Robert, sa générosité envers les pauvres et les clercs, lui a valu une « image de marque », comme on dirait aujourd'hui, très favorable dans certains milieux, et cela a contribué à l'affirmation de la jeune dynastie capétienne. Ce rituel complexe, ce renoncement symbolique aux instincts et à la puissance égoïste, permettait au roi, aux princes nombreux qui l'imitaient, et petit à petit, par un mouvement de diffusion des modèles de comportement, à des nombreux châtelains qui s'étaient emparés d'une parcelle de l'autorité publique, d'affermir leur pouvoir et de le justifier par référence à l'ordre chrétien. Mais il permettait aussi à leur entourage, à leurs dépendants, de les contraindre, par une pression idéologique, à se plier à certaines règles de comportement qui leur soient favorables, et aussi de libérer une part de l'agressivité inconsciente qu'ils pouvaient nourrir à leur égard. Helgaud est un moine, qui a fait vœu de chasteté et de pauvreté, et on sent très bien dans sa description qu'il loue le roi dans la mesure où celui-ci renonce à ses désirs égoïstes, il se laisse dépouiller de ses attributs virils ; comme lui Helgaud a été amené à le faire.

Cette ambiguïté vis-à-vis du leader est particulièrement manifeste dans le monde religieux. L'église a vu son pouvoir s'accroître considérablement au cours de la période romane. Le christianisme s'est définitivement implanté dans les masses occidentales. Le prêtre est devenu un être à part, placé au-dessus du simple fidèle, et son pouvoir s'est accru. Mais parallèlement, les modèles de comportement imposés aux prêtres sont devenus plus contraignants que par le passé, notamment en ce qui concerne la pauvreté et la chasteté. Aux monastères du haut Moyen Age où les moines vivaient souvent avec des femmes et pratiquaient les sports violents de l'aristocratie comme la chasse, ont succédé à partir de la fin du Xe siècle, des établissements dans l'ensemble plus stricts, où la règle sera souvent appliquée de manière plus rigoureuse.

Or cette « purification » était liée aux pressions qui s'exerçaient de l'extérieur sur l'ordre des « oratores ».

> « L'idée, nous dit M. Bloch, que le prêtre dont la chair a été souillée par l'acte sexuel devient incapable de célébrer efficacement les divins mystères, ce fut autant que chez les ascètes du monachisme et beaucoup plus que chez les théologiens, dans les foules laïques qu'elle trouva ses plus virulents adeptes. »

Le fait que cela soit justement à l'époque qui nous intéresse que l'idée d'imposer la chasteté aux prêtres se soit répandue est tout à fait symptomatique des tensions sociales qui régnaient alors, et mérite que l'on s'y arrête un moment.

Pour les masses populaires, il était intéressant que les prêtres soient chastes, car cela en faisait un groupe social relativement ouvert aux paysans puisque ses membres étaient renouvelés à chaque génération et moins sujets par là à devenir une caste héréditaire, un prolongement de l'aristocratie laïque. Le fait que les prêtres et les moines, vivent dans une pauvreté relative, et n'aient pas les mêmes activités que les chevaliers occasionnait une coupure entre eux et les nobles ce qui les rapprochait plutôt de la masse des travailleurs.

Pour l'aristocratie laïque, la chasteté imposée aux gens d'église comportait aussi des avantages. Elle permettait à beaucoup de ses membres de rester célibataires en prenant l'habit, ce qui limitait le foisonnement du lignage et évitait ainsi l'éparpillement du patrimoine foncier.

Mais par-delà ces raisons tactiques, l'élément moteur est, je pense, cette ambiguïté fondamentale et irrationnelle vis-à-vis du leader, faite à la fois d'idéalisation et d'agressivité refoulée, issue du conflit œdipien et réactivée par le besoin, dans ce monde troublé, de se trouver un protecteur, et la crainte corrélative de le voir abuser de son pouvoir.

C'est cette ambiguïté que l'on retrouve chez les artistes romans, dans leur façon de représenter les grands personnages, tout à la fois puissants et déshumanisés, dans leur manière de les magnifier, et en même temps, de les figurer dans des positions précaires et inconfortables.

Face au leader positif que l'on magnifie tout en s'efforçant de le maintenir dans un cadre strict et contraignant, les artistes romans nous en présentent un autre beaucoup plus angoissant. Les diables de Moissac (Pl. XIII), de Vézelay ou d'Autun (Pl. VII), avec leurs membres grêles, leurs bouches énormes (fig. 69 à 72) et leurs poitrines protubérantes, n'ont pas d'antécédents dans la tradition. En Orient l'ange déchu n'avait pas du tout ces mêmes caractères.

« L'image du démon, assez rare dans l'art byzantin n'y est jamais hideuse. A Daphni, le Christ, descendant aux enfers, foule aux pieds une sorte de héros vaincu, pareil aux captifs barbares des bas-reliefs antiques. C'est Satan, qui garde dans sa défaite la fierté d'un rebelle » (E. Mâle).

La figuration romane du diable a surgi, à travers des récits et des songes, de l'inconscient collectif des hommes du XIe siècle, et s'est imposée comme une nécessité dans l'iconographie chrétienne, en dépit de tous les conformismes.

Il apparut en rêve au moine Raoul Glaber, peu après l'an mille.

« Je vis surgir au pied de mon lit, dit-il, une espèce de petit homme horrible à voir. Il était, autant que j'en pus juger, de stature médiocre, avec un cou grêle, un visage émacié, des yeux fort noirs, le front rugueux et crispé, les narines pincées, la bouche proéminente, les lèvres épaisses, le menton fuyant et très étroit, une barbe de bouc, les oreilles velues et éfilées, les cheveux hérissés en broussaille, des dents de chien, le crâne en pointe, la poitrine enflée, une bosse sur le dos, les fesses frémissantes, des vêtements sordides; et, tout échauffé par son effort, tout le corps penché en avant, il saisit l'extrémité de la couche où je reposais, imprima à tout le lit des secousses terribles, et dit enfin : " toi, tu ne resteras pas plus longtemps dans cette maison ". »

Les diables romans sont agressifs avec leurs mâchoires puissantes, leurs pieds griffus. A Conques (fig. 72), ils se servent dans leurs exactions du matériel militaire contemporain : haches, piques, arbalètes. Ils sont maigres, difformes, en haillons, personnifiant ainsi la misère et la faim dont la menace était toujours présente à cette époque. Sur le linteau de Conques, le paradis est figuré par de petites arcades qui enserrent et protègent les élus, tandis que l'enfer qui lui est symétrique est bouleversé par un déchaînement de démons et de damnés enchevêtrés. Le diable que voit Raoul Glaber en rêve, le menace de lui faire quitter le refuge du couvent dans lequel il se trouve.

Nous percevons, à travers les scènes infernales, l'angoisse que ressentaient les hommes de cette époque devant les dangers de l'anarchie qui les menaçait et risquait de leur faire perdre constamment la sécurité et la protection relative dont ils pouvaient jouir. Dans le monde des femmes on voit surgir en contrepoint à l'idéalisation de la protection maternelle, à travers les Vierges romanes, la crainte de la femme puissante et castratrice qui comme l'Ève de Clermont-Ferrand n'est pas un modèle de beauté insidieuse mais une puissante mégère qui entraîne l'homme à sa perte.

L'enfer roman est fortement teinté de sexualité. Les diables précipitent les damnés dans des sacs, ils les avalent, sucent le sommet de leurs crânes, leur mordent le bas-ventre. Ils forment le contrepoint angoissant et castrateur de la tendre protection de l'Abraham de Moissac (Pl. XVI), qui enveloppe l'âme de Lazare dans un repli de son manteau.

Le récit de Raoul Glaber est dominé par le désir ou la crainte d'une agression sexuelle, le démon « a une barbe de bouc », un « crâne en pointe », des « fesses frémissantes », il est penché sur lui comme pour le violer, « tout échauffé par son effort », et il « imprime au lit des secousses terribles ».

Parallèlement à la mobilisation de l'érotisme au profit de l'attache sociale, on voit apparaître une mobilisation de toutes les angoisses, destinée à disqualifier ce démon, image du mauvais seigneur agressif et oppressif.

Si les textes nous montrent souvent les hommes des XIe et XIIe siècles à la recherche d'une protection, d'un chef, ils nous décrivent aussi souvent la brutalité de la domination du seigneur, qui comme celui que peint Raoul de Cambrai, brûle les biens de ses propres serfs, avant de partir en campagne.

Si les hommes cherchaient alors la sécurité dans l'attache féodale, c'était paradoxalement pour échapper à la domination arbitraire et aux exactions des grands et de leurs chevaliers sur les individus ou groupes isolés, et le diable roman est l'image du mauvais seigneur, contrepoint terrifiant du Christ de Beaulieu accueillant les siens les deux bras ouverts.

L'idée que les seigneurs, ou certains d'entre eux tiennent leur pouvoir du diable a été souvent exprimée à cette époque, comme dans ce passage, révolutionnaire avant la lettre, du pape Grégoire VII datant de 1081 :

> « Qui ne sait que les rois et les chefs de guerre tirent leur origine de ceux qui ignorant Dieu, se sont efforcés, avec une passion aveugle et une intolérable présomption, de dominer leurs égaux, c'est-à-dire les hommes, par l'orgueil, la rapine, la perfidie, l'homicide, en un mot par presque tous les crimes, à l'instigation du prince de ce monde, le démon ? »

Les artistes romans quant à eux, ne se sont pas gênés pour représenter le supplice du mauvais riche aux enfers, ou pour nous montrer, comme à Conques, un évêque, un seigneur, des moines et des soldats en bonne place au milieu des damnés.

Le monde, visible ou invisible, est conçu à cette époque, suivant les principes d'organisation du système féodal. Tous les éléments de désordre et de souffrance qui ne pouvaient pas être rattachés à la figure divine le sont à celle de Satan, et l'homme n'a d'autre choix que d'essayer de s'assujettir à l'un ou à l'autre, comme les petits ressuscités d'Autun (fig. 73), pris entre les grands personnages protecteurs du paradis et les immenses démons aux membres décharnés. La société féodale a été idéalisée par les artistes dans leur vision du ciel, et parallèlement caricaturée dans celle de l'enfer. Dans le système théocratique de l'empire byzantin, il n'y avait place que pour un pouvoir unique et sacralisé, le diable ne pouvait alors y jouer qu'un rôle modeste, celui d'un rebelle, ou d'un domestique félon au milieu de l'étiquette bien ordonnée de la cour céleste, image idéalisée de la société byzantine. Le féodalisme, sans aller toujours jusqu'à l'hérésie manichéenne, comme en pays cathare, va donner à Satan une importance nouvelle. Il en fera le seigneur du mal autour duquel s'agrègent toutes sortes de monstres maléfiques, et à qui le possédé qui veut obtenir son appui, prêtera l'hommage vassalique, les mains jointes, comme nous le voyons dans le miracle de Théophile à Souillac.

73

Dans le christianisme roman, l'individu est le centre d'un conflit perpétuel entre les forces du Dieu Seigneur et celles de son rival démoniaque. Honorius d'Autun décrit cette situation dans le dialogue suivant :

« Les hommes ont-ils des anges gardiens ?

— Chaque âme, au moment d'être envoyée dans un corps, est confiée à un ange qui doit l'inciter toujours au bien et rapporter toutes ses actions à Dieu et aux anges des Cieux.

— Les anges sont-ils continûment sur terre avec ceux qu'ils gardent ?

— Si besoin est, ils viennent à l'aide, surtout s'ils y ont été invités par des prières. Leur venue est immédiate, car ils peuvent en un instant glisser du ciel à la terre et retourner au Ciel.

— Sous quelle forme apparaissent-ils aux hommes ?

— Sous la forme d'un homme. L'homme en effet, qui est corporel ne peut voir les esprits. Ils assument donc un corps aérien, que l'homme peut entendre et voir.

— Y a-t-il des démons qui guettent les hommes ?

— A chaque vice commandent des démons qui en ont d'autres innombrables sous leurs ordres, et qui incitent sans cesse les âmes au vice et rapportent les méfaits des hommes à leur prince... »

Sur un des chapiteaux du porche de Saint-Benoît-sur-Loire (Pl. I), nous voyons un ange et un démon, qui occupent toute la hauteur de la corbeille, se disputer une âme personnifiée par un tout petit enfant. Le diable a le visage couvert de feuilles, la tête baissée, les yeux clos, la bouche pleine de dents. Il est à peu près nu. On le sent associé à l'ombre de la forêt, à la nuit, à la sauvagerie. L'ange au contraire, avec ses deux paires d'ailes qui en font un être aérien, son visage glabre, ses cheveux bien coupés, sa bouche minuscule qui esquisse un sourire et ses immenses yeux grand ouverts, semble être beaucoup plus civilisé et moins brutal. Il est vêtu d'une robe plissée à manches longues. Il tient la petite âme d'une main et de l'autre lui caresse la tête. L'enfant n'est pas complètement passif, il s'accroche légèrement à l'aile de l'ange comme pour marquer sa préférence.

L'idée d'un monde invisible dominé par de grands personnages qui luttent entre eux pour assurer leur domination sur des plus faibles, est une transcription très réelle de ce qui se passait alors sur le plan social, où chaque seigneur, clerc ou laïque, chaque monastère, essayait de s'attacher des dépendants par tous les moyens, quitte pour cela à rentrer en conflit avec ses voisins.

Dans une œuvre comme celle de Saint-Benoît, nous sentons toute la richesse, tous les prolongements psychologiques de cette situation sociale caractéristique de l'époque.

A la confrontation du bon et du mauvais seigneur autour de l'âme humaine, sont ici associés plus ou moins inconsciemment, les rivalités des grands féodaux du moment, et aussi sans doute, les souvenirs d'amour et de haine face au couple des parents, dont l'un peut être associé au démon et l'autre à l'ange. Sous-jacente à ces associations on sent s'opposer la barbarie, la possession sauvage, le retour à la forêt originelle à travers le visage feuillu du démon, et la sublimation sociale et religieuse des instincts, la civilisation, à travers l'ange lumineux et aérien.

Nous voyons en fin de compte que le leader familial ou social, n'est pas systématiquement idéalisé à l'époque romane, puisqu'il peut être indifféremment associé à Dieu et à ses saints ou au Diable et à ses démons.

L'art roman n'est donc pas lié mécaniquement à la magnification de la classe dominante, qu'il se plaît même souvent à critiquer ou à ignorer; mais néanmoins, quand il conteste le mauvais leader, c'est pour mieux magnifier son contretype protecteur et généreux, et finalement il situe le débat entre le bien et le mal, dans le cadre même du système social, patriarcal et seigneurial alors en vigueur, et par là contribue à renforcer ce système.

Foisonnement et créativité en architecture

Mettre par écrit, dans leur universalité, les lois et droits du royaume serait de nos jours tout à fait impossible... tant est confuse leur foule.

Traité des lois anglaises
rédigé à la cour de Henri II.

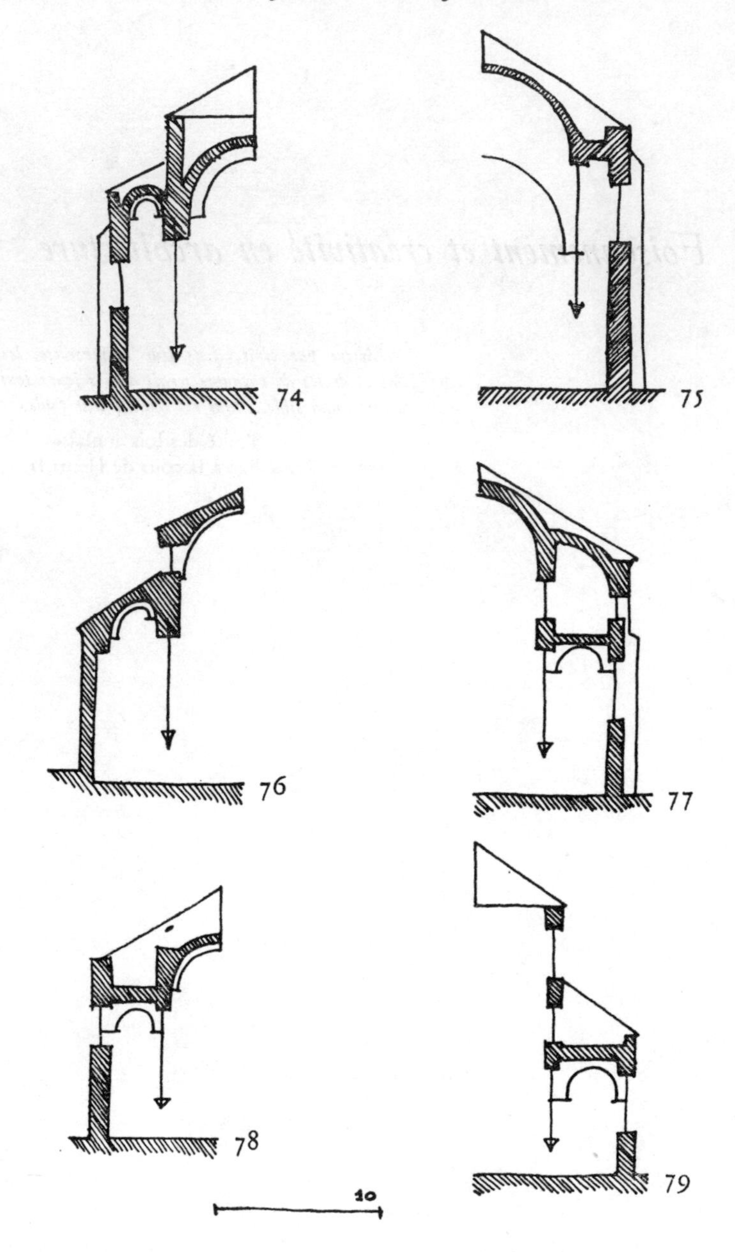

Foisonnement et créativité en architecture

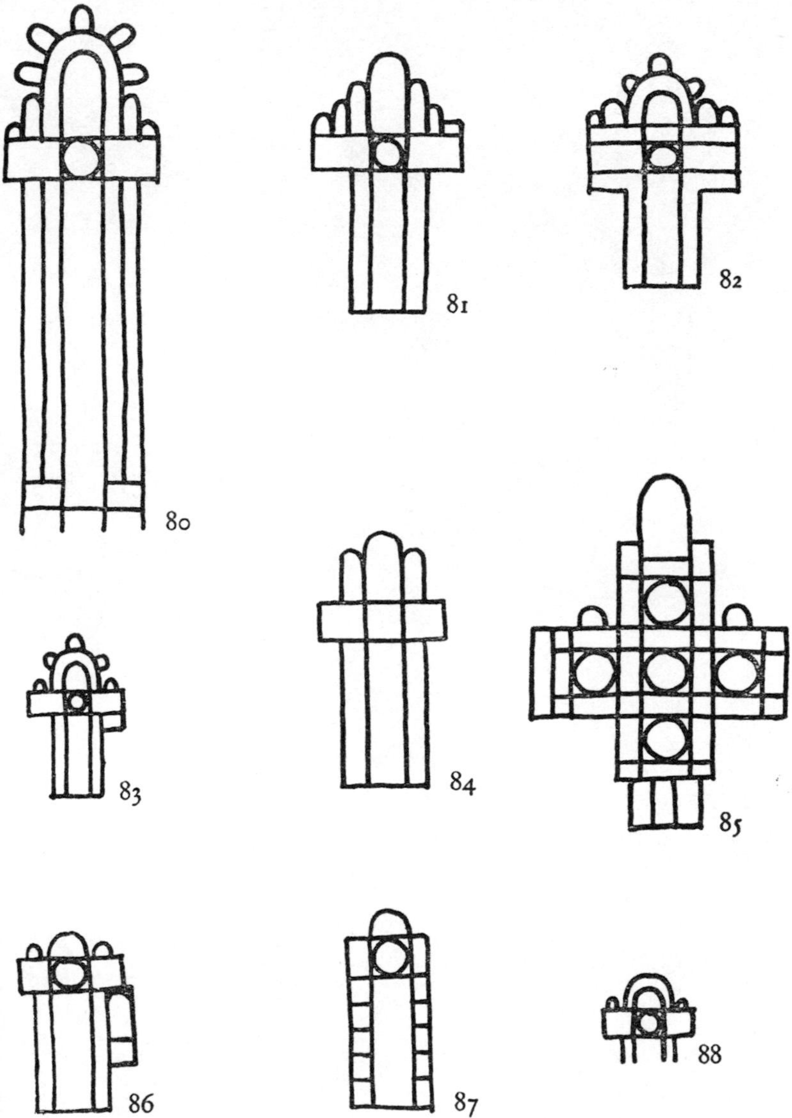

80 81 82

83 84 85

86 87 88

50

Foisonnement et créativité en architecture

Nous allons abandonner l'étude de la figure humaine, qui nous a servi jusqu'ici de médiation entre le monde des formes, et celui de l'organisation de la pensée et de la société féodale, et aborder maintenant le domaine plus abstrait de l'architecture.

Les édifices civils et militaires ayant subi beaucoup de dommages au cours des temps, c'est essentiellement les constrictions religieuses que nous étudierons.

Comme nous l'avons fait pour l'art figuratif, nous allons passer en revue les principaux caractères des édifices romans, tant sur le plan du style que sur celui de la technique, et, en nous appuyant sur nos précédentes observations, continuer à établir des parallélismes et des analogies avec d'autres manifestations de la civilisation de ce temps. Ce n'est qu'après avoir fait ce travail d'enquête, après avoir amassé toutes sortes d'indices apparemment hétéroclites, après avoir tissé tous ces fils, souvent ténus et en eux mêmes parfois sujets à caution, entre le domaine de l'art et son contexte de civilisation, que nous pourrons tenter, dans un chapitre ultérieur de reconstituer et de comprendre ce que fut la genèse de l'art roman dans le monde féodal.

Le premier caractère de l'architecture romane, c'est sa diversité même.

Si l'on se borne à recenser les méthodes utilisées pour couvrir la grande nef des églises, on est surpris de leur foisonnement. Nous trouvons de simples charpentes à Saint-Martin du Boscherville, des voûtes longitudinales en berceau à Nevers, en berceau brisé à Saulieu, des suites de voûtes d'arête * à Plaimpied, des files de coupoles à Cahors, des successions de berceaux transversaux à Tournus, ou même des juxtapositions de clochers pyramidaux comme à Loches. (Voir aussi fig. 74 à 88.)

Cette diversité, on la retrouve aussi bien entre la façade austère et nue de L'Abbaye-aux-Hommes de Caen, encadrée de ses deux hautes tours, et celle presque baroque de Notre-Dame-la-Grande à Poitiers, toute couverte de bas-reliefs sculptés et originellement peints; entre le plan basilical de Saint-Nectaire (fig. 73), et le plan centré de Saint-Michel d'Entraygues.

Il aurait été plus avantageux pour les maîtres maçons du Moyen Age de s'inspirer des principes constructifs d'un bâtiment techniquement satisfaisant, comme ceux de la nef de Tournus par exemple, et de se contenter de les réutiliser dans leurs divers programmes. Cela leur aurait évité bien des accidents et des pertes de temps. C'eût été beaucoup plus « rentable », au sens où on l'entend aujourd'hui, que de se lancer dans une suite d'expériences plus ou moins hasardeuses, qui aboutissaient souvent à des effondrements dramatiques. Mais cela, nous le verrons, ils n'ont pu le faire à cause des contraintes inhérentes à la société de cette époque, et surtout, ils ne l'ont pas voulu, car c'était contraire à leurs aspirations profondes.

La diversité de l'architecture romane est, tout d'abord, à l'image de la diversité des traditions et des milieux dans lesquels les artistes étaient plongés.

L'art roman ne se définit pas à travers des prototypes, il n'y a pas d'église, de chapiteau, de personnage, qui se soient imposés en modèles, comme dans l'art grec, romain, ou même gothique; mais une succession d'expériences originales autour de quelques grands principes de composition admis par tous.

Dans le domaine de la théologie, il n'y a pas eu non plus de doctrine qui se soit imposée, mais une pluralité de tendances, à travers lesquelles on retrouve un certain nombre de préoccupations communes.

La société d'alors, régie par la coutume, ancrée dans les réalités locales, ne tendait pas à affirmer des modèles d'organisation sociale préétablis et universels, mais à accueillir et à intégrer toutes sortes d'éléments, aussi hétéroclites soient-ils, autour de quelques grands principes de regroupement. On y trouve, comme en architecture, un foisonnement de particularismes, soustendus par quelques grands principes d'ordre et marqués ici et là par quelques empreintes régionales plus fortes. La description que fait M. Bloch des variations locales du droit coutumier dans l'Occident féodal pourrait s'appliquer presque mot pour mot à l'architecture :

« La même où, écrit-il, dans deux petites sociétés voisines et de contexture analogue, les systèmes coutumiers s'étaient originellement constitués selon des lignes en gros pareilles, il était fatal que, n'étant point cristallisés par l'écriture, on les vît progressivement diverger... La diversité, cependant, résidait surtout dans le détail et dans l'expression. Entre les règles pratiquées à l'intérieur des différents groupes, dans une région donnée, régnait ordinairement un grand air de famille. Souvent même, la ressemblance s'étendait plus loin. Tantôt propres à telle ou telle des sociétés européennes, tantôt communes à l'Europe entière, quelques idées collectives, fortes et simples, dominèrent le droit de l'ère féodale. Et s'il est bien vrai que la variété de leurs applications fut infinie, ce prisme, en décomposant les multiples facteurs de l'évolution, que fait-il sinon fournir à l'histoire un jeu exceptionnellement riche d'expériences naturelles. »

L'art roman est aux antipodes de l'art romain, universel, figé dans des canons définis une fois pour toutes, et faisant fi, autant que possible des contingences locales, utilisant pour ses constructions des éléments architecturaux standardisés et répétitifs, comme les colonnes, les chapiteaux et les corniches des trois ordres : dorique, ionique et corynthien, dont les rapports de proportion sont immuables, que l'on soit en Afrique ou aux frontières de la Germanie. Art d'une société elle aussi figée, à travers une juridiction précise, dans une hiérarchie de classes sociales dont les rôles sont définis une fois pour toutes.

S'il y a une analogie incontestable entre le foisonnement des particularismes régionaux, dans le monde féodal morcelé et la diversité et le foisonnement de l'architecture romane, les deux phénomènes sont loin de concorder dans tous les cas. Et les caractères particuliers de certaines familles d'édifices ne correspondent pas toujours à un découpage géographique basé sur des critères socio-politiques. Ceci est dû à ce que les bâtisseurs avaient une position ambiguë dans le monde féodal, qu'ils n'étaient ni vraiment sédentaires, ni vraiment nomades. Très souvent, ils séjournaient longtemps en un même lieu, au milieu des dépendants d'un même maître, et devaient par là se conformer à la tradition locale et aux désirs de leurs commanditaires, comme le dénommé Foulque, « Expert en l'art de peindre », l'un des rares artistes romans dont on connaisse la condition, qui fut chargé à la fin du XIe siècle des travaux de peinture pour le monastère de Saint-Aubin d'Angers, et qui recevait, en échange de ses services, une maison et un arpent de vigne qui devait revenir à l'abbaye s'il mourait, à moins que son fils ne continuât ses services. Mais bien souvent aussi, ces artistes étaient amenés à se déplacer, et souvent fort loin, au gré des commandes. Quelques fois, quand sur un chantier, les ressources venaient à manquer du fait d'une mauvaise récolte ou de troubles politiques, les équipes d'artisans se dispersaient, et d'autres venaient les remplacer lorsque les circonstances étaient redevenues favorables. Au cours de leurs étapes, ou sur les routes de pèlerinage, ils observaient les constructions récentes, et en tiraient profit pour leurs futurs chantiers. Si bien qu'à travers la diversité de l'architecture romane et la diffusion géographique de certains thèmes et de certaines pratiques, on peut percevoir la façon bien particulière dont s'organisait la vie de relation, dans ce monde morcelé, et dont se répandait l'information et les traditions techniques.

« Point de château, de bourg ou de monastère, dit M. Bloch, si écartés fussent-ils, qui ne pussent espérer recevoir quelquefois la visite d'errants, liens vivants avec le vaste monde. Rares, en revanche, étaient les sites où ces passages se produisaient avec régularité. Ainsi les obstacles et les dangers de la route n'empêchaient nullement les déplacements. Mais de chacun d'eux, ils faisaient une expédition, presque une aventure. Si donc les hommes, sous la pression du besoin, ne craignaient pas d'entreprendre d'assez longs voyages. Le craignaient moins, peut-être, qu'ils ne devaient le faire, en des siècles plus proches de nous. Ils hésitaient devant ces allées et venues répétées, à court rayon, qui dans d'autres civilisations sont comme la trame de la vie quotidienne : surtout, lorsqu'il s'agissait de modestes gens, par métier sédentaires. D'où une structure, à nos yeux étonnante, du système de liaisons. Il n'était guère de coin de terre qui n'eût quelques contatcs, par intermittence avec cette sorte de mouvement brownien, à la fois perpétuel et inconstant, dont la société tout entière était traversée. Par contre, entre deux agglomérations toutes proches, les relations étaient bien plus rares, l'éloignement humain, oserait-on dire, infiniment plus considérable que de nos jours. Si selon l'angle où on la considère, la civilisation de l'Europe féodale, paraît tantôt merveilleusement universaliste, tantôt particulariste à l'extrême, cette antinomie avait, avant tout, sa source dans un régime de communication aussi favorable à la lointaine propagation de courants d'influences très généraux que rebelle dans le détail, à l'action uniformatrice des rapports de voisinage. »

L'art roman illustre à merveille cette analyse. Entre des édifices géographiquement très proches on ne discerne parfois aucune influence.

L'église de Paray-le-Monial, avec son double transept, sa façade encadrée de deux tours, sa nef à trois travées seulement, couverte de voûtes en berceaux brisés, et son décor fruste, est bien différente de celle de Vézelay, avec son grand narthex que prolonge une longue nef de dix travées abondamment décorée et couverte de voûtes d'arêtes et d'arc en anse de panier bicolores. Et pourtant ces abbayes bourguignonnes dépendaient toutes deux de Cluny.

A l'inverse, on peut souvent faire des rapprochements surprenants entre des œuvres très éloignées, comme par exemple, entre les sculptures bourguignonnes de Plaimpied et les chapiteaux de l'église de Nazareth en Palestine construite par les croisés.

Tout naturellement, les édifices importants, visités par des foules nombreuses, ont impressionné les bâtisseurs qui les avaient vus et leur ont inspiré certaines pratiques nouvelles. Et c'est le long des chemins de pèlerinage, comme ceux qui menaient à Saint-Jacques-de-Compostelle, sur lesquels circulait tout un monde de pèlerins, clercs ou laïques, de marchands, de paysans fuyant la misère et cherchant de nouvelles terres à défricher, et d'artisans en quête d'embauche, que les échanges ont été les plus intenses, et que l'on trouve des analogies frappantes entre des édifices, pourtant fort éloignés, comme par exemple, Sainte-Foy de Conques, Saint-Sernin de Toulouse, et Saint-Jacques-de-Compostelle.

L'émiettement politique du monde féodal, l'emprise des multiples coutumes locales, et l'originalité d'un système de communication qui limitait les contacts à courte distance, interdisait toute « rationalisation », au sens moderne du terme, et tendait à encourager, par contre, la multiplication des expériences plastiques et techniques. Mais le foisonnement et la créativité de l'art roman ne sont pas uniquement la conséquence fortuite de ces contraintes extérieures; elles correspondent à une tendance profonde de l'esprit féodal, qui répugnait à la standardisation.

Même dans une aire géographiquement limitée, même sous la conduite d'un seul maître d'œuvre, on voit les artistes se plaire à multiplier les expériences et les variations sur un même thème.

La centaine de chapiteaux réalisés à Autun sous la conduite d'un seul sculpteur, sans doute ce Gislebertus qui a signé le tympan, sont autant de compositions différentes sur le schéma traditionnel du chapiteau à crochet ou du chapiteau cubique.

En architecture, parallèlement, les expériences vont se multiplier à l'intérieur d'un programme religieux assez rigide. Dans le narthex de Tournus, quatre procédés de voûtement sont employés tour à tour, alors qu'on aurait pu n'en utiliser qu'un seul.

Pour comprendre ce besoin de diversité et d'expérimentation, il faut se référer au climat dans lequel évoluaient les hommes à cette époque. Ils se trouvaient toujours enserrés dans un cadre contraignant, géographiquement et humainement limité, qu'ils recherchaient d'ailleurs en partie comme une sécurité. Ce cadre n'était pas imposé d'en haut par des instances inaccessibles. Régi par une coutume toute proche, il mettait en présence des gens qui se connaissaient bien. Le pouvoir avait un nom, un visage, celui du seigneur local avec lequel les manants entretenaient des relations étroites, et l'état du rapport des forces entre les groupes sociaux antagonistes rejaillissait constamment sur la vie quotidienne. Certaines prestations, comme les tailles, pouvaient être exigées arbitrairement par le maître, lorsqu'il se sentait pressé par le besoin. Ses droits de justice, lui permettaient de contraindre ses gens à payer de lourdes amendes, s'il arrivait à localiser un délit et à trouver des témoins. Les paysans échappaient parfois à cette oppression par la fuite, ou la jacquerie. Un prédicateur du XIIIe siècle, c'est-à-dire à une époque beaucoup moins anarchique, parle de tous ces serfs qui « ont tué leurs seigneurs ou incendié leurs châteaux ». Mais la plupart du temps, les conflits s'exprimaient à travers la dissimulation, la résistance passive et des controverses autour de la coutume. Dans ce climat de confrontation intense et perpétuelle, l'homme ou le groupe ne pouvait se contenter d'être neutre, mais devait chercher à utiliser au mieux toutes les possibilités d'initiative et d'action offertes par le cadre social et coutumier bien particulier dans lequel il était plongé. La sécurité, pour lui, ne pouvait provenir que d'un rapport de force tendu à l'extrême et non pas d'une référence à un quelconque « modèle » universel existant une fois pour toutes, et auquel il puisse se référer.

Si l'oppression des seigneurs sur les paysans fut très lourde à l'époque féodale, elle fut aussi plus anarchique, moins stable, moins continue peut-être qu'elle ne l'était aux temps carolingiens et permit de ce fait aux travailleurs de prendre plus d'initiatives pour chercher à profiter au maximum de la situation particulière de la seigneurie dans laquelle ils se trouvaient, et de la coutume qui y régnait. A l'époque romane, le système carolingien des corvées, qui obligeait les manants à travailler comme des esclaves pendant de longues périodes, en moyenne souvent plusieurs jours par semaine sur le domaine seigneurial, se défait peu à peu pour être remplacé par des prestations en nature et en numéraire plus ou moins arbitraires, qui, si elles ne furent pas toujours moins lourdes, permettaient au moins au paysan et aux communautés agraires d'organiser leur travail de façon plus libre, et par là, aussi, plus efficace.

C'est dans les nouvelles pratiques sociales féodales qui s'élaborent peu à peu dans un climat de violence et d'anarchie, qu'il faut chercher les racines de cette dynamique d'esprit qui pousse l'homme roman à utiliser avec fougue toutes les potentialités d'initiative, que lui laisse un état de fait dont il ne remet pas en question les fondements; dynamique d'esprit qui conduit par ailleurs les bâtisseurs à multiplier les expériences plastiques et techniques en se conformant toujours au programme traditionnel qui leur est imparti, comme il amène les sculpteurs à utiliser de mille manières l'espace limité par un cadre ou une trame ornementale fixe.

A travers cette diversité d'expériences, l'architecture a connu un essor technique tout à fait remarquable. Entre le narthex de Tournus datant du début du XIe siècle, et la nef de Noyon, du milieu du siècle suivant, il y a eu une multitude de réalisations différentes et originales qui ont amené peu à peu à un profond bouleversement des techniques de construction et des technologies annexes. C'est là un phénomène capital et particulier à notre Moyen Age. Dans les grandes civilisations de l'Antiquité, par exemple, il y avait un équilibre entre les exigences de la technique et les besoins de la composition plastique, équilibre qui pouvait durer des siècles. Les temples de Karnak se sont succédé dans le temps; leurs décors, leur composition ont légèrement évolué, sans que les principes de construction, c'est-à-dire, des piliers monolithes surmontés d'énormes linteaux, soient le moins du monde modifiés.

Cet essor technique, cette capacité d'innovation que l'on

observe à travers l'architecture romane, et qui est lié aux caractères originaux du monde féodal contemporain, ne s'exprime pas uniquement dans le domaine de la construction, mais à tous les niveaux de la production, et constitue le fondement de l'essor économique général que connut l'Occident aux XIe et XIIe siècles.

Dans les pratiques agricoles et artisanales, comme en architecture et en sculpture, la multiplication des expériences issues du cloisonnement des régions en de petites unités ayant leurs traditions particulières, et l'aptitude d'esprit de l'homme féodal à tirer parti des contraintes imposées pour les tourner à son profit, ont dû largement stimuler le progrès technique, et par-delà, favoriser l'expansion économique.

Nous voyons, en fin de compte, que le foisonnement et la créativité de l'architecture romane, comme l'essor général de la production à cette époque, sont étroitement liés aux caractères particuliers de la société féodale d'alors, et même à ce qui paradoxalement peut nous paraître le plus choquant dans cette société, comme l'émiettement du pouvoir, la multiplication des coutumes et des juridictions locales, et enfin l'arbitraire de la domination seigneuriale, et la violence même des tensions sociales.

Nous allons maintenant passer en revue les caractères communs de tous ces édifices romans, sur le plan du style, comme sur celui de la technique, et essayer de les resituer dans leurs implications économiques, sociales et idéologiques.

La suprématie de la pierre

La suprématie de la pierre

ANCHE XVII - Brancion : chapelle du château.

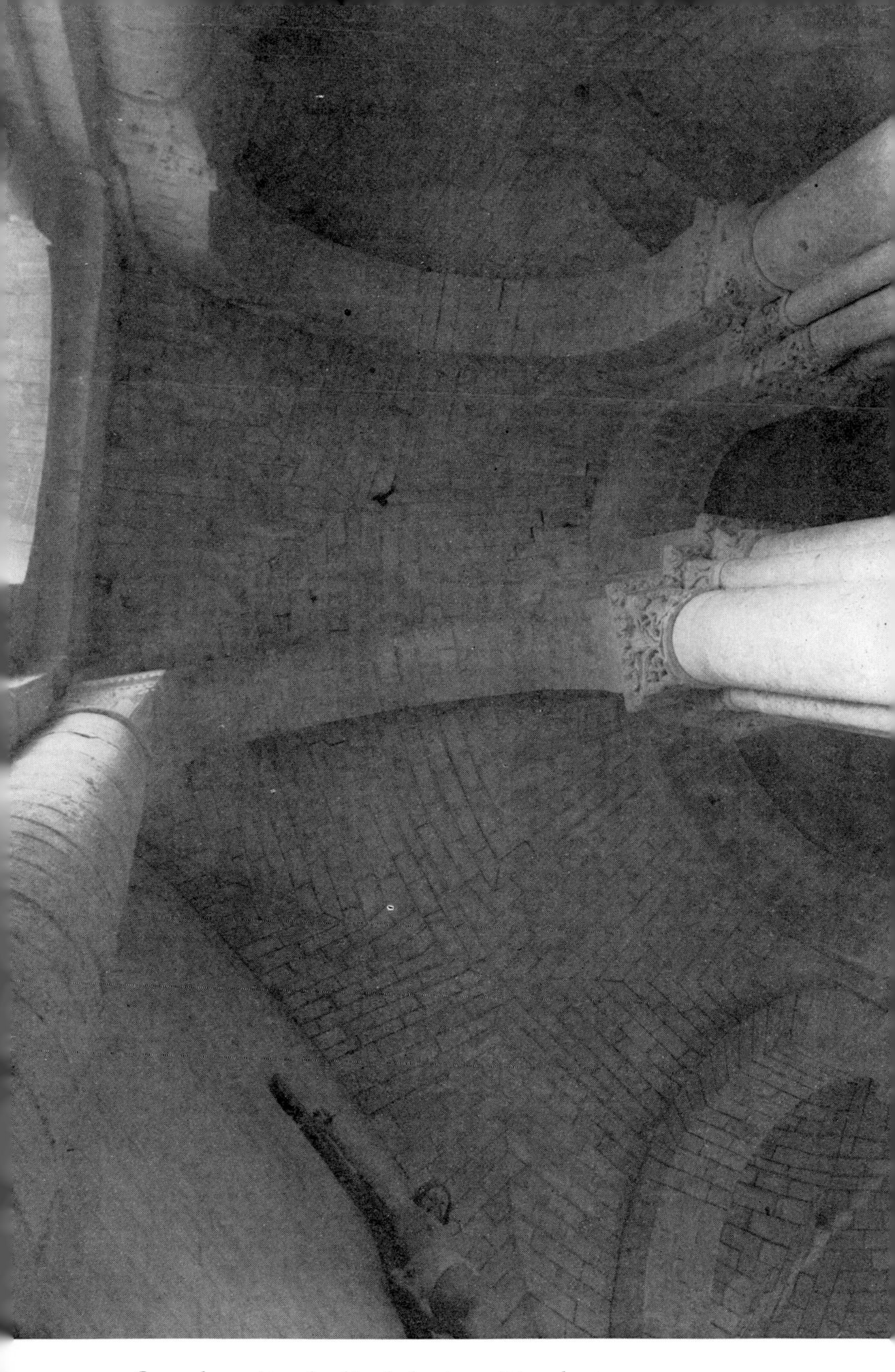

ANCHE XIX - Cunaud : voûtes du déambulatoire, côté sud-est.

PLANCHE XVIII - Chapaize : vue intérieure, détail.

PLANCHE XX - Beaulieu : détail du chevet vu du nord-est.

ANCHE XXI - Orcival : le chœur et le déambulatoire
s du bras du transept.

PLANCHE XXII - Saint-Pons de Corbera : vue intérieure de la coupole sur trompes.

PLANCHE XXIII - Santa Cruz de la Seros. ▶

PLANCHE XXIV - Paray-le-Monial : vue du chevet.

Les églises romanes sont de puissantes constructions aux murailles épaisses, aux ouvertures étroites, presque entièrement bâties en pierre. Délaissant le stuc, les placages et les revêtements de mosaïque sur du béton de mortier ou de la brique, qui furent utilisés durant l'Antiquité et le haut Moyen Age, négligeant le bois qui devait pourtant être abondant, les constructeurs romans se sont intéressés presque exclusivement à la pierre, qu'ils ont utilisée comme structure, comme dallage, comme décor, et même souvent comme couverture.

Dans l'Occident roman, fractionné à l'extrême, au milieu de pauvres villages construits en bois, en terre et en paille, l'église et la forteresse seigneuriale, siège de l'autorité suprême, étaient les deux seules constructions monumentales. L'église, comme le château, pouvait être une protection matérielle, servir de retranchement en cas d'insécurité. Les paysans y entreposaient même parfois leurs surplus de récolte pour les mettre à l'abri des convoitises.

Néanmoins, les édifices religieux n'étaient pas conçus alors, à de rares exceptions près, pour pouvoir supporter un siège, et leurs puissantes murailles n'avaient pas qu'une fonction matérielle défensive à jouer.

Nous avons vu que le Pantocrator roman était la transposition idéalisée du seigneur féodal. L'église, qui est sa demeure, était alors tout naturellement, avec ses murailles et ses voûtes protectrices, l'image de sa puissante forteresse. En un temps où la valeur d'un chef se mesurait à la protection matérielle qu'il pouvait assurer à un grand nombre de dépendants, l'église de pierre, forte et massive, faisait pressentir au fidèle la sécurité qu'il pouvait attendre du Dieu Seigneur suprême.

Cette muraille romane qui est le fondement de toute l'architecture de ce temps, et l'expression de la puissance protectrice de Dieu et de l'église, a des caractères bien particuliers que nous allons analyser. Un mur, une voûte est en effet un document aussi significatif qu'un texte pour comprendre une civilisation.

Les assemblages cyclopéens des Incas ou des Mycéniens, qui mettent en œuvre d'énormes blocs patiemment polis suivant des formes polygonales qui s'emboîtent parfaitement les unes dans les autres, les appareils * réguliers de l'Antiquité ou de l'Europe classique et bourgeoise, où chaque bloc est taillé suivant le même module rectangulaire, les placages fantaisistes de moellons collés au ciment, qui singent certains exemples rustiques dans les pavillons de banlieue d'aujourd'hui, sont autant de témoignages sur les civilisations qui les ont conçus. Nous pouvons y voir le résultat d'un certain niveau technique et économique, en observant la quantité de travail qui devait être fournie, la nature de l'outillage, des moyens de transport et de levage utilisés, la provenance des matériaux et leur degré d'élaboration... Nous pouvons aussi discerner la manière dont le travail était organisé sur le chantier, apercevoir quelle était la part d'initiative de chaque exécutant. Nous pouvons enfin les considérer comme des tests projectifs exprimant à travers des critères esthétiques, différentes manières de vouloir le monde.

C'est de ce triple point de vue que nous allons observer la muraille romane.

L'importance grandissante du secteur de la construction, après l'an mille pose d'abord un problème d'infrastructures économiques. Pour nourrir la masse croissante des artisans de toutes disciplines qui se pressaient sur les chantiers de plus en plus nombreux, pour nourrir les communautés monastiques des abbayes nouvellement créées, il fallait qu'il y ait un accroissement de la production.

L'histoire nous montre, qu'en cas de récession économique, ce sont toujours les activités de construction, considérées comme non directement rentables, qui sont les premières touchées.

La crise du XIVe siècle a arrêté les chantiers des cathédrales, comme celle de 1930 l'essor de la construction, tant sur le plan de la production de masse, que sur celui des réalisations spectaculaires (l'Empire State Building termine en 1931 la série des gratte-ciel, « record du monde »). La simple évaluation de l'effort de construction romane est un témoignage éloquent de l'essor économique des XIe et XIIe siècles. Essor qui fut marqué par un accroissement considérable de la productivité agricole, par la mise en culture de nouvelles terres arrachées à la friche, et par l'augmentation consécutive de la population.

Les techniques de la construction en pierre ont beaucoup évolué durant la période romane, et cette évolution est organiquement liée au progrès général de l'économie. Les maçons ont d'abord utilisé des petits moellons * cassés, généralement calcaires, faciles à extraire, et que l'on trouvait un peu partout. Ensuite les pierres furent choisies plus grandes, et taillées avec plus de soin. Ceci témoigne d'un essor technologique dans de nombreux domaines; en effet, les progrès dans la taille de la pierre, impliquaient l'usage d'outils de fer plus nombreux et de meilleure qualité, donc un développement de la métallurgie. Il fallait installer une petite forge auprès de chaque chantier et de chaque carrière, c'est-à-dire un peu partout dans les campagnes, pour retremper et réaffûter les outils. Nul doute que l'essor d'une architecture de pierre taillée n'ait été conditionné et n'ait encouragé en retour, l'utilisation d'outils en fer plus nombreux dans les travaux des champs.

Le fait que les bâtisseurs aillent chercher des pierres taillées dans des carrières de plus en plus éloignées, montre que les transports étaient devenus plus faciles et plus sûrs. L'utilisation de nouveaux modes d'attelage, comme le collier d'épaule pour les chevaux et le joug frontal pour les bœufs, ainsi que le fait de ferrer les animaux de trait, sont des innovations qui permettaient d'augmenter considérablement la puissance des attelages, et par là, la productivité du travail agricole. Leur diffusion, au XIe siècle, a certainement été à la base des progrès réalisés en matière de transport des matériaux, que l'on constate à travers l'évolution de l'architecture romane. Mais inversement, les besoins de la construction, qui amenaient à multiplier des charrois exceptionnels entre les carrières et les chantiers, ont dû stimuler les recherches et les innovations, pour chercher à tirer un profit maximum des attelages.

La multiplication des moulins à eau, à partir du XIe et du XIIe siècle, pour moudre le grain, fouler le drap, battre le fer, etc., qui constitue un progrès décisif, tant pour l'agriculture, que pour l'artisanat, exigeait la taille et le transport de grandes meules de pierre, et l'édification d'ouvrages de charpente complexe. Nul doute que là encore, cette innovation n'ait favorisé, et n'ait été favorisée en retour, par les progrès en matière de construction.

Les équipes de maçons, de charpentiers, de tailleurs de pierres et de forgerons, qui étaient amenées à se déplacer d'un chantier à l'autre, et ceci souvent en zone rurale, ont été les agents de diffusion du progrès technique. De ce fait, l'essor de la construction, à l'époque romane, a dû avoir des retombées considérables, et a certainement joué, un rôle majeur dans l'expansion agricole et artisanale de cette période.

Si l'on observe maintenant plus en détail la maçonnerie romane, on peut pressentir la façon dont le travail était alors organisé sur le chantier.

Dans les maçonneries de l'Empire romain, deux parements de briques enserrent une large masse de pierres qui étaient jetées à la pelle et tassées dans un bain de mortier *. Cette pratique, simple et expéditive exigeait peu de spécialistes et, au contraire, un grand nombre de manœuvres. Elle était bien adaptée aux structures sociales esclavagistes alors en vigueur. Elle subsista avec diverses modifications durant le haut Moyen Age, et ne fut abandonnée qu'au seuil de l'époque romane.

A l'époque qui nous intéresse, les deux faces de la muraille enserrent une maçonnerie de tout venant posé à la main et dans laquelle le mortier est utilisé avec parcimonie. La pierre taillée des parements est économisée aussi; autant que faire se peut, on évite les évidements qui laisseraient des chutes, et l'on pose les éléments en besace *. Les matériaux et la main-d'œuvre non qualifiée ne sont plus, dans le monde féodal, comme à l'époque romaine, des ressources inépuisables. Par contre, les artisans qualifiés, susceptibles de prendre des initiatives, sont, nous allons le voir, largement mis à contribution.

Les pierres de parement, qu'il s'agisse de petits moellons cassés, comme à Cardona, ou de beaux blocs soigneusement layés *, comme à Fontevrault, ne sont jamais découpées suivant le même module. Les assises * horizontales peuvent avoir des hauteurs différentes et la longueur des pièces est tout à fait variable. Quand on assemble de tels éléments, il faut constamment les choisir et les disposer, de manière à éviter que les joints verticaux ne se superposent, ce qui pourrait provoquer des lézardes. Il faut aussi les trier pour composer des rangées à peu près homogènes, mais de dimensions variables suivant la hauteur du mur. Certains rattrapages entre des assises différentes donnent lieu à des problèmes particuliers à résoudre. Il faut enfin tenir compte, dans tout cela, du sens de la pierre, c'est-à-dire de la disposition des lits de sédimentation dans la carrière et harmoniser les teintes et le grain des parements. Chaque fois que l'on approche d'un angle ou d'une baie, le problème se complique, car il faut choisir et tailler des pierres de formes particulières (fig. 89, 90).

La construction d'un mur roman, exigeait, de la part des maçons, une foule de prises de décisions responsables, et une concertation permanente avec les tailleurs de pierres. Ce que nous voyons, ce n'est pas la création d'un maître d'œuvre assisté d'une troupe d'exécutants, mais celle d'un groupe d'individus qualifiés, travaillant en équipe, et capables d'initiatives multiples. Dans les murailles de Chapaize (Pl. XVIII), la disposition des petits moellons gris-rose et celle des grosses pierres blanches, dans les endroits sensibles, est trop libre pour avoir été imaginée dans l'abstrait, c'est concrètement, au cours même de la mise en œuvre, que beaucoup de décisions devaient être prises. La conception de ces étranges « chapiteaux », qui permettent de passer de la section carrée des arcades au plan rond des colonnes, par l'intermédiaire d'une succession de pierres en encorbellement *, n'est pas une idée d'architecte ou d'ingénieur coupé du réel, mais une création sur le tas, due à l'initiative des travailleurs, à leur pratique des matériaux. A cette époque, ce n'est pas un maître d'œuvre lointain qui décidait de tout, chacun devait avoir sa part d'initiative.

L'œuvre d'un maçon roman n'est semblable à aucune autre, le moindre mur, avec toutes ses particularités, en fait foi, et les initiatives qu'il prenait contribuaient à la solidité et à l'aspect général de l'édifice. Dans la plupart des constructions en pierre de taille plus moderne, à l'inverse, les blocs géométriques sont conçus suivant un schéma qui doit être réalisé avec exactitude, et le maçon, comme le tailleur de pierre, n'est qu'un exécutant interchangeable, qui ne peut laisser sa marque sur l'édifice. Si les maçonneries des monuments de l'Europe classique et mo derne n'ont pas l'aspect vivant de celles du XIe, c'est que la société entre-temps a changé, que les professions du bâtiment se sont hiérarchisées, qu'une classe privilégiée y impose ses méthodes d'organisation du travail, que l'architecte enfin, s'est détaché, par son origine sociale et son mode de vie, de la masse des travailleurs, et se plaît à mettre en valeur son « talent » ou sa « science » au détriment de la créativité des maçons.

Quand, au milieu du XIIIe siècle, le prédicateur Nicolas de Biard, stigmatise ces « maîtres des maçons » qui, « ayant en main la baguette et les gants, disent aux autres : par ci me le taille et ne travaillent point, et cependant reçoivent une plus grande récompense », il s'insurge là contre une évolution récente liée à l'ascension sociale d'une fraction de la bourgeoisie. Jusque-là l'architecte participait physiquement, au milieu des diverses équipes, à la construction de l'édifice, et il n'aurait jamais imaginé être affublé d'un titre universitaire comme celui qui est donné à Pierre de Montereau, architecte de la Sainte-Chapelle, sur son épitaphe :

« Ci-gît Pierre de Montereau, fleur parfaite des bonnes mœurs, en son vivant docteur ès-pierres, que le Roi des Cieux le conduise aux hauteurs des pôles ! »

La construction d'un mur roman témoigne d'un partage des initiatives entre les divers intervenants, et d'une responsabilité collective quant à l'œuvre achevée, qui constituent des témoignages d'autant plus précieux que l'organisation des métiers, que les textes ne nous donnent à peu près aucune indication à ce sujet.

Notons que cet enseignement de l'architecture concorde avec ce que nous savons de l'importance des pratiques collectives dans le monde féodal, que ce soit dans le domaine familial, avec le resserrement des contraintes lignagères, dans le domaine religieux, avec l'essor des communautés monastiques où la vie de groupe était très stricte, ou dans le domaine économique, avec les défrichements qui exigeaient une organisation collective du travail pour venir à bout des anciennes forêts, et pour retourner des sols plus lourds que sur les vieux terroirs.

Si nous pouvons, en observant un mur, avoir des indications sur la technologie alors en vigueur, ainsi que sur l'organisation du travail sur le chantier au moment de sa construction, nous pouvons aussi y discerner des valeurs culturelles qui nous permettent de pénétrer dans l'univers mental de la civilisation qui l'a créé.

La muraille romane, qui, nous l'avons vu, est l'image de la protection accordée par le Dieu Seigneur à ses fidèles, est constituée par d'innombrables pierres qui ne sont pas toutes de la même taille, ni même de la même teinte. La force, la cohésion de la maçonnerie est le fait de cette multitude d'éléments aux caractères particuliers, assemblés les uns avec les autres. Exactement comme sur le plan social, la puissance d'un monastère ou d'un châtelain ne pouvait être assurée, que par le regroupement sous sa domination d'individus, de familles, de communautés fidèles, imbriqués les uns dans les autres et ayant chacun ses caractères propres.

Pierre Damien dira à cette époque, que l'église de pierre offre l'image de l'immense cité de Dieu qui est faite de tous les chrétiens, de la même manière que l'édifice est constitué de pierres.

Les murs et les voûtes romanes, formés par un assemblage de pierres reliées par un mince joint de mortier, sont l'image de la puissance et de la protection telle que la concevait l'esprit féodal.

Dans les maçonneries plus anciennes, comme à Saint-Michel-de-Cuxa, où les traditions carolingiennes sont encore manifestes, la maçonnerie a une autre structure. La muraille enserre les moellons dans une masse de mortier, et les arcs ne sont pas constitués de claveaux rayonnants, mais de petites pierres placées pour une bonne part sur des lits horizontaux. En fait, tout se passe comme si la paroi était un bloc unique, amorphe, découpé par des ouvertures. Entre les maçonneries romanes et celle, carolingienne, de Saint-Michel-de-Cuxa, on perçoit des organisations différentes du travail sur le chantier, mais aussi, et cela en est peut-être une conséquence, deux images différentes des relations entre l'individu, élément de base, et l'ensemble dont il fait partie. Dans l'architecture de l'empire carolingien, les pierres noyées dans le mortier n'ont pas de valeur et d'existence propre, leurs caractères particuliers ne sont pas utilisés dans la construction. Elles sont soumises, passives, comme le travailleur dans l'état centralisé et autoritaire. Tandis que dans les exemples romans, elles participent activement, avec tous leurs caractères particuliers à la stabilité de l'édifice.

Ce parallélisme entre la structure de la maçonnerie et celle du tissu social a été pressenti par certains théologiens, comme Hugues de Saint-Victor, qui dira dans un de ses sermons, que les pierres représentent les fidèles, « carrés et fermes » par la stabilité de la foi et la vertu de fidélité, ou Honorius d'Autun, qui comparera la société à une église, dont les colonnes sont les évêques, les vitraux les maîtres, les voûtes les princes, les tuiles les chevaliers, le pavement le peuple.

Le féodalisme du XIe et du XIIe siècle, n'est pas un système de gouvernement abstrait qui vient se plaquer sur la réalité et la contraint à entrer dans ses schémas et à se plier à ses mécanismes, comme à l'époque carolingienne. Il procède à l'inverse des grands États, il part de la réalité locale des hommes, des groupes, des coutumes, qui ont des caractères particuliers, irréductibles, et il tend à les regrouper grâce à certains principes de suggestion, sans jamais chercher à niveler leurs conditions à travers une organisation centralisée et une législation unique. Dans le monde féodal, l'individu, pour avoir prise sur son environnement, ne pouvait pas se référer à un ordre universel et valable en toutes circonstances, mais il devait tenir compte de tous les caractères particuliers de la coutume locale, et des hommes qui constituaient les divers groupes auxquels il appartenait. La démarche du maçon roman qui ne se souciait ni de formalisme, ni de standardisation, mais cherchait à utiliser au mieux les potentialités de chaque pierre, et à les assembler fortement avec les éléments voisins, est caractéristique de l'attitude d'esprit des hommes dans la société des XIe et XIIe siècles.

Un mur n'est pas seulement la matérialisation d'une certaine pratique artisanale, il est aussi une création plastique qui véhicule un message, une volonté.

Dans les maçonneries des grandes demeures ou des monuments du XIXe siècle, le fait que toutes les pierres soient identiques, est considéré comme une nécessité « esthétique » qui prime les contingences techniques ou d'organisation du travail. Le fait de dénier toute possibilité d'expression à l'ouvrier, et le fait d'affirmer l'identité fonctionnelle des éléments de base d'un même ensemble, constituent autant de critères volontaristes qui forment le prolongement culturel des rapports de domination qui existaient dans la société.

Ce caractère « répressif » de la maçonnerie que l'on observe dans l'architecture aristocratique et bourgeoise, ne se retrouve pas dans la plupart des constructions rurales de la même époque. A ce niveau, l'affirmation esthétique de la suprématie de la classe dominante n'était pas désirée et les contingences techniques reprenaient alors le dessus.

Le mur roman est l'image du regroupement tel que le désirait l'artisan féodal, l'image d'une communauté au coude à coude, dans laquelle les caractères propres de chacun n'existent que dans la mesure où ils renforcent le groupe.

S'il n'y a pas d'effort de standardisation dans la maçonnerie romane, il n'y a pas pour autant de complaisance individualiste. Une pierre ne doit pas attirer l'attention sur elle, ses particularités sont entièrement subordonnées à sa fonction dans le mur. Il n'y a rien de commun entre l'art roman et le folklore néo-rustique des résidences secondaires d'aujourd'hui, où la vieille poutre toute pleine de défauts est mise en valeur avec ostentation. L'art roman ignore la standardisation, mais il est farouchement opposé à tout individualisme, qui risque de briser les solidarités essentielles de la société d'alors, comme la cohésion de la muraille. La chronique de Salisbury recommande que « les pierres doivent être placées avec tant de justesse que les joints n'apparaissent pas, et que toute la masse semble un seul roc ».

Les églises romanes étaient parfois peintes à fresque, et dans ce cas, le travail du maçon, son message culturel, n'apparaissait pas à l'intérieur de l'édifice. Mais comme les travaux de peinture sont beaucoup plus vite exécutés que ceux de maçonnerie, les équipes de peintres devaient se déplacer souvent au gré des commandes, et dans le monde féodal, il pouvait se passer de longues années entre la fin des travaux de construction et l'exécution des peintures par un maître de passage. Il n'est pas rare de voir des églises du XIe siècle couvertes de fresques plus tardives. Ce manque de coordination, faisait que la maçonnerie intérieure était toujours conçue comme un aspect définitif possible. Il est d'ailleurs frappant de voir que les murs qui furent couverts de fresques ont le plus souvent la même structure que ceux qui n'en ont jamais reçu et que la face intérieure de la paroi qui pouvait être peinte avait le même aspect que la face externe qui ne l'était jamais.

Les pierres qui composent le mur roman, ne sont pas polies, leur parement n'est pas traité en bossage, en pointe de diamant comme dans certaines architectures de la Renaissance ou de l'époque classique. On y perçoit encore la marque de l'outil, ce qui eût été intolérable en d'autres temps.

Cette rudesse n'est pas une maladresse; techniquement il est très facile de ragréer un mur, il suffit d'y passer une raclette composée d'une suite de petites lames de métal. Si les artistes romans ne l'ont pas fait, c'est qu'ils ne souhaitaient pas différencier l'apparence extérieure de la structure même du mur, ils ne voulaient pas distinguer l'œuvre de l' « artiste » de celle du travailleur.

Socialement, il n'y avait pas alors le fossé qui existe aujourd'hui entre le « créateur » et l'exécutant. La valeur de la maçonnerie romane vient de sa masse plus que de son aspect superficiel. C'est parce qu'on la sait solide, cohérente, parce qu'elle regroupe une multitude de pierres aux joints serrés, qu'elle plaisait aux hommes de cette époque. La marque de l'outil du tailleur de pierre est acceptée et intégrée dans la composition. Il n'y a pas une esthétique de la négation du travail matériel au profit de l' « art » comme dans l'architecture aristocratique et bourgeoise.

A l'époque romane, en architecture comme dans les arts décoratifs, on ne nie pas la technique dans l'œuvre, elle participe à sa signification.

Dans les chapiteaux de marbre rose très élaborés de Serrabone représentant des atlantes et des animaux fantastiques affrontés, le fait d'avoir laissé brute la marque du ciseau du sculpteur communique à cette faune imaginaire une sorte de vigueur concrète.

En peinture, les couleurs sont traitées comme des jus colorés, elles ne sont pas mélangées à l'infini pour obtenir toutes les nuances de la nature, elles sont acceptées en tant que matières et non pas uniquement comme le support d'une fiction. Le pinceau est utilisé avec sa logique propre, et nous pouvons suivre dans les fresques, comme celles de Tavant, le mouvement de la main, qui l'entraîne. La peinture romane donne droit de cité aux matières et aux techniques, alors que dans la peinture classique, toute réalité matérielle est niée. La toile est un dessous inerte, un espace fictif, la pâte colorée n'est que le support servile de l'illusion, et la logique de l'outil, du pinceau, ne doit pas apparaître dans l'œuvre achevée.

Dans la tapisserie de Bayeux du XIe siècle, représentant la

conquête de l'Angleterre par le duc Guillaume, la technique de la broderie, avec ses grosses laines de huit teintes différentes tissées sur un fond de lin laissé apparent, et où alternent des aplats de couleur en point de couchage, et de simples cernes tracés au point de tige, s'exprime avec une franchise totale, et concourt à renforcer l'expression épique des scènes de guerre ou de festin.

Le fait que la main, l'outil, les matériaux, osent s'affirmer dans l'art roman, alors qu'ils sont masqués dans l'architecture classique et moderne, constitue une prise de position esthétique et idéologique de première importance. A cette époque, les classes dominantes constituées de groupes rivaux disséminés dans les campagnes au milieu des manants, ne pouvaient pas monopoliser complètement le domaine de l'information, de l'art, de l'idéologie, et ignorer le monde du travail, comme elles le feront à des époques plus proches de nous, et les masses populaires étaient alors partie prenante dans l'élaboration des valeurs esthétiques.

Une architecture comme une maçonnerie est en fin de compte à la fois tributaire d'une technologie, de la façon dont le travail est organisé sur le chantier, et du message idéologique que ses créateurs ont consciemment ou inconsciemment cherché à transmettre. Elle est liée, à ces trois niveaux, à la société qui l'a créée, qui, elle aussi, mais de façon plus globale, se caractérise par son niveau technique, son système social et ses superstructures idéologiques.

Nous allons continuer maintenant à observer les constructions romanes en nous efforçant de déceler les interrelations, les accords et les désaccords, la synthèse enfin qui s'opère entre ces contingences de niveaux différents.

Les attachements à la muraille

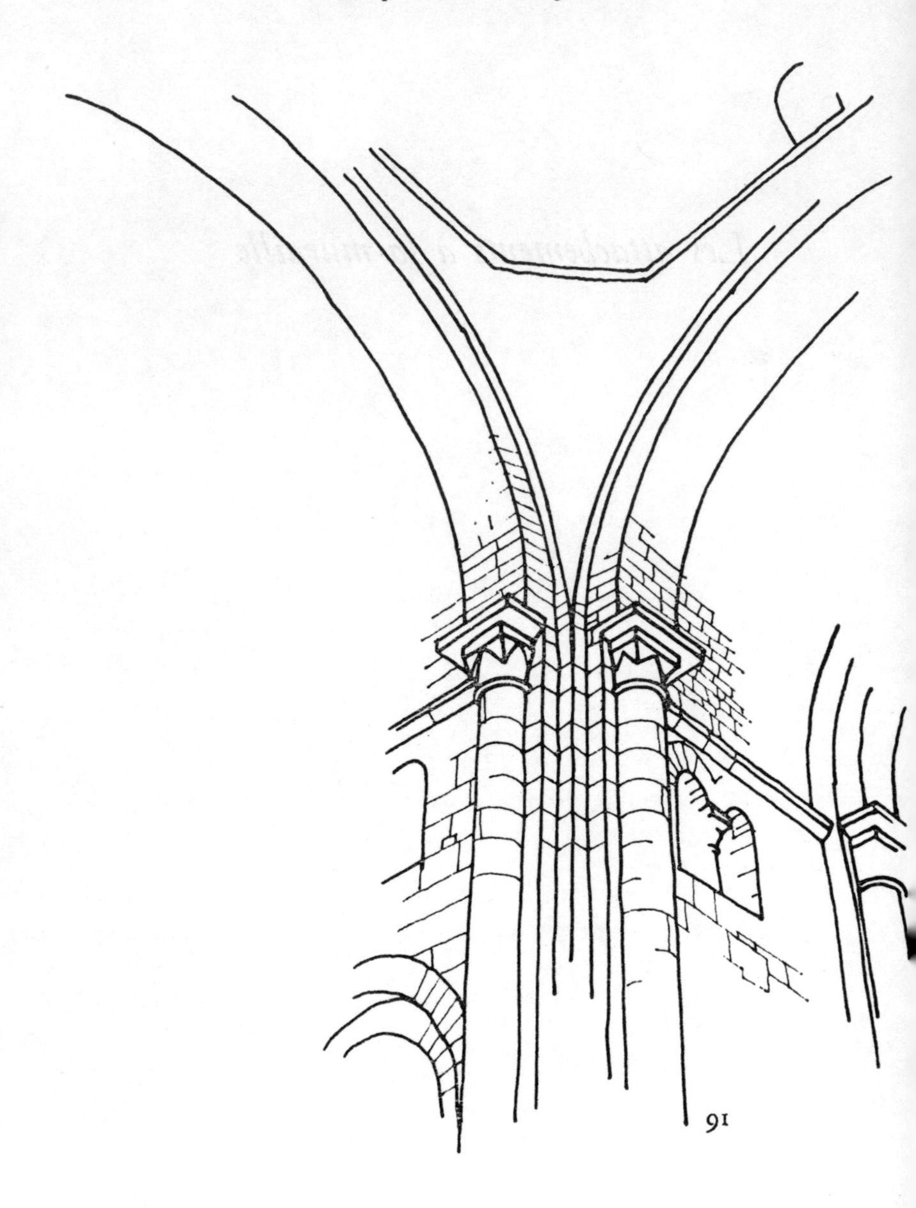

Les attachements à la muraille

92

Les attachements à la muraille

La muraille qui répartit les pressions verticales et encaisse par sa masse et son épaisseur les poussées latérales des voûtes est essentielle dans l'architecture romane. Mais les constructions de cette époque comportent en outre toutes sortes d'éléments annexes, comme des contreforts, des colonnes engagées *, des colonnettes, des arcs-doubleaux *, des archivoltes *, des suites d'arcatures aveugles *, des corniches et des modillons *, qui tous entretiennent avec les murailles et les voûtes sur lesquels ils se polarisent, des relations de dépendance bien particulières.

Les séries de petites arcades aveugles, appelées bandes lombardes, composées avec les mêmes moellons éclatés que la muraille, et qui soulignent le faîtage des murs à la naissance des toitures dans toute une famille d'édifices du XIe siècle (fig. 90, 93), les archivoltes et les colonnettes qui ornent à profusion les baies les plus modestes, comme à Corneilla-de-Conflent, les corniches, les modillons sculptés, les minces faisceaux de colonnes engagées ou de colonnettes en délit qui parcourent les façades de bien des églises d'Aquitaine, et, de façon générale, tous les éléments qui ne participent pas directement à la stabilité de l'édifice, sont néanmoins assujettis dans l'art roman aux lignes de force de l'architecture qu'ils mettent en valeur par leur foisonnement et leur richesse.

Ils sont un hommage plaqué sur la muraille toute-puissante, au même titre que les fresques intérieures dont les bandes ornementales viennent s'incurver autour des baies, et marquer les arcs et les intersections des voûtes d'arête.

Ces éléments décoratifs sans valeur fonctionnelle s'agrègent souvent sur les jointures de l'édifice quitte à nuire à la bonne tenue de la maçonnerie. A Tahul, pour marquer la jonction entre le fût des colonnes et la naissance des arcades, de section carrée, le maçon a disposé deux rangées de pierres en dents de scie, ce qui ne peut qu'affaiblir la maçonnerie à cet endroit sensible. Il a préféré souligner visuellement une telle transition, que de rechercher une stricte logique constructive.

Le décor architectural roman est semblable à certains vêtements sculptés qui se moulent sur le corps qu'ils recouvrent, et le mettent en valeur en marquant ses diverses parties, et essentiellement leurs jonctions comme les genoux, les coudes ou les hanches; il n'a d'existence que par et pour les murailles, les piliers et les voûtes qui le supportent.

D'autres éléments, comme les contreforts, les arcs-doubleaux et les colonnes engagées ne sont pas un simple décor, et jouent un rôle technique : ils renforcent les murailles, les voûtes et les piliers sur lesquels ils sont puissamment assujettis (fig. 91, 92). Néanmoins, leurs formes sont loin d'être toujours fonctionnelles.

Les colonnes engagées, comme les contreforts, ne sont pas des éléments indépendants du mur. Ils ne forment pas une structure autonome. Généralement construits avec les mêmes assises de pierre que la paroi, ils n'en constituent qu'un épaississement qui la consolide en certains points sensibles.

De même les arcs-doubleaux, qui découpent les nefs longitudinales en autant de travées, sont souvent appareillés avec les mêmes pierres que les voûtes, et de ce fait, se déforment suivant les efforts qu'ils encaissent de la même façon que ces dernières, et ne peuvent donc jouer un rôle de raidisseur.

Ces renflements de la paroi peuvent avoir des formes diverses. Les doubleaux, généralement de section rectangulaire, peuvent être cylindriques comme à Saintes. Les contreforts extérieurs peuvent être constitués, comme à Saint-Jouin-de-Marnes, par des faisceaux de colonnes engagées dans le mur (voir aussi Pl. XX), et à l'intérieur des nefs, ce sont parfois, comme à Cardona, des pilastres rectangulaires qui prolongent les doubleaux jusqu'au sol. En fait, d'un point de vue constructif, il est indifférent que l'élément engagé soit rectangulaire ou semicirculaire, ou qu'il soit même constitué, comme c'est souvent le cas, d'un assemblage complexe de pilastres et de demi-colonnes de sections variables.

De plus, la continuité que l'on observe entre les doubleaux, le demi-chapiteau, et la colonne engagée, qui semble reposer elle-même sur une demi-base, est purement visuelle et ne correspond pas à grand-chose techniquement. En effet, les poussées se répartissent uniformément dans la maçonnerie à chacune des assises de pierre, et ne sauraient être canalisées en priorité par les chapiteaux et les demi-colonnes, qui ne constituent qu'une petite partie d'un massif de maçonnerie homogène.

D'un point de vue purement constructif, ces assemblages d'éléments engagés dans les voûtes et les murs pourraient avantageusement se réduire à un pilastre continu qui prolongerait le doubleau jusqu'au sol. La colonne engagée, bien souvent, pourrait même, être supprimée, sans que la construction en soit affaiblie. C'est le cas, notamment, quand elle prend place sur la face interne des parois extérieures des édifices voûtés, car dans ce cas, la résultante des poussées occasionnées par les voûtes et le poids des murailles passe bien au-delà, dans la partie la plus extérieure du mur et dans les contreforts.

De même, on pourrait sans doute supprimer sans dommage bien des arcs-doubleaux dans les nefs principales, qui occasionnent des poussées importantes sur les murs latéraux et ne servent pas, le plus souvent, du fait de leur constitution, de raidisseur aux voûtes qu'ils accompagnent.

Les bâtisseurs romans auraient donc pu avantageusement supprimer certains doubleaux sur les voûtes principales, supprimer les pilastres et les colonnes engagés sur la face interne des parois extérieures, et remplacer les assemblages complexes de colonnes, de pilastres, de chapiteaux et de bases engagés, par des massifs continus de forme plus simple. Mais cela ils ne l'ont pas voulu. Leur but n'était pas uniquement de construire un édifice qui tienne debout, ils cherchaient aussi dans leur optique féodale à magnifier la muraille, les voûtes et les piliers de l'église en venant y assujettir, comme pour les renforcer, toute une famille d'éléments ayant des caractères bien typés.

Par-delà les impératifs de la technique, ils s'efforçaient de transmettre leurs valeurs esthétiques, en nouant entre la muraille et les pièces d'architecture qui la renforcent de place en place des liens de dépendance qui aient pour eux une résonance vécue.

Pour séparer la nef principale des collatéraux, les bâtisseurs ont le plus souvent délaissé les simples piliers rectangulaires ou les colonnes monolithes utilisés dans l'art antique et carolingien, et ont créé, pour les remplacer, un point d'appui aux caractères bien définis : le pilier composé, constitué par des pilastres * et des demi-colonnes qui viennent s'engager sur le massif de maçonnerie de la muraille découpée par de grandes arcades (fig. 95, 96).

Ce pilier composé, qui est une création romane, n'a pas une grande justification technique, puisque là encore, les pressions se répartissent uniformément au niveau de chacune des assises de pierre, et que l'ensemble ne constitue en fait qu'un massif homogène de maçonnerie.

Les bâtisseurs auraient pu le remplacer à moindres frais par un élément de forme plus simple. S'ils ne l'ont pas fait, c'est que plastiquement cet élément correspondait bien à l'idée qu'ils se faisaient alors de la puissance et de l'efficacité. C'est que pour eux, ce point d'appui capital qui supporte l'édifice ne pouvait pas, ne devait pas être un être unique, mais un regroupement d'éléments et de volontés assujettis à un puissant noyau dominant.

Dans l'église de Romainmôtier, nous pouvons voir deux piliers monolithes, sur les flancs desquels sont sculptés des demi-colonnes avec leurs bases et leurs chapiteaux. Techniquement, une telle recherche est absurde, l'ensemble se comportant comme une pierre unique. Mais, à travers cet essai maladroit du xᵉ siècle, nous sentons le désir d'associer intimement au pilier des éléments différents, ce qui est une préoccupation nouvelle, de caractère féodal, et qui prendra toute son ampleur quelques années plus tard.

Les valeurs esthétiques romanes, ne s'expriment pas toujours à travers un système constructif strictement fonctionnel, utilisant au mieux les potentialités des matériaux, mais sont par contre liées à l'idéologie dominante. Le pilier cantonné de quatre demi-colonnes, le Christ entouré des animaux de l'Apocalypse, le Charlemagne des chansons de geste qui chevauche toujours entouré de ses plus fidèles barons, toutes ces créations romanes ont été voulues et senties comme la transposition idéalisée de la relation de dépendance caractéristique de la société féodale, qui associe des plus faibles à un plus puissant, et c'est pour cela que ces archétypes architecturaux, sculpturaux ou littéraires ont eu un tel succès.

Nous avons vu précédemment que l'église de pierre était la transposition mystique de la forteresse seigneuriale. Or cette forteresse, qui était l'image de la puissance du maître, n'était pas un ouvrage militaire isolé, mais constituait pour tout le pays environnant un chef lieu administratif et le centre d'un réseau de dépendance. Les paysans venaient y porter leurs redevances, les vassaux des alentours y montaient la garde, « et c'était souvent de la forteresse elle-même, ainsi en Berry, de la grosse tour d'Issoudun, que leurs fiefs étaient dits être tenus. Là se rendait la justice; de là partaient toutes les manifestations sensibles de l'autorité » (Bloch).

Inévitablement, le seigneur et la forteresse étaient alors associés dans l'esprit des hommes. Le poète qui composa le chant de la mort de Guillaume le Conquérant dira, pour louer le duc défunt :

Tu étais la plus haute tour, la défense du monde.

Or, dans la société féodale, où la puissance d'un chef, tenait pour beaucoup au dévouement et à la force de la petite troupe des fidèles qui lui étaient personnellement rattachés, il était normal que l'on cherchât aussi, pour magnifier la muraille de l'église, forteresse mystique, à lui assujettir, comme à celui dont elle était l'image, des éléments secondaires.

Le donjon d'Houdan, construit au début du XIIe siècle, est une énorme tour ronde de quinze mètres de diamètre, flanquée de quatre tourelles engagées. Il est comme la transposition monumentale des piliers composés des églises. Cette particularité ne se justifie pas d'un point de vue purement technique ou défensif. Si le seigneur a voulu associer à cette tour centrale, symbole viril de sa puissance, des éléments annexes, c'est que cela accentuait l'expression féodale de cette puissance.

De la même façon, les bâtisseurs romans, quand ils veulent magnifier et renforcer une paroi ou un massif de maçonnerie, font appel à leur conception féodale de la force et de la grandeur, et c'est pourquoi ils se plaisent, souvent contre toute logique à lui assujettir des éléments secondaires.

Le lien qui rattache la colonne engagée à la muraille ou au pilier est à double sens. Si la demi-colonne fait partie intégrante du mur dont elle n'est qu'un renflement ponctuel, elle n'en constitue pas moins visuellement, par sa forme, par sa masse, par son décor de bases et de chapiteaux sculptés, un élément ayant une certaine autonomie. Nous percevons en fait la muraille et la demi-colonne comme deux éléments indissociablement liés. La demi-colonne renforce la paroi ou le pilier sur lequel elle s'accroche, mais inversement, elle ne peut exister qu'en fonction de cette muraille ou de ce pilier sur lequel elle est engagée. En effet, à section équivalente, les demi-colonnes romanes sont souvent deux fois plus hautes que les colonnes antiques, et si elles étaient isolées de la paroi elles ne pourraient tenir debout.

La liaison qui unit la demi-colonne, comme les autres éléments secondaires de l'architecture, à la masse de la muraille ou du pilier, est une transposition du lien social qui associe, dans le monde féodal, un plus faible à un plus puissant, le manant ou le vassal au seigneur possesseur de la forteresse, et par là à la forteresse elle-même, ou le chevalier au patriarche chef de son lignage. Ce lien social est à double sens comme il l'est en architecture : le seigneur a des devoirs vis-à-vis de son vassal, et ce dernier participe à sa puissance. Sur le plan du lignage, l'autorité du chef de famille ne s'exprimait pas alors comme elle le fera à d'autres époques, de façon unilatérale. Les fils et même les colatéraux participent aux initiatives du patriarche qui, sans leur assentiment, ne peut prendre de décision importante. Tous bénéficient de la puissance et du renom du chef de famille, mais c'est sur leur nombre et leurs qualités que cette puissance pouvait s'ériger.

L'architecture romane, nous le voyons, nous donne dans un registre plus abstrait, la même image transposée et idéalisée de la société féodale que celle qui nous est transmise par les arts figuratifs.

Dans le tympan de Vézelay, le Christ, énorme, est traité avec un faible relief. Les apôtres qui se serrent à ses pieds sont un peu plus détachés de la dalle du tympan, tandis que les petites figures étranges qui symbolisent les divers peuples de la terre et qui gravitent à la périphérie, sont traités en haut relief, et se détachent sur un fond d'ombre. Plus le personnage est grand, plus il participe à la dalle de pierre du tympan qui est dans l'axe de la muraille, et plus il se presse contre le Christ qui en occupe le centre.

En architecture, de la même façon, seuls des modillons ou des colonnettes en délit * d'importance marginale se dissocient quelque peu de la muraille vers laquelle se pressent tous les éléments importants.

Le tympan de Vézelay, comme les murailles romanes sur lesquelles viennent s'agréger toutes sortes d'éléments secondaires, sont des transpositions idéalisées de la structure sociale de l'Occident d'alors, où, autour de la forteresse du seigneur viennent s'agréger les domaines des chevaliers et les villages, dans un rayon d'une demi-journée de marche, et où à la périphérie, jouissant d'une autonomie relative par rapport au châtelain, se trouve le monde marginal des errants, pèlerins, marchands, ermites, vagabonds et brigands.

Entre les premiers édifices romans du début du XIe siècle et ceux du milieu du siècle suivant, on peut discerner une évolution dans la façon de traiter et de composer les éléments annexes de la muraille.

Cette progression est liée à l'évolution même de la société féodale.

Dans ce que l'on a appelé « le premier art roman », et qui constitue une famille d'édifices du XIe siècle, échelonnée de la Catalogne à la vallée du Rhin, la muraille en moellons cassés est à peine ornée d'un décor presque graphique de jeux d'appareils en zigzag ou en dents de scie, et d'une succession de bandes lombardes qui rythment les grands plans extérieurs (fig. 93) et à l'intérieur, ce sont souvent des pilastres engagés de faible saillie qui prolongent les doubleaux et les arcs jusqu'au sol. Dans les provinces où l'on construisait déjà en pierre de taille, au début du XIe siècle, comme en Anjou et en Touraine, les contreforts ne font, dans les édifices les plus anciens, qu'une légère saillie sur le mur qui est souvent orné d'un décor plat de jeux d'appareils colorés.

93

Peu à peu, au cours du XIe siècle, et jusqu'à la fin de la période romane, nous allons voir les éléments accolés aux murailles et aux voûtes prendre plus d'ampleur. La saillie des contreforts va s'accentuer. Des suites de modillons vont prendre place sous les corniches. Des assemblages de colonnes et de pilastres engagés vont s'articuler sur les piliers et les parois. Les arcs-doubleaux et les archivoltes, puissamment moulurés et ornés, vont se multiplier. Dans certains exemples tardifs, comme à Rioux, ces éléments secondaires vont même finir par masquer la paroi ou le pilier derrière leur foisonnement.

On retrouve une évolution analogue en sculpture, dans la façon dont les motifs figurés se plient aux contraintes architecturales auxquelles elles sont soumises. Alors que dans les œuvres les plus anciennes, comme à Saint-Genis-des-Fontaines, les arcades qui enserrent les apôtres, à peine dégagées de la dalle de pierre, constituent un cadre rigoureux à l'intérieur duquel la marge de manœuvre du sculpteur est extrêmement réduite. Dans les exemples plus tardifs, on voit les personnages modelés avec plus de vigueur, acquérir une certaine autonomie par rapport au cadre, se contentant de le toucher en certains points avec leurs corps.

Dans les frises ornementales ou les chapiteaux du XIIe siècle, les figures semblent souvent, du fait même de la complexité des divers schémas auxquels elles peuvent se plier, plus libres que dans les œuvres plus anciennes. Le lien de dépendance qui relie le personnage au cadre ou à la trame de composition, existe toujours dans l'art roman, mais semble moins tyrannique, moins absolu et exclusif dans les œuvres les plus récentes que dans les plus anciennes.

Le développement technique, les progrès dans la taille de la pierre ne sauraient être seuls responsables de l'évolution qui affecte l'architecture et la sculpture romane au cours de son développement. Ce sont les critères esthétiques eux-mêmes, qui se sont lentement infléchis au cours du XIe et de la première partie du XIIe siècle, du fait des mouvements internes qui affectaient alors la société féodale.

A cause du morcellement et de l'imbrication des domaines seigneuriaux, laïques ou cléricaux, des pouvoirs de commandement qui leurs sont attachés, et sous la pression continue d'un lent mouvement d'essor économique qui tend à modifier les situations acquises, les réseaux de sujétion s'étendent et s'enchevêtrent au cours de la période romane; et les dépendants qui ne sont plus soumis aussi exclusivement à la mainmise d'un seul maître y gagnent une autonomie relative.

Les chevaliers, par exemple, ayant souvent prêté hommage à plusieurs seigneurs rivaux, se voient par là même dégagés de leurs obligations militaires les plus immédiates. Pour pallier cet état de fait, on en vint à instituer une relation de dépendance prioritaire, « l'hommage lige » qui prime en principe sur tous les autres hommages que les individus ont pu contracter par ailleurs, mais ce palliatif n'arrivera pas à enrayer le foisonnement et la diversification des relations de dépendance.

Parallèlement, le maître, s'entoure d'une classe de serviteurs, les « sergents » qui défendent ses intérêts, perçoivent les redevances qui lui sont dues, et disent la justice en son nom, créant ainsi un relais entre sa personne et la masse de ses dépendants dont il tend peu à peu à se détacher.

Dans un monde progressivement plus pacifique et plus stable enfin, la puissance du châtelain se manifeste moins par la masse de sa forteresse, par sa force militaire immédiate que par le nombre et la qualité de ses gens, ainsi que par l'organisation des prélèvements qui leur sont imposés à travers les tailles, les dîmes, les péages, les droits de justice, etc.

Ce qui caractérise l'architecture romane dans toute son évolution, depuis les frustes et puissantes murailles de Tournus (fig. 93) jusqu'à la façade sculptée, presque baroque de Notre-Dame-la-Grande à Poitiers, c'est que toujours, et même quand les éléments annexes masquent le noyau solide de la maçonnerie, ce pôle d'attraction est néanmoins omniprésent, et que l'attachement à la muraille ou au pilier prime sur l'ordre logique qui peut régir l'assemblage des diverses pièces d'architecture entre elles.

94

Dans l'abside du Val-des-Nymphes, les colonnes des cinq arcades supérieures ne se superposent pas exactement aux pilastres des cinq arcades inférieures. A Paray-le-Monial, des colonnettes s'intercalent bizarrement dans un angle de pilier.

A Échillais (fig. 94) les grosses colonnes engagées du niveau inférieur, qui sont surmontées de chapiteaux trapus, ne supportent que deux colonnettes en délit beaucoup plus petites, qui elles mêmes ne sont pas dans le prolongement des colonnettes du niveau supérieur.

Dans ces trois exemples, l'élément fondamental est la masse de l'abside, du pilier ou de la façade sur laquelle viennent se polariser les éléments périphériques. Et l'architecte, hypnotisé par cette masse de maçonnerie n'a pas cherché à coordonne les autres éléments de sa construction entre eux dans un système autonome.

Dans les grands tympans sculptés, comme celui de Beaulieu, de la même façon, le Christ, immense, a une telle importance, que l'artiste ne se soucie pas de hiérarchiser entre eux les personnages secondaires qui gravitent autour de lui, et l'on voit les vieillards de l'Apocalypse, les apôtres, les anges et les séraphins se mêler avec une grande familiarité et sans souci de préséance.

La société féodale romane, tout au long de son évolution, n'a pas été conçue et voulue comme une juxtaposition de groupes sociaux cantonnés chacun dans son domaine. Les classes sociales n'ont pas alors de structure juridique précise. La noblesse de fait que constituaient les chevaliers ne deviendra que plus tard une noblesse de droit, fermée aux parvenus. Certains serviteurs, qui sont tout en bas de l'échelle sociale, peuvent accéder à d'importants postes de commandement pour le compte de leur seigneur. Par ailleurs, à travers l'organisation de l'église, des individus d'humble extraction vont parvenir à des fonctions élevées, comme Suger, qui, malgré sa modeste origine, devint abbé de Saint-Denis, conseiller des rois de France, et régent du royaume.

Le monde était alors trop morcelé, les rivalités trop vives entre les seigneurs rivaux, pour que les hommes pussent concevoir la société comme une juxtaposition fonctionnelle de groupes sociaux hiérarchisés, et sur un autre plan, pour que les bâtisseurs pussent chercher à remplacer la muraille protectrice par une structure composée d'une hiérarchie de pièces architecturales fonctionnelles.

Ce n'est que dans certaines œuvres tardives, comme à Fenioux, que ces éléments annexes, qui ont pris peu à peu une importance croissante, vont avoir tendance à se regrouper entre eux de façon plus coordonnée, et que l'on commencera à sentir par moments les germes d'une remise en cause de la suprématie de la muraille ou du pilier, et pardelà, du principe de sujétion fondamental qui regroupait les hommes dans la société féodale romane. Cette remise en cause, que l'on pressent dans certaines créations tardives, ne ressort plus d'une évolution, mais d'une rupture, et c'est, nous le verrons, un autre style, et à bien des égards, une autre civilisation qui s'annonce.

Un monde de transition

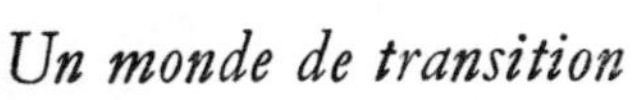

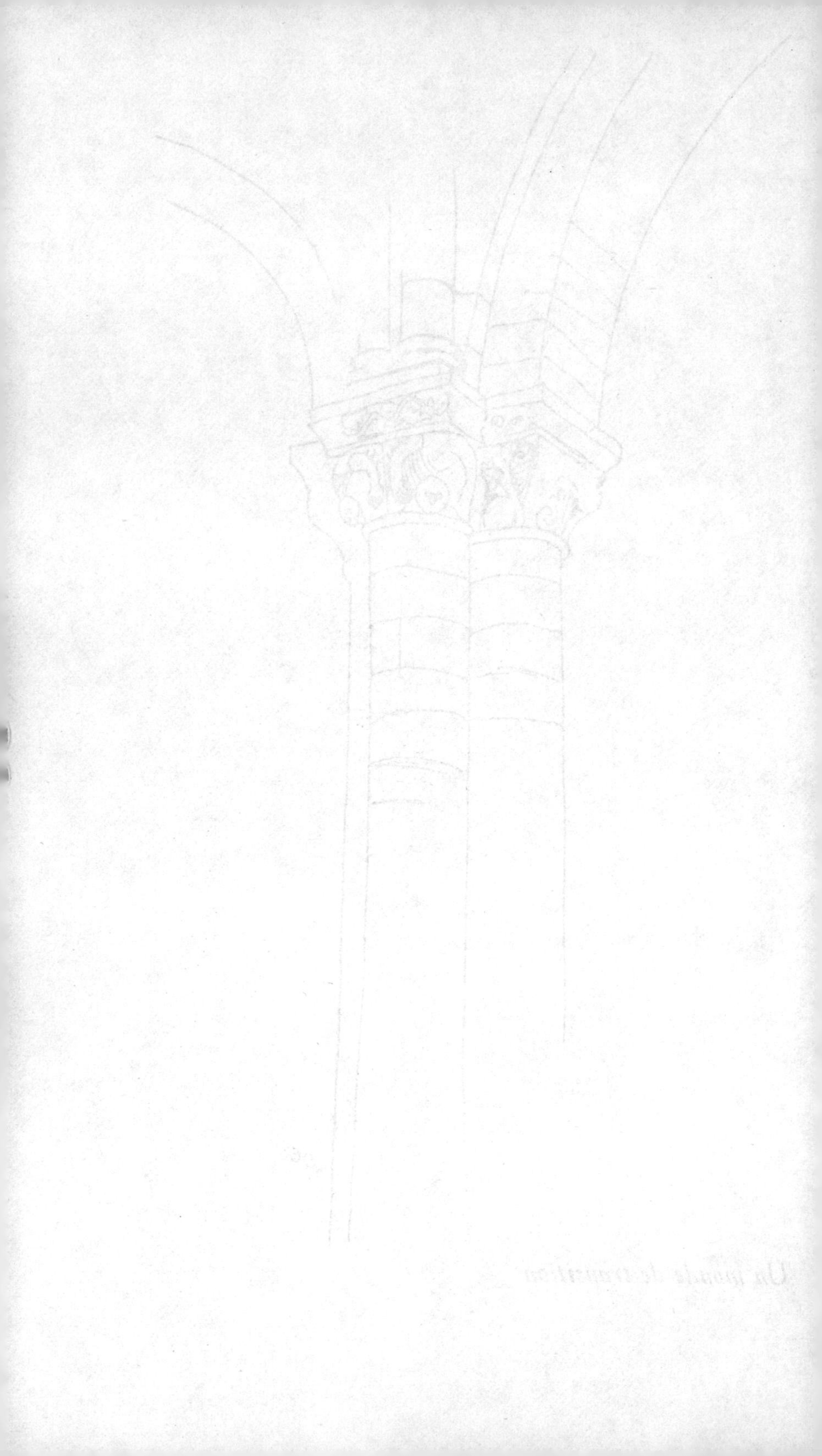

Les bâtisseurs romans ont cherché à décorer en priorité les éléments servant à relier entre eux les espaces ou les pièces d'architecture.

Ils ont sculpté les modillons qui font le passage entre les murs et les toitures, les bases des colonnes qui les relient au sol ou aux massifs qui les supportent, les cordons et les archivoltes qui entourent les baies et font la jonction entre elles et les parois, les portails enfin, qui sont des espaces de transition par excellence.

Le plus caractéristique de ces éléments de liaison, c'est le chapiteau qui prend place entre le fût des colonnes, dégagées ou accolées, et l'arcade qui la surmonte, entre le domaine des parois verticales et celui des voûtes. Techniquement, quand il surmonte une colonne engagée, comme c'est le cas le plus fréquent, il n'a pas grande justification, car, comme les assises de pierre du mur sont le plus souvent les mêmes que celles des demi-colonnes et qu'il est lui-même engagé dans la muraille, les pressions se répartissent uniformément dans la maçonnerie, et la continuité entre l'arcade, le demi-chapiteau et la colonne engagée est essentiellement visuelle.

Cet espace complexe, dont les fonctions architecturales sont mal définies, et qui est souvent loin des yeux du spectateur, dans des zones sombres, a été néanmoins ressenti par les artistes comme un lieu privilégié. Nous avons vu précédemment comment les sculpteurs avaient été séduits par cet espace à cause des contraintes multiples qu'il imposait aux figures et dont ils aimaient à tirer parti. Mais il n'y a pas que cela. Dès les premières expériences de Chapaize (Pl. XVIII) ou de Romainmôtier, où le « chapiteau » est constitué d'une juxtaposition de pierres en encorbellement, et avant même que la technique de la pierre taillée ne se soit, suffisamment développée pour permettre la sculpture, on sent à travers leurs recherches maladroites, que les constructeurs sont comme fascinés par cet espace de transition entre les fûts verticaux des colonnes et les parties courbes des arcs, des archivoltes ou des doubleaux. Ces premières expériences nous montrent que si les chapiteaux ont captivé et stimulé les artistes romans ce n'est pas uniquement parce qu'ils constituaient en eux mêmes des cadres de représentation particulièrement complexes, mais aussi parce qu'ils avaient un rôle bien particulier à jouer dans l'édifice.

Dans l'église de Cunaud (Pl. XIX), les chapiteaux sont situés à une douzaine de mètres de hauteur, si bien que depuis le sol, et avec des yeux d'homme du XXe siècle, on ne peut pas discerner avec précision les scènes qui y sont représentées. On perçoit une imbrication de feuillages ornementaux et de scènes figurées, finement sculptées qui constituent comme un foisonnement de vie à la naissance des arcs.

En marquant le contraste entre les grandes surfaces calmes de pierre lisse des faisceaux de colonnes et des voûtes soigneusement appareillées, et le monde refouillé, complexe, et beaucoup plus familier des chapiteaux le maître d'œuvre a voulu marquer leur dépendance à l'égard de l'architecture, il a voulu les resituer dans une vision plus vaste et contraignante, quitte, pour ce faire, à les soustraire en partie à la vue du visiteur.

Le petit monde des chapiteaux de Cunaud, qui pourrait paraître trop anedoctique ou trop séduisant s'il était examiné dans le détail, manifeste au contraire sa dépendance envers l'œuvre totale de façon exemplaire quand il est intégré dans ce contexte monumental.

La suite des chapiteaux romans, pris entre les faisceaux de colonnes verticales et les courbes des voûtes, entre la terre et le ciel (fig. 95, 96), est l'image même de l'humanité romane telle qu'elle s'imaginait elle-même, toujours enserrée dans un destin cosmique qui la dépasse.

Nous avons vu combien s'imposait à l'époque romane, l'idée d'un monde déchiré par le conflit entre le bien et le mal, le bon et le mauvais seigneur. Les chapiteaux qui apparaissent comme les pierres d'achoppement de l'architecture, où les poussées des arcs et des voûtes semblent équilibrées par la réaction des massifs verticaux, devaient être facilement associés à ce monde dominé par un conflit inéluctable. Sur de nombreux chapiteaux, ce combat est symboliquement représenté, comme à Saint-Benoît (Pl. I) ou à Plaimpied. Et à Charlieu, les anges annonciateurs qui y sont sculptés servent de transition entre la luxure torturée du pilastre, les feuillages baroques et maléfiques qui ornent les parties basses du portail, et la grande vision lyrique et sacrée du Christ en gloire du tympan, entouré d'une succession d'archivoltes au décor rigoureux.

Par-delà ce clivage entre le bien et le mal, les hommes de cette époque aimaient à resituer leur temps dans le vaste déroulement de l'histoire depuis la Création jusqu'à l'Apocalypse. Les chroniqueurs qui relataient des événements récents, dans telle ou telle région, commençaient souvent leur récit par un raccourci historique remontant à la Genèse.

Le passé, c'est le temps des ancêtres; c'est dans le passé que le lignage puise sa force et sa cohésion. A l'époque romane, les maisons nobles ont commencé à s'intéresser à leur généalogie, quitte à la reconstituer de manière fictive, pour se rattacher à des ancêtres valeureux. Les héros des chansons de geste ou les saints que l'on vénérait alors, appartenaient tous à des temps depuis longtemps révolus.

Bernard de Chartres disait à cette époque, en parlant des anciens : « Nous sommes des nains montés sur les épaules de géants. »

Les chapiteaux, juchés sur les massifs de colonnes à la naissance des voûtes, comme sur ces grands ancêtres disparus, ont, là encore facilement pu être associés à l'image d'un monde inséré dans le déroulement de l'histoire, entre un passé prestigieux et viril, et un devenir céleste.

Au portail royal de Chartres (Pl. XXVIII, XXIX), cette association est manifeste. Nous voyons les statues colonnes, qui représentent de grands personnages de l'ancienne loi, soutenir une suite de chapiteaux historiés où sont représentés, dans un style assez anedoctique, et à une échelle réduite, des scènes du Nouveau Testament. Surmontant ces chapiteaux, on peut voir, dans les archivoltes des baies latérales, les arts libéraux, les signes du zodiaque et les travaux des mois, et au centre de la composition, dans la partie la plus haute, le Christ apparaissant à la fin des temps, entouré du Tétramorphe, et encadré par les vieillards de l'Apocalypse. La frise des chapiteaux refouillés et pleins de vie est ici la charnière entre un passé prestigieux et hiératique, et un futur céleste.

Sans extrapoler systématiquement les observations que nous avons faites sur Chartres et Charlicu, (qui sont par ailleurs des œuvres tardives), on peut penser néanmoins, que si les artistes romans ont attaché une telle importance au chapiteau, s'ils se sont plu à y figurer d'innombrables scènes, c'est qu'ils retrouvaient inconsciemment dans cet espace déterminé et enserré dans un vaste contexte architectural, les structures et les déterminismes du monde, tel qu'ils l'imaginaient et le désiraient au plus profond d'eux-même.

Si dans beaucoup d'églises romanes, comme à Cunaud (Pl. XIX), de nombreux détails sculptés échappent à l'œil du spectateur, parce que disposés trop haut, ou dans des endroits sombres, si certains chapiteaux, comme ceux de la croisée de Saint-Benoît-sur-Loire, n'ont dû d'être révélés qu'au zèle intempestif des restaurateurs qui les ont descendus pour les remplacer par des copies, ce n'est pas de l'inconséquence de la part des artistes romans, car leur projet n'était pas uniquement de donner une image destinée à impressionner le visiteur, mais de bâtir à la gloire du Dieu-Seigneur, un ensemble cohérent, obéissant à sa logique propre.

Pour eux, l'apparence sensible des choses était secondaire, voire trompeuse. Ce qui les intéressait, c'était de trouver « par-delà l'écorce, le noyau savoureux de la vérité », et de manifester la dépendance de chaque objet et de chaque être vis-à-vis d'un ordre supérieur.

L'homme n'est ni le centre ni le module de l'univers que nous proposent les créateurs de ce temps. Il n'en est qu'une petite partie, inscrite et déterminée, comme la figure sculptée sur le chapiteau, dans un contexte qui la dépasse. Dans cette même perspective, le spectateur n'est pas non plus l'homme-clef de l'architecture vers lequel convergent toutes les impressions visuelles, comme il le sera à des époques plus récentes. Il n'est lui aussi qu'un élément secondaire et il n'a pas besoin d'avoir une vision exhaustive et claire du monde dans lequel il se trouve et auquel on l'invite à participer par un engagement affectif irrationnel.

« L'espace féodal » n'est pas un milieu amorphe dans lequel sont disposés des objets, et où circulent des individus autonomes, s'exprimant visuellement par leur épiderme, comme ce sera le cas dans les civilisations de la Renaissance et des temps modernes. C'est un espace de relation, qui traverse et conditionne les objets et les individus qu'il enserre.

C'est parce qu'ils étaient la transposition de cet « espace féodal », que les chapiteaux, lieux complexes où convergent tous les déterminismes, et qui possèdent des zones de mystère inaccessibles au regard, ont tellement séduit les artistes de ce temps.

L'inféodation des volumes

L'inféodation des volumes

L'inféodation des volumes

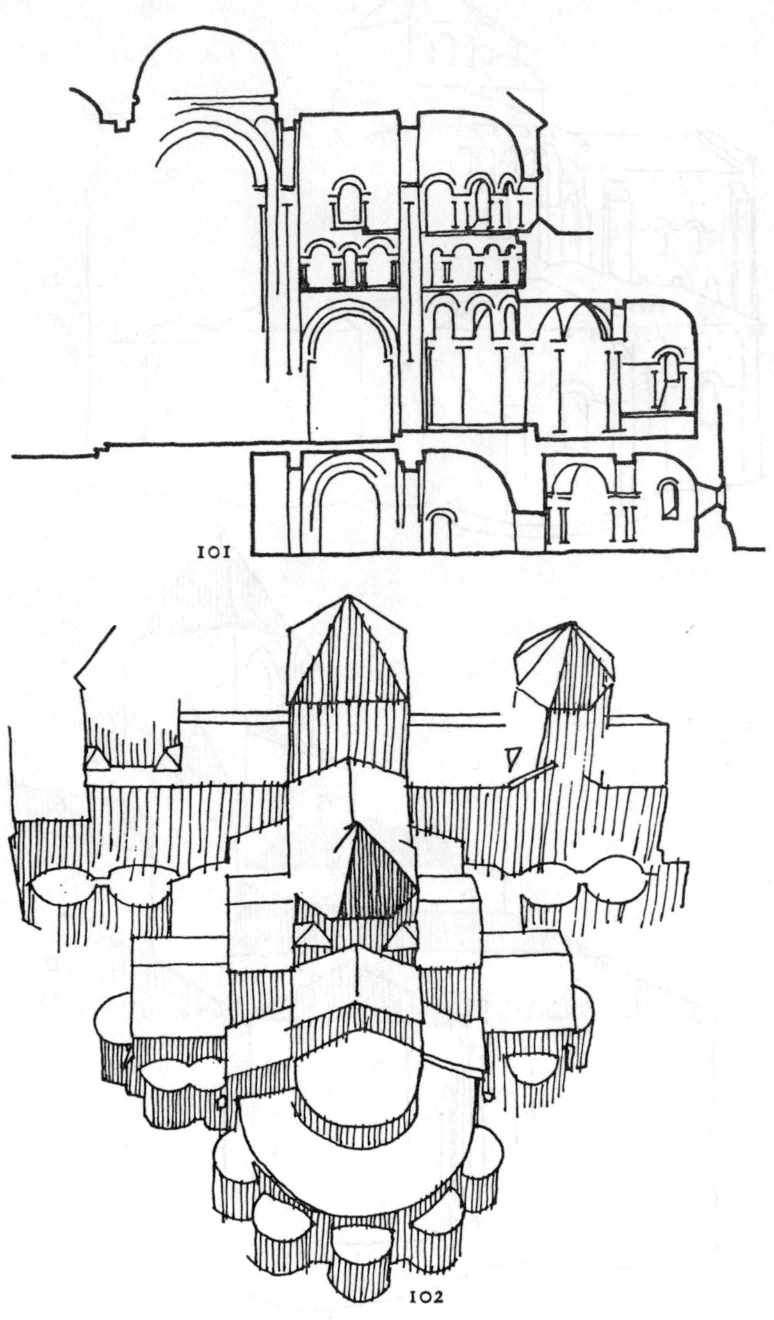

L'inféodation des volumes

Cette conception féodale de l'espace et du monde, dont les innombrables chapiteaux romans sont une illustration, s'exprime aussi puissamment à travers les compositions de volumes voûtés de l'architecture de ce temps.

Avec leur nef principale, éventuellement accompagnée de bas-côtés, leur transept et leur abside, les églises romanes sont le plus souvent composées suivant le schéma cruciforme traditionnel des premières basiliques chrétiennes dont le parti s'est maintenu dans ses grandes lignes durant le haut Moyen Age. Nous allons voir que ces analogies dans la disposition générale des espaces masquent de profondes différences.

Les églises paléochrétiennes, comme l'ancienne basilique de Saint-Pierre de Rome, construite sous Constantin, sont faites de volumes et d'éléments juxtaposés, alors que dans les édifices romans, les diverses parties sont reliées organiquement les unes aux autres.

A Saint-Pierre de Rome, une vaste cour précède l'entrée, elle est entourée d'un portique bas qui est accolé au mur de fond de l'église. Il n'y a pas de transition entre ces deux espaces. Les portails romans, eux, participent à la muraille. Quand ils sont précédés d'un porche, comme à Beaulieu, celui-ci est traité de façon massive, et s'intègre visuellement au reste de l'édifice.

A Saint-Pierre de Rome, la nef et les bas-côtés, séparés par une colonnade, sont coiffés de couvertures en charpente. Tandis que dans les églises romanes, les murs parallèles sont unis par les voûtes qui les surmontent, et les piliers cruciformes articulent entre eux la nef et les collatéraux. Ceux-ci ne sont plus simplement des galeries de circulation, ou des espaces additionnels, ils contrebutent aussi les poussées occasionnées par la grande voûte centrale.

A Saint-Pierre de Rome, un mur percé d'une baie, isole la nef du transept. L'architecte n'a pas craint de juxtaposer le plus simplement du monde les deux volumes perpendiculaires. Dans l'art roman, la nef ne vient pas buter sur le mur du transept, il y a interpénétration des deux espaces, et leur jonction, souvent surmontée d'une coupole et marquée par une prolifération d'arcades et de colonnes engagées, est traitée avec ampleur.

L'abside demi-circulaire romane, enfin, n'est plus une simple niche isolée s'ouvrant sur le mur du fond; précédée d'une travée droite, elle prolonge visuellement la perspective de la nef, et est elle-même parfois rattachée à des absidioles plus petites (Pl. XXI).

Les bâtisseurs de l'Antiquité ont aimé juxtaposer harmonieusement, dans leurs constructions, des éléments ou des volumes indépendants, comme ils ont aimé juxtaposer, dans leurs murailles, des pierres de dimensions identiques. Leur perspective était celle d'un univers composé de citoyens et de groupes autonomes se pliant à une même loi, et non pas comme à l'époque romane, celle d'un monde, où l'enchevêtrement des contraintes et des liens de dépendance, interdisait toute action ou tout comportement individualiste, étranger aux solidarités essentielles.

Les bâtisseurs romans ont composé autour du schéma cruciforme traditionnel issu de l'Antiquité, une quantité d'œuvres originales (fig. 80 à 88) exactement comme les sculpteurs qui se sont plu, quant à eux, à inventer toutes sortes de frises décoratives variées, tout en se soumettant à la trame d'un rinceau végétal conventionnel.

La nef, voûtée de diverses manières peut être aveugle, comme à Toulouse, ou percée de fenêtres, comme à Nevers. Les collatéraux, s'il y en a, sont parfois surmontés de tribunes voûtées, comme à Orcival (voir aussi fig. 74 à 79). L'abside peut être entourée d'un déambulatoire sur lequel s'ouvrent des chapelles rayonnantes : deux à Saint-Benoît, trois à Paray-le-Monial, quatre à Orcival, cinq à La Charité-sur-Loire (fig. 80). Dans d'autres cas, les absidioles se répartissent parallèlement à l'axe de la nef, comme à Châteaumeillant (fig. 81). La façade peut être constituée d'un simple pignon, comme à Saint-Pierre-de-Buzet, précédée d'un clocher porche, comme à Ébreuil, ou encadrée de deux tours, comme à Caen. La croisée du transept peut être marquée par une tour carrée, comme à Saint-Sernin, ou polygonale, comme à Orcival. Elle peut aussi être simplement surmontée d'une coupole un peu plus haute que celles qui couvrent la nef, comme à Souillac. Par-delà la diversité des solutions particulières, on sent, à travers tous les édifices romans, la même volonté de regrouper les divers volumes constituant l'édifice, de façon à ce que chacun d'eux garde une certaine autonomie, mais soit néanmoins puissamment assujetti aux autres, les petits volumes venant de préférence se regrouper autour des plus grands (Pl. XX à XXIV et fig. 97 à 102).

Techniquement, les bas-côtés, quand il y en a, participent à la stabilité de la voûte centrale. Ils contrebutent les poussées obliques qu'elle occasionne. Sans eux, l'édifice s'écroulerait le plus souvent. De la même façon, les absidioles renforcent le déambulatoire, qui lui même encaisse une partie des poussées occasionnées par la voûte de l'abside. Et la tour qui surmonte la croisée du transept est étayée par les quatre volumes qui lui sont accolés.

Dans un édifice complexe, les bâtisseurs romans ne veulent pas que chaque partie soit statiquement autonome, comme dans certaines constructions de l'antiquité. Il n'essayent pas non plus de consolider un grand volume en lui adjoignant des éléments structuraux spécialisés comme le feront les architectes du XIIIe siècle avec leurs réseaux de contreforts, d'arcs-boutants * et de pinacles *. Ce qu'ils cherchent, c'est à renforcer et à magnifier le volume dominant en lui en associant intimement de plus petits, exactement comme quand à une autre échelle, pour renforcer un pilier, ils lui associent un pilastre ou une colonne engagée.

Cette démarche ne se justifie pas uniquement d'un point de vue technique. Ce n'est pas seulement un souci logique qui a amené les architectes à édifier ces compositions de volumes arrondis ou rectangulaires et de toitures obliques qui se serrent sur le prisme du clocher (Pl. XXIV) ou ces échelonnements d'espaces creux se répartissant autour du puits d'ombre de la croisée du transept (Pl. XXI).

Il y a dans toutes leurs œuvres une irréductible dimension esthétique. Les bâtisseurs, ne se contentent pas de savoir que la nef principale ou le clocher sont statiquement dépendants des autres volumes, ils veulent que cette dépendance se manifeste visuellement.

Ils auraient pu masquer les divers espaces intérieurs derrière une silhouette unique, comme cela se faisait souvent dans l'architecture arménienne. C'eût été plus facile pour eux de remplir les surépaisseurs entre un parement extérieur de forme simple, et la découpe des parois intérieures avec des matériaux de tout venant, que de tailler les parements extérieurs en pierre suivant les dispositions complexes de l'édifice et de multiplier les assemblages de charpente et de couverture, comme ils l'ont fait. S'ils se sont refusés à cela, c'est qu'ils ne voulaient à aucun prix d'une silhouette constituée d'un volume unique, et qu'ils préféraient au contraire exprimer à l'extérieur les moindres accidents de la structure interne.

A Fontanaya (voir aussi Pl. XXII et XXIII), les trompes * qui soutiennent la coupole sont couvertes par de petites toitures autonomes, et un massif octogonal, surmonté d'une couverture à huit pans, vient recouvrir la coupole. L'adoption de cette disposition, si elle permet de deviner très exactement du dehors, la structure interne de l'édifice, n'a pas dû simplifier la tâche des constructeurs, qui auraient pu beaucoup plus simplement masquer la coupole sur trompe par un massif carré surmonté d'une toiture en pavillon.

Ces volumes complémentaires qu'ils aimaient à mettre en lumière tant intérieurement qu'extérieurement, les bâtisseurs se sont plu à les relier plastiquement les uns aux autres par des rappels de forme, de rythme ou de décoration, et par des jeux de lumière. A Cruas, les bandes lombardes et les baies aveugles qui ornent le clocher se retrouvent à l'identique sur l'abside, et contribuent ainsi à relier visuellement les deux éléments.

Alors que dans les édifices gothiques la notion de volume intérieur se dilue au profit de celle de structure fonctionnelle, et que les immenses verrières donnent à la nef et aux bas-côtés une clarté assez uniformément répartie, dans l'art roman, les volumes découpés par des plans simples sont perçus en tant que tels et associés entre eux grâce à une inégale répartition de l'éclairage.

A Toulouse, la nef principale est aveugle, aussi a-t-elle besoin de la lumière qui provient des bas-côtés.

Même quand elle est percée de fenêtres hautes donnant sur l'extérieur, comme à Saulieu, celles-ci sont si petites, que l'éclairage qu'elles diffusent doit être compensé par celui qui provient des ouvertures des collatéraux et qui filtre à travers les grandes arcades.

Dans les chevets à chapelles rayonnantes, la lumière, qu'elle provienne des fenêtres hautes du chœur, du déambulatoire ou des absidioles, en faisant se détacher un pan de mur ou une colonne en sombre sur un fond clair, en illuminant une paroi, une arête ou la naissance d'une voûte, constitue un lien vivant entre les divers espaces (Pl. XXI).

Dans les édifices romans, une atmosphère ombreuse, ponctuée de quelques lueurs, baigne les volumes assemblés, et contribue à les relier visuellement les uns aux autres.

Par ailleurs, les pilastres, les demi-colonnes, les doubleaux et les arcades moulurées, qui sont inféodés aux parois, aux voûtes et aux piliers, servent aussi à assujettir visuellement les volumes les uns aux autres (Pl. XIX).

Les piliers cruciformes, qui servent de point d'appui commun aux voûtes centrales et latérales, sont techniquement et visuellement la charnière entre les espaces qu'elles déterminent.

L'association des volumes, par l'intermédiaire du même point d'appui, ne les empêche pas toujours d'apparaître, chacun pour soi, comme une entité indépendante. Dans une architecture faite de murailles découpées à angle vif par des ouvertures, la délimitation des espaces est trop brutale pour que l'on puisse sentir les liens qu'ils entretiennent les uns avec les autres.

En créant le pilier cruciforme, en multipliant les éléments de transition, tels que les arcades moulurées, et les demi-colonnes à l'intersection des différents volumes, les architectes romans ont réussi à manifester plastiquement leur dépendance réciproque. Si, sur le même dessin représentant une nef découpée par de grandes arcades, on fait figurer des pilastres et des colonnes engagées, on accentue visuellement les interrelations entre le volume de la nef et celui du bas-côté.

Le pilier cruciforme est un être fédérateur, il est le centre d'un réseau de droites et de courbes matérialisées par des demi-colonnes, des arcades ou des doubleaux, qui parcourent les surfaces des diverses parties de l'édifice comme pour les assujettir et les relier les unes aux autres.

Les constructeurs romans, à tous les niveaux de leur intervention, qu'il s'agisse pour eux de disposer des pierres pour construire une muraille, de renforcer les parois et les voûtes avec des doubleaux, des contreforts, ou des demi-colonnes, ou bien de composer des volumes entre eux, ont cherché à mettre en valeur systématiquement la dépendance entre chacun des éléments et les éléments voisins. Ils exprimaient ainsi cette tension fondamentale qui, nous l'avons vu, parcourait alors le monde féodal.

Cette préoccupation de base, sous-jacente à toutes les créations romanes, donne à l'architecture et à l'art de ce temps cette cohésion que l'on perçoit intuitivement et qui fascine encore le visiteur d'aujourd'hui.

Parmi les regroupements de volumes que nous montrent les architectures romanes, les chevets occupent une place de choix.

Dans les édifices à une nef, qui ne comportent qu'une abside, comme à Cervatos, celle-ci est généralement plus étroite que la nef, parfois de quelques dizaines de centimètres seulement. De ce fait, les deux espaces ne sont pas confondus et semblent organiquement associés. Il eût été plus simple, en maçonnerie comme en charpente et en couverture, de construire l'ensemble sous la forme d'un volume unique. Si les bâtisseurs ne l'ont pas fait, c'est que plastiquement ils préféraient la solution des volumes associés, même si elle était techniquement plus complexe. L'abside demi-circulaire qui prend place sur le mur du fond de la nef est, en plan, comme un agrandissement de la section de la colonne engagée sur un pilier ou une paroi. C'est le même schéma qui est utilisé dans chaque cas.

Quelquefois, l'abside est précédée d'une travée droite, et l'édifice apparaît comme constitué d'un regroupement de trois éléments, ce qui est techniquement encore plus complexe. Là encore, on retrouve le même schéma au niveau du point d'appui, quand la demi-colonne, est engagée sur un pilastre, qui lui-même prend place sur le pilier ou la muraille.

Souvent, les églises ont trois absides, d'axes parallèles, (Pl. XVII) comme à Brancion. Les deux absidioles latérales se serrent contre l'abside centrale tout en se pressant sur le mur du fond de la nef. Cette formule a eu un grand succès et on la retrouve utilisée de la Galice à la Lombardie, et de la vallée du Rhin à l'Angleterre.

On retrouve, dans son principe, cette disposition à d'autres niveaux : à Montserrat, en Catalogne, les voûtes des bas-côtés, qui épaulent la voûte médiane, suivent le même profil que les murs des deux absidioles qui entourent l'abside centrale. Les bâtisseurs ont réutilisé le même schéma pour organiser les volumes de la nef et ceux du chevet.

A Vézelay, la baie centrale du portail, encadrée par les deux petites baies latérales, semble reproduire aussi bien le profil des doubleaux de la nef contrebuté par ceux des bas-côtés, que le plan traditionnel du chevet à trois absides.

A Aulnay, les bâtisseurs ont associé à la colonne engagée sur la muraille deux colonnes de diamètre plus faible, et la section de l'ensemble paraît être une réduction du plan du chevet de cette même église.

De façon moins abstraite, on retrouve le même regroupement féodal entre une figure dominante et deux autres plus petites qui lui sont associées dans des représentations figurées, comme à Saint-Benoît-sur-Loire, où l'on peut voir, sur un chapiteau, un grand saint Martin qui se détache sur sa mandorle richement ornée d'entrelacs, encadré par deux anges au front bas et aux pieds bien posés sur le sol. Le saint ressemble ici à un riche seigneur du XIe siècle flanqué de deux de ses guerriers domestiques, ou à un puissant abbé accompagné de ses moines.

Si le principe d'organisation que nous voyons à l'œuvre dans les chevets romans à trois absides a eu un tel succès, c'est qu'il représentait, par-delà le rôle fonctionnel qu'il pouvait jouer dans certains cas, un archétype du regroupement féodal, un des schémas essentiels du système de pensée alors en vigueur.

C'est un schéma un peu différent, servant à regrouper trois ou quatre éléments analogues autour d'un élément dominant que l'on retrouve dans certains chevets d'églises, comme celui de Saint-Martin-de-Londres, où les absides latérales sont disposées perpendiculairement à la nef, ou bien dans certains édifices à plan centré, comme la chapelle Sainte-Croix de Montmajour, où quatre absidioles prennent place sur les quatre faces d'un carré.

Ce schéma, que l'on retrouve très exactement transposé dans les piliers cantonnés de trois ou de quatre demi-colonnes, transparaît aussi dans le domaine figuré, à travers l'image traditionnelle du Christ entouré des quatre animaux de l'Apocalypse.

A Saint-Benoît-sur-Loire, dans un portail un peu tardif, les quatre évangélistes sont disposés autour du Christ dans quatre niches demi-circulaires. Le schéma de composition utilisé par l'artiste est ici comme un moyen terme entre celui des palmettes qui ornent l'archivolte de ce même portail, dont les quatre lobes sont répartis autour de la tige centrale, et le profil en plan de certains chevets d'églises ou de certains assemblages complexes de colonnes engagées sur un noyau de maçonnerie comme on peut en rencontrer dans les églises d'Aquitaine.

Le chevet à chapelles rayonnantes des grandes églises nous propose un schéma de composition plus complexe et plus riche encore, car il regroupe un grand nombre d'éléments divers.

Vu de l'extérieur, il se présente comme un échelonnement de volumes qui s'épaulent mutuellement (Pl. XXIV). Les chapelles, qui semblent protégées par la proximité des masses plus imposantes du déambulatoire et du chœur, participent en fait techniquement et visuellement à sa puissance. Intérieurement (Pl. XXI) la succession des colonnes qui soutiennent la conque de l'abside créent une transparence qui laisse percevoir les volumes du déambulatoire et des absidioles. La composition se développe à partir d'un centre unique, matérialisé par l'autel, en trois registres concentriques, correspondant à des éléments d'importance décroissante, celui de l'abside, celui du déambulatoire et celui des chapelles rayonnantes.

Le visiteur n'est plus là un simple spectateur; par son mouvement, quand il contourne le chœur en empruntant le déambulatoire, il participe au mouvement général de soumission de tous les éléments autour de l'autel principal.

On retrouve ce même principe de regroupement par auréoles concentriques dans bien des portails romans, où autour du trou d'ombre de la baie ou de la scène principale du tympan, viennent s'incurver plusieurs archivoltes successives.

A la chapelle Saint-Michel du Puy, les trois niches demi-circulaires disposées autour du tympan semblent être une réduction des absidioles qui se répartissent autour de l'abside principale, dans les chevets à chapelles rayonnantes.

Dans le portail sud d'Aulnay, les trois archivoltes extérieures, composées de claveaux rayonnants, sont occupés, respectivement et par ordre d'importance, par les apôtres, les vieillards de l'Apocalypse et une suite de figures décoratives plus ou moins monstrueuses. Elles sont toutes trois disposées autour de l'arc décoré d'entrelacs mystérieux qui encadre le demi-cercle d'ombre de la baie, qui est lui-même au cœur de la muraille. Ce portail, comme les grands chevets à déambulatoire et à chapelles rayonnantes dans un registre plus abstrait, nous donne une image idéalisée du monde tel que le concevait l'esprit féodal, où, autour du Christ-Seigneur, autour de celui qui est « la vraie porte », viennent se répartir les fidèles, les clercs d'abord figurés par les apôtres, les laïques ensuite, par les rois de l'Apocalypse, aux pieds desquels des personnages, un genou à terre et une main levée, semblent se soumettre, et enfin, à la périphérie, le monde chimérique de toutes les figures inquiétantes qui peuplaient les rêves et les angoisses du monde féodal.

On retrouve ce même schéma de regroupement concentrique dans la constitution de certains points d'appui, où, autour du pilier de maçonnerie, viennent se féodaliser un premier registre de pilastres, et sur ceux-ci, un deuxième registre de colonnes engagées.

La résonance féodale de ce schéma de composition apparaît avec clarté dans l'extraordinaire crypte de Saint-Benoît-sur-Loire située sous le chevet à chapelles rayonnantes de l'abbatiale, et qui en épouse les contours extérieurs (fig. 103). Son centre est occupé par un énorme pilier reliquaire couvert de colonnes engagées. De ce point central, qui soutient l'autel de l'église haute, rayonne une suite d'arcs et de voûtes qui reposent sur huit grosses colonnes intermédiaires, relançant à leur tour des arcs jusqu'aux murs périphériques sur lesquels s'ouvrent des absidioles. Cette puissante composition du XIe siècle, est entièrement centrée sur une poignée d'ossements appartenant au grand saint fondateur, que des moines ont recueillis au VIIe siècle sur le mont Cassin et ont ramenés sur les bords de la Loire.

103

Les architectes et leurs commanditaires ont ici cherché indéniablement à donner à cette construction une dimension symbolique. En mettant les cendres de leur saint patron au cœur même d'un pilier, autour duquel tous les éléments sont disposés par auréoles successives, les moines clunysiens de Saint-Benoît ont voulu manifester le rayonnement et la puissance de la règle bénédictine, et cela de façon très féodale, comme un regroupement d'éléments autour de la personne physique de leur grand ancêtre disparu. Ils ont voulu aussi sans doute donner une image symbolique, là encore très féodale, de l'expansion de l'ordre clunysien auquel ils appartenaient, et qui à cette époque couvrait l'Occident d'un réseau de prieurés regroupés autour des principales abbayes, elles-mêmes inféodées à l'abbaye-mère de Cluny, comme les diverses parties de cette crypte autour du pilier reliquaire.

On ne trouve pas d'abside à déambulatoire et chapelles rayonnantes dans les édifices paléochrétiens, pré-romans ou byzantins ; c'est une création purement romane. Si les artistes l'ont utilisée, malgré leur défiance vis-à-vis de ces « déplorables innovations » dont parlent alors les textes, c'est en partie, parce que cette composition de volumes était, comme le château fort avec ses enceintes successives disposées autour du donjon, la transposition monumentale de l'ordre social tel qu'ils le concevaient, parce qu'elle puisait ses racines au cœur même du système de pensée féodal.

Certes, l'on n'aurait jamais créé de tels édifices s'ils n'avaient pas eu d'utilisation pratique. L'évolution de la liturgie au XIe siècle, le développement du culte des saints tendait à faire se multiplier les autels, donc les chapelles aptes à les recevoir. L'engouement pour les pèlerinages, puissamment organisés par les moines de Cluny, imposait parallèlement aux architectes de prévoir la circulation de foules nombreuses dans les grands sanctuaires. Le chevet à déambulatoire et chapelles rayonnantes répond parfaitement à ces différents besoins. Mais ces besoins eux-mêmes ne sont pas sortis du néant, ils sont issus d'une prise de position idéologique des hommes dans le cadre même de la société féodale. Les foules qui se mettent en marche vers le tombeau du Christ ou celui de saint Jacques cherchent ainsi à se placer dans la « mouvance » du bon seigneur. Les fidèles qui demandent aux saints d'intercéder en leur faveur, procèdent comme si la société céleste était structurée suivant le mode féodal. Comme si Dieu, à l'image du Charlemagne de la chanson de Roland, prenait l'avis de ses vassaux avant chaque décision.

Dans la construction d'un chevet à chapelles rayonnantes il y a conjonction entre des motivations idéologiques directes (une disposition est adoptée parce qu'on la sent chargée d'un certain message) et des motivations idéologiques indirectes (une disposition est adoptée parce qu'elle satisfait à certains besoins fonctionnels, eux-mêmes issus d'une prise de position idéologique).

Techniquement, il eût été plus simple pour les architectes romans de multiplier les chapelles le long des bas-côtés, comme cela se fera aux XIVe et XVe siècles pour satisfaire aux besoins de dévotion privée des familles nouvellement enrichies, et fonctionnellement, c'eût été aussi valable. Mais cela, ils ne l'ont pas voulu, car ils se plaçaient dans une perspective féodale et non pas individualiste. Ils voulaient que les chapelles et les autels soient regroupés autour d'un centre polarisateur, que l'architecture manifeste par elle-même, aux yeux des fidèles, la dépendance hiérarchique des éléments secondaires vers les éléments principaux.

Les bâtisseurs auraient pu, comme dans certains exemples gothiques telle l'abbaye de Pontigny, regrouper les chapelles les unes contre les autres de façon à ce qu'elles ne constituent plus extérieurement qu'un volume unique. C'eût été techniquement plus facile et leur aurait permis de multiplier encore les autels secondaires. Mais cela non plus, ils ne le voulaient pas. Pour manifester la puissance de l'église, il fallait qu'elle soit et qu'elle apparaisse comme un regroupement, autour d'un noyau dominant d'individualités ayant une certaine autonomie. Il fallait que l'abside, comme on peut le lire dans un guide du pèlerin de Saint-Jacques décrivant le chevet de l'église de Compostelle, soit comme une tête « couronnée » entourée de « huit petites têtes ».

Une architecture, nous le voyons, est une synthèse entre des impératifs d'ordre divers, esthétiques, mais aussi techniques et fonctionnels, eux-mêmes issus d'un enchaînement causal complexe où les facteurs idéologiques interviennent à tous les niveaux. Toute approche spécifiquement technologique ou sociologique se heurte très vite de ce fait à des limites, et une analyse purement formelle faisant fi du contexte historique, ne peut que demeurer à la surface du phénomène. Pour analyser une architecture ou une œuvre d'art et en tirer le maximum d'enseignements, il n'y a pas d'autres solutions que de s'efforcer de dénouer aussi loin que possible la chaîne d'interactions entre des causalités de natures différentes, indéfiniment ramifiée, dont elle est le fruit.

Les maîtres d'œuvre de la Grèce, de Rome ou de l'Europe de la Renaissance et des temps modernes, ont souvent voulu se référer dans leurs œuvres à un certain nombre de rapports de proportion considérés comme intrinsèquement harmonieux. Ils ont même voulu les universaliser en proposant des systèmes valables en tous lieux et de tout temps. Certains admirateurs de Le Corbusier par exemple ont tenté de montrer, assez maladroitement d'ailleurs, que l'échelle du « Modulor » inventé par le maître, se retrouvait dans des œuvres provenant de diverses civilisations et en expliquait la beauté.

Encore aujourd'hui, bien des gens pensent que derrière les chef-d'œuvres de l'art, se cachent je ne sais quelles règles universelles d'harmonie que l'artiste s'est évertué à retrouver. Ce faisant, ils ne se trompent pas d'ailleurs complètement. Simplement, ces règles d'harmonie ne sont pas universelles, mais appartiennent à une aire de civilisation limitée, et leurs essais de généralisation ne correspond qu'au désir d'expansion idéologique de cette civilisation, à ses ambitions universelles.

A l'époque romane, dans une même église, on peut observer parfois des rapports de proportion simples entre les différentes parties de l'édifice, mais cela n'est que la conséquence de l'utilisation, par les bâtisseurs, de certaines unités de mesure ou de certains procédés, pour tracer les plans, et n'aboutit jamais à un système esthétique basé sur une suite de rapports de proportion considérés comme harmonieux et universels.

L'homme roman, conditionné par les cadres qui l'enserrent, ne se réfère que de très loin à une image stable et bien composée de l'humanité, et les grands héros de l'art et de la poésie ne se caractérisent pas par la perfection de leur type physique ou de leur morale, mais par une exaltation épique qui les élève audessus de toute mesure humaine.

Dans l'architecture, les parties constituantes de l'édifice toujours inféodées au contexte dans lequel elles se trouvent, n'ont pas de caractères intrinsèques suffisamment précis et stables pour que les rapports de proportion qui président à leur assemblage puissent avoir une bien grande valeur. La volonté d'assujettir un élément à un autre plus puissant est alors trop vive pour que l'on se soucie de règles, et de mesures.

La société féodale n'est pas alors suffisamment ordonnée et policée, les individus n'y jouissant pas d'une autonomie suffisante pour qu'il puisse s'y développer une morale, une esthétique de la proportion harmonieuse entre les parties, entre l'homme et la société. La morale de l'honnête homme du XVIIe siècle, comme les rapports de proportion bien définis qui présidaient à l'ordonnancement des architectures classiques, n'auraient pu convenir dans le monde féodal instable, mouvant et passionné, où l'individu devait chercher à participer coûte que coûte à des réseaux de sujétion, en y investissant une charge affective intense.

L'esthétique féodale n'est pas une esthétique de la mesure, mais de la tension. Pour la comprendre il faut se référer aux tensions sociales qui caractérisaient le monde du XIe et du début du XIIe siècle. Mais il faut aussi, par-delà, se référer, comme nous allons le faire dans le chapitre suivant, aux pulsions affectives et aux nostalgies infantiles sous-jacentes, qui en dernier ressort, donnent aux structures féodales et à l'esthétique romane leurs assises les plus profondes.

L' « ombilic de la terre »

Pour pénétrer dans l'église du Dorat, on passe d'abord sous un portail entouré de festons qui composent un éblouissement d'ombre et de lumière autour de la porte. Une fois à l'intérieur, quand nos yeux se sont peu à peu habitués à l'obscurité, l'église entière apparaît comme une caverne sombre et fraîche, que l'on domine du haut d'un large escalier qui précède l'entrée. On descend alors au niveau du sol de la nef voûtée et on commence la progression vers la conque de l'abside, cette demi-coupole en granit qui est l'image de la protection parfaite, du nid originel vers laquelle convergent tous les regards.

Notre cheminement est rythmé par la succession des arcs-doubleaux et des courbes entrecroisées des voûtes d'arêtes des collatéraux *. La lumière qui descend des fenêtres en plein cintre de la nef et des bas-côtés exalte toutes les interpénétrations de volumes courbes, et s'accroche sur la rude peau des murs et des voûtes de granit.

Freud dit que l'église et la chapelle sont parmi les édifices ceux qui symbolisent le plus souvent dans les rêves l'appareil génital de la femme.

Quelquefois, comme à Palluau, une immense Vierge en majesté est peinte à fresque sur l'abside en cul de four, comme pour bien marquer le caractère de protection maternelle de ces espaces intérieurs.

Quand Suger parle de son abbaye de Saint-Denis, il la compare à une mère :

« C'est l'abbaye de Saint-Denis qui l'avait " chéri et élevé ", qui avait " très tendrement veillé sur lui depuis la prime enfance, jusqu'à la vieillesse " qui, " avec l'affection d'une mère ", " l'avait nourri enfant, l'avait soutenu jeune homme, dans ses premiers pas hésitants, l'avait vigoureusement établi parmi les princes de l'Église et du royaume " (Panofsky). »

L'église était souvent présentée alors comme l'image de la Jérusalem céleste, qui elle-même était personnifiée par une femme. L'église romane, avec ses volumes ronds, protecteurs, sombres qui entourent le fidèle, est à l'image de ces puissantes Vierges d'Auvergne (Pl. XIV) toutes occupées à protéger l'enfant qu'elles tiennent entre leurs genoux.

Mais ces caractères, et c'est là un aspect fondamental de l'art roman, sont toujours associés à d'autres plus virils.

Les demi-colonnes doucement modelées par la lumière, viennent s'assembler sur de puissants piliers taillés à angle vif. Les espaces maternels de la nef et du chœur, définis par les courbes des voûtes en berceau, des arcs et des coupoles dans lesquels on pénètre, sont associés à des faisceaux de colonnes ou de pilastres verticaux (Pl. XXI), et c'est l'image hiératique et surhumaine du Pantocrator qui vient le plus souvent prendre place dans le creux protecteur de l'abside.

Dans l'art roman, il y a toujours comme une association entre l'image idéalisée de la mère et celle du père-seigneur. Les Vierges ne sont pas de frêles jeunes filles mais des femmes puissantes que l'on sent capables d'une protection efficace, et les grandes figures viriles de Dieu, du Christ ou des personnages bibliques ont souvent un caractère presque maternel.

Les petits ressuscités d'Autun viennent se blottir dans les jupes des grands prophètes qui entourent le Christ en gloire (fig. 73), comme des enfants dans celles de leurs mères. L'Abraham de Moissac (Pl. XVI), qui recueille l'âme du pauvre Lazare dans son sein en le serrant sur sa poitrine contre son immense barbe et en l'enveloppant dans un repli de son manteau, a les gestes d'une femme tenant tendrement son petit contre elle. Et le Dieu qui trône sur le portail de Soria tient son fils entre ses genoux exactement comme le ferait une Vierge en majesté.

Dans l'art roman, les différences de sexe ne sont en général pas très marquées. Quand on représente un grand personnage, qu'il s'agisse d'un homme ou d'une femme, c'est d'abord son caractère de puissance protectrice qui est exalté.

Quand Honorius d'Autun comparera les parties constituant l'église aux classes de la société, il dira que les « voûtes sont les princes ». Cette assimilation nous montre que ce qui est recherché chez le puissant seigneur féodal, c'est la protection physique qu'il peut accorder, à l'image de ces voûtes qui nous entourent et nous gardent des intempéries et des brigands. C'est ce qui chez lui peut être associé à l'image de la mère, qui est la première sécurité de l'enfant dans le monde.

Cette ambivalence entre certains caractères masculins et féminins, entre l'image de la mère et celle du père-seigneur, que l'on devine à travers l'art roman, nous fait pénétrer un des domaines les plus étranges de l'affectivité féodale, dont on retrouve la trace, nous allons le voir, dans les rites de l'amour courtois, et qui imprègne alors les relations de dépendance sociale et même l'attachement du chrétien à son Dieu.

Quand les troubadours inventèrent l'amour courtois au XIIe siècle, c'est sur le modèle du dévouement vassalique qu'ils imaginèrent l'attitude du parfait amant. Le chevalier place ses deux mains jointes entre celles de sa dame, comme le vassal place les siennes entre celles du seigneur à qui il prête hommage. Cette association entre la femme aimée et le seigneur correspond à un double transfert. Une nouvelle conception de l'amour, du dévouement, de la fidélité va se construire autour des principes élaborés dans le domaine social mais inversement, le lien de dépendance vassalique va se trouver chargé d'une puissance affective nouvelle qui le renforcera. On n'imaginerait jamais aujourd'hui de dépeindre les relations amoureuses de l'homme et de la femme à l'image de celles de l'employé vis-à-vis de son patron, ou de l'officier face à son colonel. Et l'assimilation du chef hiérarchique avec la femme désirée nous apparaîtrait complètement incongrue.

Que les poètes du XIIe siècle aient pu, eux, imaginer les relations amoureuses sous la forme du lien féodal entre le chevalier et son chef de guerre, qu'ils aient pu associer l'image de l'amante à celle du seigneur, nous fait sentir l'incroyable dimension affective de ce lien de dépendance social. Le rituel même de l'hommage, le vassal, à genoux, mettant ses mains jointes à l'intérieur de celles de son seigneur, puis les deux hommes échangeant un baiser sur la bouche, est fortement teinté d'érotisme et pourrait être interprété comme la représentation symbolique d'un accouplement.

Le climat d'insécurité et d'arbitraire qui régnait aux XIe et XIIe siècles avait provoqué le resserrement défensif de la famille, et tendait à réactiver la nostalgie de la protection maternelle, et plus généralement parentale. Les nouvelles relations de dépendance féodale ont recueilli les fruits de cette nostalgie. Le lien vassalique a, dès le début, été considéré comme un complément de la solidarité lignagère, le vassal se comportant vis-à-vis de son seigneur, le seigneur vis-à-vis de son vassal, comme un parent supplémentaire.

La première mention de l'hommage vassalique remonte à 1020 en Catalogne; quelques décades plus tard, ce principe de dépendance aura eu un succès tellement foudroyant qu'il aura imprégné toutes les autres relations humaines. Seul un transfert affectif du couple parental sur le « bon seigneur » peut justifier une évolution aussi rapide qui amènera, comme dit M. Bloch, à confondre « le chef et l'être aimé ».

Cette érotisation ambiguë du lien de dépendance social s'est répercutée et s'est sublimée sur le plan religieux. Avant le XIe siècle, la prière chrétienne s'effectuait les deux bras écartés. Le geste de la prière les deux mains jointes, qui se répandra au cours du XIe siècle est une transposition du rituel de l'hommage vassalique. Cette évolution implique une relation beaucoup plus intime et charnelle avec Dieu, dont le fidèle n'est plus un sujet, mais un homme commandé par les mains.

« Devant Dieu, dans le secret de son âme, dit M. Bloch, le bon chrétien se voyait comme un vassal pliant le genoux devant son seigneur. »

L'association étrange entre le seigneur et la dame aimée, se retrouve transposée dans la relation du chrétien avec Dieu ou avec le Christ.

Dans l'hymne cistercien que nous avons déjà cité, Jésus, cet « illustre prince » dont parle le moine-poète, semble implicitement associé à l'image d'une femme quand celui-ci s'exclame :

Ou que je sois,
Je désirerai Jésus avec moi.
Quelle joie de l'avoir trouvé !
Quel bonheur de le tenir !

Alors étreintes, alors baisers
Plus forts que les coupes de miel !
Alors l'heureuse union avec Christ.
Mais on demeure peu en ces délices !

Les caractères esthétiques de l'architecture romane, cette ambivalence que l'on y perçoit entre les images viriles et féminines, sont, nous le voyons, étroitement liés à tout un large mouvement qui affecte les valeurs affectives inconscientes des hommes de cette époque et qui donne à la civilisation de ce temps sa couleur et son tonus.

A travers l'art gothique, nous percevons une orientation toute différente de la psychologie collective.

Les innombrables faisceaux verticaux de colonnes l'emportent visuellement sur les voûtes qu'ils soutiennent. La multiplication des clochers, des pinacles et des gargouilles, l'utilisation d'une modénature * plus anguleuse dans les moulures, les profils d'arcs et de colonnettes, rendent l'édifice beaucoup moins maternel qu'à l'époque romane.

Parallèlement, les Vierges rajeunissent et perdent ce caractère puissant et sécurisant qu'elles avaient auparavant, et les Pantocrators de l'Apocalypse sont remplacés par des Christ enseignants, chez qui la beauté et la sagesse semble l'emporter sur la puissance et la virilité.

Dans la cité industrieuse et commerçante du XIIIe siècle, dominée par l'administration royale, les corporations de métiers et les nouveaux ordres prêcheurs, ce n'est plus l'image de parents tout-puissants et protecteurs qui est sublimée dans les aspirations sociales, mais celle de la communauté des frères.

Dans le monde roman, les relations de dépendance individuelles, qui étaient toujours plus ou moins réciproques, sont aussi nous le voyons, investies d'une charge affective importante, et représentent comme une transposition des relations entre l'homme et la femme et entre l'enfant et ses parents. Cette érotisation du lien de dépendance se retrouve en architecture, où nous voyons les bâtisseurs se plaire à assembler entre eux des volumes courbes et des massifs rectangulaires, et à regrouper l'abside et les absidioles du chevet autour de la silhouette puissante de la tour qui surmonte la croisée du transept.

Alors que dans l'architecture paléochrétienne et préromane le clocher est le plus souvent traité comme un campanile isolé planté à côté de l'église, à l'époque romane les bâtisseurs ont systématiquement cherché à l'associer aux autres éléments de l'édifice.

La solution d'intégrer un clocher au milieu de la composition d'ensemble adoptée par les architectes romans (fig. 97, 99, 100) comporte de graves inconvénients techniques : la masse de cette tour risque en effet d'occasionner des tassements plus importants dans la maçonnerie et les fondations au niveau des piliers ou des murs qui la supportent que dans le reste de l'édifice, et cela peut entraîner de graves désordres dans la construction.

Si les bâtisseurs romans ont préféré cette formule à celle plus traditionnelle et plus sage du campanile, c'est tout à la fois qu'elle satisfaisait leur volonté de regrouper de proche en proche tous les éléments les uns autour des autres dans un schéma de dépendance féodale, qu'elle exprimait leur refus de concevoir un clocher, symbole viril par excellence, qui ne soit pas relié à tout un contexte, à toute une « société » de volumes, et qu'elle correspondait enfin à leur désir de voir l'église constituée d'une association organique d'éléments à caractères masculins et féminins.

L'interdépendance matérielle et affective des individus qui composent la famille ou le groupe social est telle, à l'époque féodale, que la puissance d'un seigneur ou d'un patriarche ne peut s'exprimer que par et pour celle de son lignage et de ses dépendants, et les sentiments d'ambition et d'orgueil qui les animent ne peuvent, du fait de ce contexte psychologique et social bien particulier, s'exprimer comme ils le feront en d'autres temps où l'individualisme sera à l'honneur. Panofsky remarque dans son étude sur l'abbé Suger de Saint-Denis :

> « Il y a pourtant une différence fondamentale entre la soif de gloire de l'homme de la Renaissance et la vanité démesurée, mais, en un sens, profondément humble de Suger. Chez le grand homme de la Renaissance, l'affirmation de soi est, si l'on peut dire, centripète : il dévore le monde qui l'entoure jusqu'à ce que tout ce qui l'environne soit absorbé par son moi. Chez Suger elle est centrifuge : il projette son moi dans le monde qui l'entoure jusqu'à ce que son moi tout entier soit absorbé par ce qui l'environne. »

Dans le monde roman, les puissants seigneurs, clercs ou laïques, sont comme ces clochers romans dont la puissance virile se projette sur le regroupement de volumes qui les entoure, et en dehors desquels ils n'ont pas d'existence possible.

L'église aux caractères maternels et virils, qui est la demeure du Dieu-Seigneur, et dans laquelle les hommes cherchent sa protection et chantent sa louange, n'était pas perçue comme une simple composition sculpturale de volumes, comme un monument, comme une œuvre d'art que l'on peut admirer pour ses seules qualités plastiques. Elle avait un rôle beaucoup plus opérationnel à jouer. C'était d'abord un lieu de regroupement, et c'étaient les foules qu'elle attirait et qu'elle protégeait qui en faisaient la valeur.

L'église n'était pas un édifice réservé à quelques initiés. Des chrétiens appartenant à toutes les classes de la société s'y pressaient en masse.

A Saint-Denis, dans l'ancienne basilique, l'affluence était parfois telle les jours de fête que des personnes se faisaient piétiner par la foule, et que les moines les portaient alors « à demi-mortes » dans le cloître.

La règle de saint Benoît stipule expressément que l'oratoire doit être réservé aux moines et que les laïques ne devront pas y pénétrer. Cette recommandation, si peu conforme à la vocation de l'église féodale, fut allégrement transgressée, et les abbatiales furent conçues dès le départ pour accueillir des foules entières, pour les faire assister aux oraisons interminables des moines et aux somptueux spectacles liturgiques, et pour présenter à la vénération de tous les reliques et les trésors d'orfèvrerie amassés dans les profondeurs des cryptes.

L'église romane ne se contente pas de recevoir passivement dans ses murs des foules de fidèles, elle cherche aussi à les attirer vers elle par des vastes portails richement ornés et largement ouverts sur l'extérieur.

Ces grands porches sculptés, qui font la gloire de l'art roman, sont une création de ce temps dont on ne trouve aucun antécédent en Occident. Ils expriment, à une époque où la puissance d'un chef se mesure au nombre de ses dépendants, le désir de l'église féodale d'attirer à elle ces hommes qui sont alors la vraie richesse, et dont le regroupement sous son égide peut seul assurer sa suprématie.

L'église féodale s'exprime à travers les porches romans comme une force structurante, qui appelle les hommes, qui tend à les entraîner, à les regrouper, à les organiser suivant le modèle qui a été utilisé par les artistes pour composer toutes les scènes sculptées des portails par auréoles concentriques autour du Christ triomphant du tympan ou du trou d'ombre de la baie.

Focillon a comparé les portails romans, avec leurs archivoltes et leurs colonnettes en retrait, à une réduction en fausse perspective de la profondeur de la nef. C'est plutôt l'inverse qui est vrai. L'église est un immense porche tourné vers le Dieu-Seigneur. La perspective des doubleaux et des colonnes formant comme les archivoltes et les piedroits * d'un portail immense, dont le tympan serait occupé par la conque de l'abside, sur laquelle est peinte une image du Christ triomphant de l'Apocalypse ou de la Vierge analogue à celles qui sont sculptées sur les grands tympans.

Par-delà l'abside c'est vers le tombeau du Christ, vers Jérusalem, cet « ombilic de la terre » comme on disait alors, que s'ouvre l'immense porche constitué par la nef et l'abside des églises romanes.

C'est au XIe siècle, quand les pèlerinages en Terre Sainte vont se multiplier, et de façon encore plus fréquente après la Première Croisade, que les églises vont être orientées vers le Levant et que le prêtre, qui traditionnellement dans la liturgie des premiers temps faisait face aux fidèles, va leur tourner le dos pour s'orienter lui aussi vers l'abside et par-delà vers le tombeau du Seigneur. Et la marche du chrétien qui avance vers l'abside sera comme une réduction du pèlerinage qui amène dans le même temps des foules de plus en plus nombreuses en Terre sainte.

Quand on marche dans une église romane, le spectacle de l'architecture se modifie, il y a une progression rythmée par les arcades et les colonnes, modulée par la répartition de la lumière. Quand on avance dans la nef en direction de la conque de l'abside, ce piège à regard, quand on traverse la zone d'ombre de la croisée du transept, on participe à une succession de situations différentes. Il y a comme un drame qui se noue et dont on est partie prenante. Une sorte de quête toujours recommencée vers le Seigneur tout-puissant, vers la conque protectrice de l'abside ou les ténèbres de la crypte dans lesquels reluisent mystérieusement les reliquaires.

Les pèlerins qui partaient vers Jérusalem, « la terre féconde entre toutes, le nouveau paradis des délices » (Urbain II) rêvaient souvent de pouvoir mourir là-bas, tel cet abbé qui de retour en Occident regrettait de n'avoir pu « souffrir pour le Christ, demeurer en lui et être enseveli en lui, pour que le Christ lui accorde de ressusciter dans sa gloire en même temps que lui. »

A une autre échelle, la pérégrination du fidèle vers l'abside ou la crypte souterraine et sombre où sont ensevelis les saints et les saintes aux pouvoirs miraculeux est comme un écho de cette aventure, de ce désir nostalgique d'une mort qui soit un retour au sein du père-mère tout-puissant et généreux. Comme le disait alors le moine Raoul Glaber : chaque chose « en proclamant le principe dont elle procède... demande à s'y reposer de nouveau ».

Si les architectes romans n'ont pas beaucoup utilisé le plan centré traditionnel dérivé de modèles romains et très en faveur chez les byzantins et même dans l'empire carolingien, c'est que cette composition était trop fermée, trop statique, pour eux qui cherchaient à tout prix à affirmer un axe, une direction, un mouvement vers le seigneur, quitte même à faire converger les murs et les arcatures de la nef vers le chœur comme ils l'ont fait à Montbui ou à Tahul.

L'église romane n'organise pas seulement des volumes ou des pièces d'architecture avec ce lien pressant et passionné qui est au cœur de la société féodale, elle tente de regrouper des hommes. Et l'individu, quel qu'il soit, qui pénètre dans l'édifice, est amené à s'insérer par son propre mouvement dans un réseau d'inféodation plus vaste qui regroupe les espaces, les arcs et les colonnes, et même les figures monstrueuses des chapiteaux, et qui s'ordonne vers l'autel, vers l'abside, et par-delà, vers le Dieu-Seigneur.

Ce mouvement qui polarise les gens et les choses, et qui est essentiel dans le monde féodal en pleine gestation où : « les hommes cherchent un chef, le chef cherche des hommes, » ne préjuge pas de la nature des éléments qu'il tend à entraîner.

Le message du Christ de Vézelay, sa protection monumentale s'exerce sur les peuples les plus étranges comme ceux qui ont des têtes de chiens et ceux qui s'enveloppent dans leurs grandes oreilles. La croisade du XIe siècle rassemblait des chevaliers et des pauvres au coude à coude, et les chroniques parlent même « du départ de poissons, de grenouilles, de papillons, d'oiseaux vers Jérusalem pour racheter le tombeau du Seigneur ».

L'art roman, nous le voyons, exprime dans son langage propre certaines des préoccupations les plus profondes des hommes de la société féodale.

Il n'est pas un reflet de cette société confuse et violente où les attachements considérés comme les plus sacrés étaient souvent brisés par la cupidité et la trahison, mais l'expression d'un désir et d'une nostalgie face à ce contexte de violence et d'anarchie dans lequel les hommes étaient alors plongés.

Le système roman

> *Le même esprit qui construit les systèmes philosophiques dans le cerveau des philosophes, construit les chemins de fer avec les mains des ouvriers.*
>
> Karl Marx.

Il est temps maintenant d'essayer d'expliquer toutes ces convergences que nous avons observées entre les structures profondes de phénomènes apparemment bien différents, d'ordre artistique, philosophique, ou social.

Pour cela, nous allons dans un premier temps récapituler les diverses observations que nous avons faites afin de mettre en lumière les caractères particuliers de la façon de penser des hommes de la période qui nous intéresse.

Ensuite, nous observerons comment cette façon de penser s'est élaborée au milieu des conflits et des tensions sociales qui régnaient dans la société d'alors.

Nous avons d'abord remarqué qu'il y avait chez les hommes de l'époque féodale une acceptation délibérée de la diversité, de l'hétérogénéité des éléments d'un même ensemble.

Les sculpteurs et les peintres qui représentaient la figure humaine ne se sont absolument pas souciés de définir un type physique déterminé une fois pour toutes, bien au contraire, ils se sont plu à mêler, jusque dans les mêmes scènes, des personnages d'échelle et de morphologie très variables. Ils n'ont pas cherché non plus à définir des êtres animaux ou végétaux et des objets matériels ayant des caractères fixes, que l'on aurait pu réutiliser d'une fois sur l'autre. Dans l'univers plastique qu'ils mettent en scène, l'élément essentiellement variable est défini plus par les contraintes de l'ensemble auquel il participe que par sa propre loi interne.

Sur le plan iconographique, les artistes ont puisé à toutes

les sources sans chercher à aboutir à des représentations uniques. Le Christ en croix, barbu, portant une longue tunique, et qui dérive de modèles syriens, pouvait voisiner avec le Christ d'origine hellénistique, imberbe et presque nu; cela ne paraissait ni contradictoire ni choquant.

Les architectes, eux non plus, n'ont jamais cherché à aboutir à des prototypes réutilisables, ni même à standardiser les éléments constitutifs de leurs constructions. Les pierres qui composent les murailles sont toutes dissemblables, et des chapiteaux voisins, ayant exactement la même fonction architecturale à remplir, reçoivent des décors sculptés tout différents.

Les expressions et les mots qu'emploient les poètes sont souvent étranges et différents de ceux qui sont utilisés dans la langue courante. L'orthographe et la syntaxe sont mal fixées et on en arrive à voir, jusque dans la même page, le même mot écrit de deux façons différentes.

En théologie, on ne sent aucun effort d'unification pour aboutir à une doctrine unique et cohérente acceptée par tous. Des ermites prêchent pour leur propre compte dans les bois ou à la croisée des chemins sans être trop inquiétés par l'église officielle. Même les hérésies, prospères dans certaines régions, sont combattues moins vigoureusement qu'elles ne devaient l'être aux époques ultérieures.

En matière juridique, les caractères les plus particuliers et les plus hétérogènes du droit étaient acceptés, pour peu qu'ils soient cautionnés par la coutume.

Dans toutes les manifestations de la civilisation romane on retrouve cette même incertitude quant aux caractères individuels, irréductibles, de l'élément.

Aussi l'on peut dire, et c'est là son premier caractère original, que la pensée féodale romane ne cherche pas à définir les objets ou les êtres qu'elle appréhende en les observant pour eux-mêmes, en fonction de leurs particularités objectives.

Nous avons remarqué ensuite que les hommes de l'époque romane se sont plu à assujettir les choses ou les êtres dans des cadres fixes ou autour de pôles de regroupement indiscutables.

Les sculpteurs ont cherché à plier leurs représentations à un certain nombre de contraintes, ils les ont enserrées dans un cadre tout-puissant qui conditionne les positions et la morphologie des êtres qu'il contient, ils les ont rattachées physiquement à la dalle de pierre qui leur sert de fond en utilisant le bas-relief, ils les ont pliées à des schémas géométriques le plus souvent dérivés d'une composition végétale.

Parallèlement les peintres se sont soumis aux contingences de l'architecture, ils ont adopté comme champ de représentation celui des plans et des volumes définis par les murailles et les voûtes de l'édifice et n'ont jamais cherché à briser l'espace architectural comme le feront les artistes de la Renaissance par exemple, en lui surajoutant un espace fictif ayant ses propres perspectives, sa propre pronfondeur.

Les uns et les autres ont ordonné les plis du vêtement sur les lignes de force du corps qu'il recouvre et regroupé dans les grandes scènes figurées les personnages secondaires autour des figures mythiques de Dieu, de la Vierge, ou des grands saints de l'histoire chrétienne.

Sur le plan inonographique, nous avons noté le conformisme des artistes qui cherchaient à se raccrocher coûte que coûte à une tradition indiscutable.

Les architectes, eux, ont puissamment enserré les pierres dans la muraille. Ils ont rattaché systématiquement tous les éléments annexes de la construction à la paroi et aux voûtes toutes puissantes, et se sont plu, enfin, à relier les espaces de second ordre aux volumes essentiels de la nef et du clocher.

Les poètes et les musiciens ont composé leurs chants avec un matériel souvent très hétérogène, mais en se pliant à quelques rythmes simples, à quelques grands principes d'organisation qui structurent puissamment leurs œuvres.

En théologie, les doctrines les plus opposées étaient acceptées pourvu qu'elles émanent d'une autorité reconnue, et les penseurs de l'époque se plaisaient à multiplier les variations autour de quelques correspondances symboliques essentielles.

Sur le plan juridique et social, nous avons vu que la diversité des coutumes était sous-tendue par quelques grands principes de portée générale, que le noyau irréductible autour duquel tournaient les relations de dépendance les plus diverses étaient la sujetion d'un individu à un autre plus puissant, que les châteaux, et à un moindre degré, les villes fortes ou les monastères, étaient, par-delà la multiplicité des statuts personnels dans la seigneurie foncière, par-delà la diversité des regroupements humains et des pratiques agraires, le centre d'où rayonnaient toutes les manifestations de l'autorité. C'est de là que provenaient tout à la fois les dangers et la sécurité, c'est autour de ce pôle indiscutable que s'opéraient tous les regroupements.

Dans les manifestations les plus diverses de la civilisation romane, on sent à l'œuvre ce même principe d'organisation qui, dans un ensemble, tend à différencier un élément cadre dominant des éléments annexes qui gravitent autour de lui.

Aussi l'on peut dire, et c'est là son deuxième caractère, que la pensée féodale romane ne cherche pas à observer les choses objectivement et à les relier les unes aux autres dans un schéma de dépendance logique, mais à structurer une suite d'éléments aux caractères mal fixés, dans un système de dépendance autour d'un pôle d'attraction ou des lignes de force d'un schéma indiscutable.

Ce deuxième caractère de la pensée féodale est intimement lié au premier. Si les hommes de l'époque romane avaient un tant soit peu observé la réalité qui les entourait, ils se seraient aperçus, par exemple, qu'un coq, même très vieux, ne pond pas d'œufs et cela les auraient amenés à penser que le basilic, issu d'un œuf de coq fécondé par un crapeau, n'existait pas et ne pouvait donc pas être un symbole vivant du mal. C'est parce qu'ils n'ont pas attaché d'importance aux caractères intrinsèques des êtres et des choses, qu'ils ont pu si facilement les intégrer dans de nombreux liens de dépendance.

Nous avons vu que l'on retrouvait même parfois certains schémas de composition formellement identiques dans des œuvres relevant de disciplines différentes : les ondulations d'un rinceau ont servi à composer les motifs décoratifs les plus divers et se retrouvent transposées dans le rythme puissant de la versification épique qui sous-tend les improvisations des poètes, dans les modulations du chant grégorien, et même dans les « méandres de la pensée des dialecticiens » (Focillon) de l'époque. Le regroupement des volumes dans les chevets à chapelles rayonnantes se retrouve transposé dans les grands portails décorés d'archivoltes concentriques et dans la conception féodale d'un univers constitué d'une succession d'éléments inféodés autour du Dieu-Seigneur tout-puissant. Le lien de dépendance vassalique, enfin, a servi de modèle à l'attachement du chevalier pour sa dame, du chrétien vis-à-vis de Dieu ou des saints, du pécheur face au démon, et l'on en retrouve un écho dans la dépendance de la demi-colonne vis-à-vis de la muraille sur laquelle elle est engagée et de la figure en bas-relief sur la dalle qui lui sert de fond.

Ces diverses expressions du lien de dépendance constituent

comme les éléments d'une même grammaire de la pensée à l'œuvre dans les domaines d'expression les plus variés.

Nous avons aussi noté que les divers impératifs auxquels les choses ou les êtres étaient alors soumis pouvaient s'enchevêtrer et interférer les uns avec les autres sans que cela paraisse le moins du monde choquant.

En sculpture, les figures représentées sur un chapiteau peuvent simultanément se soumettre au cadre défini par l'épannelage du bloc de pierre, au schéma ornemental dérivé de l'antique qui structure la corbeille, s'intégrer par leurs mouvements et l'ardeur de leurs mimiques à leur fonction dans la scène figurée tout en semblant participer au rôle porteur que le chapiteau joue dans l'architecture, et en se pliant, en plus de tout cela, au plus strict conformisme iconographique.

En théologie, les clercs cherchaient à se référer aux diverses « autorités », même si elles se contredisaient quelque peu entre elles, et à relier par des correspondances symboliques multiples et enchevêtrées les plus petits éléments de la création aux grands événements de l'histoire sainte.

Sur le plan juridique et social, on retrouve ce même enchevêtrement des contraintes. Pour un chevalier, les hommages qu'il prêtait à différents seigneurs pouvaient interférer avec ses fidélités lignagères et se démultiplier à l'infini. Et le paysan, lui, se trouvait généralement soumis à toutes une succession de droits et de contraintes enchevêtrées émanant de sa famille, de sa communauté villageoise, de son seigneur, du châtelain du lieu ou de l'Église.

Pour l'esprit féodal roman, et c'est là sa troisième caractéristique, un élément d'un ensemble peut avoir plusieurs significations, être intégré dans plusieurs systèmes de sujétion, sans qu'il y ait là aucune contradiction.

Nous avons aussi remarqué que ces relations de dépendance sont souvent investies d'une dimension affective, et associées implicitement aux relations des enfants et de leurs parents ou de l'homme et de la femme.

Les grandes figures sculptées ou peintes dans les espaces courbes des tympans ou des absides autour desquelles gravitent tout un foisonnement d'éléments et vers lesquelles se dirigent les fidèles, sont l'image sublimée de parents tout-puissants et protecteurs. Et l'architecture de l'église tout entière est composée d'une inextricable association d'éléments à caractères masculins et féminins, maternels et virils.

Les poètes épiques ont donné à l'attachement du vassal pour son chef un caractère charnel et passionnel, et les poètes courtois ont aimé quant à eux associer la femme à l'image du seigneur à qui l'on prête hommage.

Les théologiens ont souvent décrit la relation du chrétien et de son Dieu sur le mode de celle du vassal et de son seigneur ou du fils et du père, et nous avons vu que l'amour pour le Christ pouvait être fortement teinté d'érotisme. Suger, quant à lui, compare son abbaye à une mère, et, en contrepoint, le moine Raoul Glaber nous montre un démon angoissant tout occupé à essayer de le violer et de le chasser du couvent dans lequel il se trouve.

Sur le plan social enfin, le seigneur est amené à jouer un rôle protecteur et nourricier vis-à-vis de ses dépendants, comme le père-abbé vis-à-vis de ses moines.

Cette façon d'envisager les liens de dépendance, quels qu'ils soient, comme une transposition de l'attachement filial ou amoureux, cette « confusion du chef et de l'être aimé », est un caractère fondamental de la sensibilité romane qui sous-tend et vivifie la pensée des hommes de ce temps partout où elle s'exprime.

Essayons d'expliquer cette suite de convergences que nous avons observées et que nous venons de passer en revue.

Panofsky, dans une étude remarquable, a mis en parallèle de façon convaincante les principes d'organisation du discours scolastique et les principes d'organisation de l'architecture gothique. Il a justifié ce parallélisme par l'influence d'habitudes de pensée développées par la scolastique et qui se seraient répandues en milieu urbain du fait du quasi-monopole que cette doctrine avait alors sur l'enseignement.

Cette explication qui fait de la scolastique l'épicentre des manifestations de la civilisation gothique, n'est pas très satisfaisante, car elle dénie toute finalité au style gothique qui n'aurait fait que subir passivement l'influence de phénomènes qui lui sont extérieurs. De toute façon, elle ne fait que reporter le problème essentiel, puisqu'elle n'explique pas l'apparition et le développement de cette scolastique qui aurait eu une telle influence. En tout état de cause, ce genre d'explication ne pourrait pas s'appliquer à l'époque romane, puisqu'il n'existait pas alors de doctrine universellement admise, analogue à la scolastique, et ayant un monopole de l'enseignement.

Il faut se garder de réduire toutes les manifestations d'une civilisation à l'influence univoque et quasi mécanique de l'un des facteurs sur tous les autres.

Pour expliquer cet air de famille que l'on remarque entre des œuvres appartenant à différents secteurs d'une même civilisation, il faut mettre en lumière leur dénominateur commun et justifier sa présence. Ce dénominateur commun, que nous appellerons le système de pensée roman, est, nous venons de le voir, constitué pour la période qui nous intéresse par un certain nombre d'*a priori* sur la nature des éléments qui composent un ensemble quel qu'il soit et par des principes d'organisation qui permettent de structurer ces éléments entre eux. Comme l'infinie diversité des expressions orales ou écrites des hommes d'un pays est régie par un certain nombre de définitions et de règles implicites qui constituent la grammaire de la langue qu'ils utilisent, on peut dire que la pensée des hommes dans la société romane était régie de manière sensiblement analogue par un certain nombre d'*a priori* et de principes d'organisation que l'on retrouve en filigrane à travers la plupart de leurs créations, sociales, littéraires, philosophiques ou artistiques.

Si l'on généralise, on peut dire que comme chaque grande civilisation a développé dans le domaine artistique un style qui lui est propre, c'est-à-dire une manière particulière de concevoir et de structurer le monde des techniques, des matériaux, des formes et des couleurs, on doit trouver, sous-jacents à ce style comme à toutes les autres manifestations de cette civilisation, les éléments d'un même système de pensée original.

Il n'y a pas une pensée rationnelle et une pensée sauvage, mais un certain nombre de système mentaux qui se sont développés au cours de l'histoire et qui étaient l'expression d'une prise de parti face à des réalités sociales et économiques différentes.

Quand, dans l'art de l'Empire romain, nous voyons que toutes les pierres qui composent le parement de la muraille sont identiques, que les chapiteaux ayant une même fonction reçoivent la même décoration, que chacune des parties de l'architecture, bases, colonnes ou architraves, ont un caractère bien déterminé et fixé une fois pour toutes et que leur regroupement s'opère suivant des proportions immuables, que les personnages figurés ont tous un même type physique, que les éléments du décor monumental comme les oves * ou les feuilles d'acanthe sont répétés semblables à eux-mêmes à l'infini, c'est tout un système de pensée qui nous est proposé, pour lequel un élément dont les caractères particuliers sont fixés une fois pour toutes est juxtaposé avec d'autres dans un ordre préétabli. Chaque élément correspond à une place parfaitement bien définie dans l'ensemble, et quand il y en a plusieurs qui occupent des fonctions analogues, ils sont interchangeables. Ce système de pensée, que l'on retrouve à l'œuvre dans les domaines juridiques et sociaux, est lourd de conséquences, car il est lié à des formes d'organisation sociales forcément hiérarchisées, cloisonnées, fonctionnalisées.

A l'opposé, quand, dans l'art roman, nous voyons que les pierres qui composent le mur sont toutes dissemblables, que deux chapiteaux placés dans des positions analogues reçoivent un décor différent, que des personnages participant à la même scène ont des anatomies tout à fait variables, c'est un système de pensée tout différent qui nous est proposé, moins rigoureux, moins « scientifique », dans lequel l'élément variable et divers par nature, est enserré dans un réseau complexe de liens de dépendance qui le conditionne et le relie à son environnement.

Il y a dans chaque civilisation un système dominant qui sert de cadre à toute pensée, à toute action, à tout sentiment, à toute création artistique. Les hommes du Moyen Age ne sentaient et ne pensaient pas comme nous. Ils ne sentaient ni ne pensaient pas mieux ou moins bien, mais simplement de façon différente, à travers une grille autre, à l'aide d'un autre système. Il existe une sensibilité féodale, une réflexion féodale, une façon d'agir féodale, un amour féodal, une ambition féodale, un art féodal.

Le féodalisme est plus qu'un état social, c'est une manière d'exister.

L'hypothèse que nous proposons, à savoir l'existence à une époque donnée d'un système de pensée régi par des règles particulières, n'est pas superflue, car dans l'état actuel des connaissances en sciences humaines, on est incapable d'expliquer l'apparition des styles et d'évaluer le rôle que joue l'expression artistique dans une société à une époque donnée. Et, en observant implicitement les autres civilisations à travers la grille de nos préoccupations actuelles et en nous référant à notre propre système de pensée, on a tendance à n'en point saisir la cohésion interne et à les envisager comme d'inquiétantes ébauches de notre monde actuel.

Cette hypothèse n'est pas non plus restrictive. Pas plus qu'une grammaire n'est le résumé de toutes les potentialités du langage, le système de pensée roman n'est le résumé des innombrables créations de la société féodale. De plus, il faut bien noter que nous n'avons approché que quelques aspects de ce système de pensée. Les sources d'information dont nous disposons sont trop limitées pour que nous puissions approfondir son étude et l'appréhender dans toutes sa complexité, compte tenu de ses variations selon les lieux, les époques et les classes sociales. D'autre part, ce système de pensée était le système dominant, ce qui ne veut pas dire qu'il était le seul. Il est possible que certains groupes marginaux ou dissidents aient pu à la même époque élaborer des systèmes partiellement différents.

Ce système de pensée roman dont nous avons décelé la présence, constitue le cadre à l'intérieur duquel prennent place toutes les créations de cette civilisation et que la plupart des hommes de cette époque, ne devaient pas et ne voulaient pas transgresser.

De par sa nature même, ce système était plus favorable à certaines aventures qu'à d'autres. Sur le plan scientifique par exemple, la non-reconnaissance de la spécificité des caractères propres de l'objet, de l'individu ou du concept a été un handicap insurmontable qui explique l'absence de toute création dans ce domaine. La science présuppose une nature ayant une certaine consistance et qui ne se dérobe pas à chaque instant à l'observation pour manifester sa dépendance à l'égard d'un monde surnaturel.

Même dans des opérations de calcul très simple, des additions et des multiplications comme on en trouve dans les livres de compte de cette époque, on peut remarquer une quantité incroyable d'erreurs grossières. Et en architecture, le tracé géométrique initial du plan ne devait pas être très rigoureux, ni suivi avec beaucoup d'application, car on observe très souvent des manques de concordance bizarres entre le plan de la nef et celui du chœur, ou des défauts de parallélisme entre les parois. Ces erreurs innombrables qu'un peu de rigueur aurait pu éviter montrent que le désintérêt pour la science n'était pas dû alors uniquement à des présupposés religieux, mais à l'incapacité même de l'esprit féodal à admettre l'existence et l'intérêt d'une règle ne souffrant ni détour ni improvisation, et qui puisse régir des notions définies sans ambiguïté.

Ce système de pensée qui répugne nous le voyons, à la précision scientifique, et se plaît au contraire à multiplier les adaptations de détails, les arrangements, les solutions particulières à des problèmes particuliers, s'est montré extrêmement fructueux dans le domaine technique. Là, pour la mise au point après de multiples tâtonnements et des échecs nombreux d'une amélioration de détail, la dynamique d'esprit féodale, qui cherche toujours à tirer profit des contraintes particulières qui lui sont imposées et se plaît à multiplier à l'infini les expériences, a dû jouer à plein, et constituer un climat très favorable au progrès. Alors que la mise en œuvre rigoureuse d'une norme générale que l'on ne remet pas en question aurait été stérilisante.

Ce système de pensée féodal, qui joue à tous les niveaux de la civilisation et influe même sur ses infrastructures économiques à travers l'essor technologique qu'il favorise ou les potentialités de progrès qu'il interdit, les œuvres d'art nous en donnent, nous l'avons vu, une image particulièrement marquante, et sont, de ce fait, socialement engagées à un degré que l'on ne soupçonnait pas.

Mises à part quelques innovations comme la création du diable, on peut dire que le lien qui unit l'art roman à la société qui l'a vu naître se manifeste plus au niveau de la forme, du style, qu'à celui du contenu explicite des images qu'il nous présente. C'est en enserrant les figures dans des cadres, sur des trames ornementales et les lignes de force de l'architecture, en leur communiquant systématiquement des mouvements et une expressivité épiques, en jouant avec le vêtement pour enserrer et magnifier le corps qu'il recouvre, en différenciant les grands et les petits personnages, en assemblant de façon très libre et très serrée les pierres dans la muraille, en reliant la demi-colonne au pilier de maçonnerie et en imbriquant les différents volumes de l'architecture entre eux, que les artistes ont exprimé ce système de pensée qui était au cœur de tout engagement et de toute action dans la société féodale contemporaine. Alors que les thèmes iconographiques qu'ils nous présentent restent bien souvent conventionnels et que nombre d'entre eux avaient été ou seront traités sans être sensiblement modifiés, quant à la définition du sujet, par des artistes appartenant à des sociétés esclavagistes ou bourgeoises.

Un changement dans l'ordre de la civilisation s'exprime toujours en art par un bouleversement des principes de composition, du style.

Même quand ils recopiaient consciencieusement des enluminures anciennes, les miniaturistes romans les ont plus ou moins inconsciemment sans doute, transformées complètement en imposant leur système de pensée propre. Regardons l'original carolingien d'une scène représentant Andromède enchaînée et sa copie romane (actuellement à Leyde et Boulogne). Dans l'œuvre du XIe siècle la figure n'a plus de relief, les ombres qui modelaient vigoureusement son corps ont disparu, les massifs sur lesquels elle est attachée ont perdu leur réalité concrète, leur volume, pour se transformer en des motifs décoratifs abstraits. Le mouvement d'Andromède a insensiblement perdu ce qu'il pouvait avoir de naturel dans le modèle, ses bras se sont étendus et elle s'est agrandie pour toucher de la pointe des pieds, du bout des doigts et du sommet du crâne le cadre dans lequel elle est inscrite. Son visage a pris une expression hiératique et presque monumentale, son vêtement n'est plus indiqué par un modelé d'ombre et de lumière mais par une composition abstraite de traits blancs qui en marquent les lignes essentielles. Même les chaînes, qui étaient indiquées dans l'œuvre carolingienne par une succession de maillons et dont les attaches avec les bras étaient bien marquées par des bracelets de fer, perdent toute réalité dans la copie romane, et ne sont plus indiquées que par un double trait légèrement ondulé.

L'artiste roman, en copiant assez servilement l'œuvre de ses prédécesseurs, nous propose néanmoins une vision des choses originale, déniant à la figure comme à l'objet toute réalité autonome et s'efforçant au contraire de les insérer dans un ordre abstrait et monumental qui les dépasse.

On pense trop souvent que le message d'une œuvre, sa portée sociale, tient essentiellement aux thèmes qu'elle présente; or ceux-ci ne forment jamais que le cadre ténu que l'artiste organise et enrichit en fonction de ses propres motivations et du système de pensée de son époque. C'est en grande partie à travers son style que l'artiste projette sa manière d'appréhender le monde dans lequel il vit, et son art est souvent socialement engagé par sa forme plus que par le contenu explicite des images qu'il nous montre.

Si l'art ne se réduit pas à une iconographie, il n'est pas le simple reflet d'un système de pensée qui s'est élaboré dans d'autres domaines d'activité.

La fougue, la vitalité de certaines œuvres ne peut pas s'expliquer par un simple jeu d'influences.

La puissance, la cohésion du tympan de Moissac ne provient pas du modèle dont l'artiste s'est inspiré et que nous connaissons. Elle n'est pas non plus la transposition d'une image familiale ou sociale car la réalité, nous le savons, était moins idyllique. Elle ne peut pas non plus être le fruit de l'influence passive d'un système de pensée qui se serait élaboré par ailleurs et dont l'artiste aurait réutilisé les *a priori* et les principes dans son œuvre. Non, le porche de Moissac témoigne de la volonté de l'artiste face à la réalité familiale et sociale dans laquelle il est plongé, et par-delà, elle exprime son désir de créer et de proposer un système de pensée qui le satisfasse, susceptible de structurer le monde qui l'environne.

La Pantocrator est ici l'image de l'autorité paternelle, seigneuriale, divine, telle que le sculpteur la voudrait, et le démon l'image de l'autorité et de l'oppression telle qu'il la refuse. Et le système de pensée sous-jacent à son œuvre n'est pas un simple reflet d'habitudes mentales contractées par ailleurs, mais une création qu'il nous propose et à travers laquelle il nous convie à voir et à vouloir le monde.

De la même façon, l'architecte qui organise les espaces de l'église par inféodations successives autour du massif de la tour qui surmonte la croisée du transept ne se contente pas, surtout s'il a du talent, d'appliquer à l'architecture les principes d'une grammaire féodale conventionnelle dont on retrouve la trace dans les domaines les plus divers, il la recrée pour son propre compte. Il prend parti face au monde qui l'environne en proposant ce système de pensée qu'il a fait sien et dont il s'efforce de donner une expression attirante.

Sa prise de position dépasse le cadre de la pure esthétique puisque ce système qu'il nous propose peut justement être mis en œuvre dans d'autres domaines d'activité.

A travers sa manière de vouloir son art il nous propose sa façon de vouloir le monde.

Les artistes, nous le voyons ne subissent pas le système de pensée dominant comme quelque chose qui leur est extérieur, ils sont partie prenante dans son élaboration. Si l'art roman est socialement engagé, ce n'est pas de façon fortuite, mais systématique et volontaire. Comme le dit H. Focillon : « L'homme roman prend conscience de lui-même à travers l'art roman. »

Si les artistes ont été partie prenante dans l'élaboration de ce système de pensée roman ils n'ont pas été les seuls. Tous les individus étaient alors directement concernés par l'élaboration de cette règle du jeu à l'œuvre dans le domaine social, et qui conditionnait leur vie quotidienne et le devenir du monde dans lequel ils vivaient. Pour comprendre la genèse de ce système de pensée roman au XIe siècle puis son déclin au siècle suivant, nous allons maintenant voir comment les différents groupes sociaux en présence ont été amenés, dans le climat très particulier de l'Europe féodale de cette époque, à mettre en œuvre ce système dans leur façon quotidienne de vouloir le monde qui les environnait et d'infléchir le cours des choses dans un sens qui leur soit favorable.

Le système roman et son enjeu social

Toute mythologie dompte, domine et façonne les forces de la nature dans l'imagination et par l'imagination : elle disparaît donc lorsqu'on parvient à les dominer réellement.

Karl Marx.

Et le paranoïaque rebâtit l'univers, non pas à la vérité plus splendide, mais du moins tel qu'il puisse de nouveau y vivre. Il le rebâtit au moyen de son travail délirant.

Sigmund Freud.

Dans le monde anarchique du XIe et du début du XIIe siècle, où toute autorité centrale, où toute législation générale avaient disparu, les hommes, qu'ils soient manants, « hommes de corps » d'un petit seigneur, prêtres, moines, sergents, chevaliers, châtelains, ont en commun une préoccupation fondamentale : s'assurer la protection des individus plus puissants, et aussi, dans la mesure où leur rôle social le leur permet, assurer leur domination sur d'autres individus généralement plus faibles.

Nous allons voir comment ces deux motivations contradictoires associées ont été à l'origine du système de pensée féodal.

Regardons d'abord comment ceux qui jouaient un rôle de chef pouvaient maintenir et élargir leur domination sur leurs dépendants.

Prenons l'exemple d'un chevalier. Il possède un domaine équivalent en surface à plusieurs exploitations paysannes, quelques domestiques qu'il nourrit et qu'il loge dans sa maison. Les manants des alentours lui doivent, selon la coutume, certaines redevances et certaines corvées. Il vit constamment avec sa famille au milieu des gens qu'il exploite, et est isolé des autres seigneurs.

Par la dissimulation, par le vol, par le manque d'ardeur au travail, par la fuite, par la falsification de la coutume ou plus brutalement par la révolte violente, « ses » hommes pouvaient lui causer le plus grand tort.

Comme le disent les vilains révoltés du « Roman de Rou » :

> *Avons bien, contre un chevalier,*
> *trente ou quarante paysans,*
> *Maniables et combattants.*

La seule suprématie militaire du seigneur ne pouvait pas suffire à maintenir sa domination de façon continue et rentable. Il avait besoin, pour ce faire, d'un cadre conceptuel, idéologique, accepté par tous et auquel se référer dans les actions de la vie quotidienne.

Il fallait qu'une règle du jeu puisse être acceptée par les divers intervenants afin que les rapports de force ne dégénèrent pas constamment en oppositions violentes, mais puissent s'exprimer en une suite de contestations et de chicanes autour de la coutume.

Le chevalier avait crainte de voir ses dépendants lui échapper pour se mouvoir en fonction de leurs propres aspirations, de leurs propres intérêts, de leur libre arbitre. Il appelait de ses vœux un univers où les choses et les gens soient conditionnés par une coutume et une suite de liens de dépendance qui lui soient favorables. Aussi cherchait-il naturellement à appréhender le monde extérieur non pas « objectivement », mais par rapport à un certain nombre d'idées reçues et de schémas de regroupement consacrés par la tradition et qu'il tenait gravés dans sa mémoire, comme la succession des coutumes qui lui étaient favorables et dont il devait se souvenir perpétuellement pour ne pas les laisser se perdre par prescription.

D'autre part, pour regrouper autour de sa personne ou de sa maison un petit groupe de dépendants dévoués susceptibles d'assurer sa sécurité et de concourir à sa prospérité, il fallait qu'il joue par rapport à eux le rôle d'un père de substitution, qu'il justifie sur le plan affectif l'exploitation à laquelle il les soumettait.

Dans une situation forcément tendue, où la domination économique du maître, durement ressentie, ne pouvait pas se fonder sur une juridiction écrite et des forces répressives susceptibles de la faire appliquer, comme c'est le cas dans les sociétés plus évoluées, le seigneur s'il voulait éviter l'épreuve de force perpétuelle, avec ses dépendants qui aurait causé sa ruine, devait tout faire pour renforcer un système de pensée et des attachements affectifs susceptibles de justifier sa domination et de désamorcer les conflits latents.

Le système de pensée roman, qui dénie à l'élément et par là, à l'individu toute véritable autonomie et affirme sa sujétion à quelques pôles de regroupement indiscutables investis d'un certain attrait affectif, correspond bien à la façon dont un chevalier du XIe siècle devait appréhender son environnement. Une façon de penser plus « rationnelle », comme la nôtre, ne pouvant pas exprimer la manière dont il voulait voir et faire voir le monde qui l'entourait, ne lui aurait été en fait d'aucun secours ; il n'en aurait pas eu l'usage.

Pour faire triompher ce système de pensée, cette idéologie, qui lui étaient indispensables, le seigneur en lui-même ne disposait pratiquement d'aucun moyen. Aussi était-il pour lui du plus haut intérêt que l'église diffuse une vision féodale du monde et exprime à travers toute une série de créations littéraires, mais surtout musicales, picturales, sculpturales et architecturales les éléments-clés du système de pensée roman.

C'est dans le premier tiers du XIe siècle, au moment où les structures féodales n'étaient pas encore bien assurées, que les dons des seigneurs à l'Église, essentiellement sous forme de terres, prirent le plus d'ampleur, constituant un transfert de richesses sans précédent.

« Quand un prudhomme aujourd'hui tombe malade et se couche avec la pensée de la mort, il ne regarde ni à ses fils, ni à ses neveux, ni à ses cousins : il fait venir les moines noirs de Saint-Benoît et leur donne tout ce qu'il possède en terres, en rentes, en fours et en moulins. Les gens du siècle en sont appauvris et les clercs en deviennent toujours plus riches » (Hernis de Metz).

Tout se passe comme si les seigneurs, ne pouvant plus se référer à l'ordre social ancien et aux anciennes valeurs qui lui étaient liées, étant encore mal assurés sinon toujours de leur pouvoir du moins de son bien-fondé, avaient ressenti une inquiétude, inquiétude sociale, inquiétude pour l'avenir sur terre ou dans le ciel, et cherchaient en favorisant les églises à en faire un outil idéologique à leur service, susceptible de justifier leur domination tant aux yeux du peuple qu'aux leurs mêmes. Par la suite, au cours des XIe et XIIe siècles, quand le système féodal se sera consolidé et aura élaboré ses valeurs et sa morale propres, les générosités des seigneurs envers l'Église se raréfieront laissant la place à des regrets et même à de l'animosité comme en témoigne cette menace proférée par un grand seigneur à l'encontre des gens d'Église dans la chanson de Garin le Lorain.

« En Gaule sont vingt mille chevaliers dont les clers ont les fours et les moulins : qu'ils y pensent ou par le Seigneur Dieu, les choses prendront un autre tour. »

On retrouve un phénomène analogue à la fin du XIIe siècle quand les premiers bourgeois enrichis, mal assurés de leur nouveau pouvoir et soucieux de se justifier sur le plan idéologique, vont multiplier à leur tour les dons aux églises.

Le représentant d'un châtelain, d'un évêque ou d'un monastère, qui s'occupait de gérer un domaine, souvent à vie, et de père en fils ou d'oncle à neveu pour les clercs, devait avoir à peu près les mêmes motivations face aux gens qu'il exploitait, les mêmes besoins idéologiques que le petit seigneur que nous avons pris comme exemple. Examinons maintenant d'autres relations de dépendance entre un puissant et des plus faibles qu'il cherche à maintenir sous sa coupe.

Le châtelain, qui exploitait à son propre profit la parcelle de puissance publique que l'effondrement du pouvoir central lui avait laissé, devait imposer sa domination à la fois sur tous les paysans qui étaient à proximité de sa forteresse et sur les chevaliers ses vassaux.

Face aux manants, pour pouvoir s'imposer autrement que par la force, il fallait qu'il cherche à justifier son pouvoir, qu'il se présente à eux comme un protecteur et un justicier. S'il lui avait suffi de recourir à la contrainte pour assurer sa domination économique, comme cela peut être le cas avec des esclaves ou en pays conquis, le châtelain n'aurait pas eu besoin de mettre en œuvre les moyens de perception déguisés que sont les droits de justice, les monopoles du moulin ou du four, les péages, etc. Il lui aurait suffi de prendre par la force ce dont il avait besoin au moment où il le désirait. Mais cela, il ne pouvait le faire, ou du moins pas de façon constante, car ses dépendants se seraient révoltés ou seraient partis et cela aurait été la ruine de sa châtellenie.

Pour exercer sa domination de manière sûre et lucrative il fallait qu'il puisse tabler sur une coutume admise par tous. Il fallait, lui qui avait accaparé tous les pouvoirs, celui de châtier comme de protéger, de décider de la guerre ou de la paix, qu'il trouve une justification idéologique de son pouvoir dans l'enseignement de l'Église. Il fallait qu'il refuse à son dépendant le droit d'agir en fonction de son libre arbitre et de se référer à un ordre, à une logique qui ne soit pas conforme à celle qu'il avait intérêt à promouvoir, et qui était centrée autour de sa personne. Guillaume de Jumièges nous raconte comment en 997 les paysans normands se révoltèrent contre leurs seigneurs et voulurent imposer leur propre conception de la société :

« Dans les divers comtés du pays de Normandie, les paysans formèrent d'un commun accord un grand nombre de petites réunions dans lesquelles ils résolurent de vivre selon leur fantaisie, et de se gouverner d'après leurs propres lois, tant dans les profondeurs des forêts que dans le voisinage des eaux, sans se laisser arrêter par aucun droit antérieurement établi. Et afin que ces conventions fussent mieux ratifiées, chacune des assemblées de ce peuple en fureur élut deux députés, qui durent porter ses résolutions pour les faire confirmer dans une assemblée tenue au milieu des terres. Dès que le duc en fut informé, il envoya sur-le-champ le comte Raoul avec un grand nombre de chevaliers, afin de réprimer la férocité des campagnes, et de dissoudre cette assemblée de paysans. Raoul, exécutant ses ordres sans retard, se saisit aussitôt de tous les députés et de quelques autres hommes, et leur faisant couper les pieds et les mains, il les renvoya aux leurs ainsi mis hors de service, afin que la vue de ce qui était arrivé aux uns détournât les autres de pareilles entreprises, et rendant ceux-ci plus prudents, les garantît de plus grands maux. Ayant vu ces choses, les paysans abandonnèrent leurs assemblées, et retournèrent à leurs charrues. »

Dans la société féodale souvent à la limite de la guerre civile, les grands seigneurs étaient forcément partie prenante dans l'élaboration d'un système de pensée qui dénie à l'élément et à l'individu une réalité irréductible et indiscutable et qui affirme sa soumission au cadre qui le contient. Et ils ne pouvaient qu'encourager la diffusion par l'église d'une image de l'autorité divine qui puisse les aider par mimétisme à renforcer et à justifier leur pouvoir.

Par les dons qu'ils faisaient à l'église, par les clercs qu'ils entretenaient dans l'église privée qu'ils avaient fait construire et qui servait de caveau à leurs ancêtres, par leur façon d'être quotidienne face à leurs dépendants qui servait tout naturellement de référence sinon de modèle à toutes les autres relations d'autorité, les grands seigneurs ont contribué à créer et à propager les éléments du système de pensée féodal qui étaient les plus sûrs auxiliaires de leur pouvoir.

Pour assurer sa sécurité et sa puissance, le châtelain devait tendre aussi à rallier à lui un nombre aussi important que possible de chevaliers. Tous ces petits seigneurs en armes qui se trouvaient dans sa mouvance pouvaient lui nuire en essayant de s'approprier ses droits de justice ou même mettre en danger son pouvoir militaire, soit directement, soit par alliance avec un autre châtelain. Il était capital pour lui qu'il arrive à les assujettir autour de sa personne afin de désamorcer le danger qu'ils pouvaient représenter, et aussi afin d'assurer sa propre puissance militaire, en cas de conflit avec des gens extérieurs à la châtellenie. Fulbert, évêque de Chartres au début du XIe siècle, résume bien dans le passage suivant ce que le seigneur cherche à obtenir de son vassal :

> « Celui qui jure fidélité à son seigneur doit avoir toujours les six mots suivants présents à la mémoire : sain et sauf, sûr, utile, facile, possible. Sain et sauf, afin qu'il ne cause pas quelque dommage au corps de son seigneur. Sûr, afin qu'il ne nuise pas à son seigneur en livrant son secret ou ses châteaux-forts qui garantissent sa sécurité. Honnête, afin qu'il ne porte pas atteinte aux droits de justice de son seigneur et aux autres prérogatives intéressant l'honneur auquel il peut prétendre. Utile, afin qu'il ne fasse pas de tort aux possessions de son seigneur. Facile et possible, afin qu'il ne rende pas impossible ce qui eût été possible à son seigneur. C'est justice que le vassal s'abstienne de nuire ainsi à son seigneur. Mais ce n'est pas faire le bien. Il importe donc que, sous les six aspects qui viennent d'être indiqués, il fournisse fidèlement à son seigneur le conseil et l'aide, s'il veut paraître digne de son bénéfice et s'acquitter de la fidélité qu'il a jurée. »

Pour maintenir auprès de lui ses chevaliers, le chatelain ne pouvait pas se contenter de la contrainte ou de l'intérêt matériel, il devait tendre à promouvoir un système de pensée susceptible de justifier et de susciter ces dévouements. Il fallait qu'il cherche à transférer sur sa personne les sentiments d'attachement des enfants vis-à-vis de leurs parents et de l'homme vis-à-vis de la femme. Quelquefois, comme pour renforcer ces liens affectifs, le jeune chevalier était élevé à la cour du châtelain dont son père était le vassal pour servir le seigneur et s'initier au métier des armes. Les grands ne pouvaient qu'encourager l'essor du christianisme qui magnifiait alors la soumission très féodale du chrétien face à son seigneur-Dieu, ainsi que la diffusion par les troubadours, qui vivaient de leurs générosités, de la morale épique et courtoise qui faisait de la fidélité inconditionnelle une vertu première, car tout cela contribuait à justifier et à renforcer leur pouvoir sur leurs chevaliers comme sur leurs autres dépendants.

Dans le monde de l'Église, ce recours nécessaire à l'idéologie pour permettre aux grands d'assurer leur domination est particulièrement évident.

Les innombrables réformes dont étaient l'objet les divers monastères témoignent bien des difficultés que pouvaient avoir les abbés à maintenir leurs moines dans l'obéissance, à leur faire perdre toute velléité d'indépendance et à les amener à se plier à une règle de vie stricte et contraignante.

Pour affirmer son pouvoir et la puissance de son abbaye face aux seigneurs, clercs ou laïques, des environs, qui convoitaient ses biens, et pour maintenir sa domination sur les paysans qui travaillaient sur les terres du monastère, l'abbé devait fermement assurer son autorité sur la collectivité des moines et donner de son monastère une image exemplaire. Comme il ne pouvait pas avoir trop souvent recours à la force, il devait se référer à un cadre de pensée et à une idéologie acceptés par tous, capables de justifier les privations et les contraintes auxquelles étaient soumis ses moines. Nul doute que les leaders monastiques comme les abbés clunysiens n'aient trouvé dans le système de pensée roman dont ils ont largement favorisé l'expression en architecture, en sculpture, en peinture, en théologie, en musique, etc. ce cadre conceptuel, idéologique et affectif dont ils avaient un impérieux besoin pour maintenir leurs moines dans l'obéissance et assurer par-delà leur suprématie politique.

Je pense que nous retrouvons fondamentalement le même phénomène sur le plan familial, où le père, l'ancêtre, avait besoin, dans le monde troublé et morcelé de l'époque, pour assurer sa sécurité tant physique que matérielle, de regrouper autour de lui un grand nombre de parents et d'enfants. Cette domination, pour se maintenir, devait s'opposer aux désirs d'émancipation des individus et même à leurs tendances œdipiennes.

Bien des familles nobles ont été ensanglantées, nous le savons, par des rivalités entre les frères, ou même entre les fils et leur père, comme en témoigne, entre autres exemples, la guerre « plus que civile » qui dura sept ans entre le comte d'Anjou, Foulque Néra, et son fils Geoffroi Martel.

Pour maintenir la cohésion de la famille et lutter contre les tendances centrifuges, ce qui était vital pour lui, le père avait intérêt à promouvoir un système de pensée qui assujettisse l'élément au cadre dans lequel il se trouve, et une idéologie qui fasse de la fidélité envers le père-seigneur nourricier et protecteur une vertu capitale.

Nous voyons que le système de pensée roman que nous avons observé à l'œuvre dans diverses manifestations de la société des XIe et XIIe siècles, et particulièrement dans l'art de cette époque correspond fort bien à la façon dont les hommes qui s'étaient approprié un pouvoir de commandement tentaient alors d'appréhender le monde pour avoir prise sur lui, et cela, à tous les niveaux de la hiérarchie. Pour eux, la non-reconnaissance de la spécificité de l'élément, son intégration dans des cadres ou autour de pôles de regroupement indiscutables, et le transfert affectif de la nostalgie de la protection maternelle sur le père-seigneur, ne constituaient pas un cadre conceptuel neutre, mais étaient les outils de leur puissance et de leur sécurité.

Le système de pensée roman n'a pas été uniquement imposé par une poignée de chefs et de patriarches. Nous allons voir, et c'est là un phénomène capital, qu'il était alors le seul cadre dans lequel les hommes de l'époque qui étaient soumis à ces mêmes puissants pouvaient tenter de s'opposer à leurs exactions et exprimer leur manière à eux de vouloir le monde.

L'exploitation dont étaient l'objet les paysans et qui permettait aux nobles et aux clercs de rester oisifs était durement ressentie. Le texte suivant écrit vers 1020 par l'évêque Adalbéron de Laon est à cet égard très franc.

« Cette malheureuse engeance, dit-il, ne possède rien qu'au prix de sa peine. Qui pourrait, l'abaque en main, faire le compte des soins qui absorbent les serfs, de leurs longues marches, de leurs durs travaux ? Argent, vêtement, nourriture, les serfs fournissent tout à tout le monde; pas un homme libre ne pourrait subsister sans les serfs. Y a-t-il un travail à accomplir ? Veut-on se mettre en frais ? Nous voyons rois et prélats se faire les serfs de leurs serfs; le maître est nourri par le serf, lui qui prétend le nourrir. Et le serf ne voit point la fin de ses larmes et de ses soupirs. La maison de Dieu, que l'on croit une, est donc divisée en trois : les uns prient, les autres combattent, les autres enfin travaillent. »

Autour de toute demeure noble, de tout monastère, de tout chapitre, il y avait un groupe de dépendants qui constituaient le centre d'une seigneurie domestique.

Ces « hommes de corps », descendants d'anciens esclaves ou de paysans entrés en patronage, participaient à l'exploitation du domaine et consommaient une part des récoltes soit au réfectoire de la maison du maître, soit dans les cases qu'ils occupaient à proximité s'ils vivaient en famille. C'est le seigneur qui les commandait et qui les jugeait en cas de délit, percevant les amendes à son profit. En cas de décès, le maître s'arrogeait le droit de « mainmorte », c'est-à-dire que, se considérant comme l'héritier de son homme, il se réservait une portion des biens meubles qu'il avait pu acquérir pendant sa vie. Quand son dépendant subissait un dommage de la part d'un tiers, le seigneur s'arrogeait souvent le droit de juger ce dernier et de toucher un dédommagement. D'après le coutumier d'une seigneurie berrichonne lorsqu'un homme de la « familia » subissait un dommage, le seigneur percevait l'amende sur le coupable, et en outre, en tant que protecteur, le tiers des dommages et intérêts dus à la victime. Quand le dépendant voulait se marier, il fallait qu'il trouve son conjoint à l'intérieur de la « familia », faute de quoi s'il se « formariait » il devait dédommager son maître.

A toutes ces perceptions devait s'ajouter, dans cette seigneurie domestique et patriarcale, la tyranie du maître, seul capable de porter les armes et étranger au mode de vie et aux préoccupations paysannes. Une généalogie de serfs angevins du XIe siècle, dressée à l'occasion d'un procès, se termine par cette mention : « Nive qui fut égorgée par vial son seigneur. »

Les masses de paysans qui échappaient à l'oppression directe des hobereaux de village n'étaient pas pour autant mieux loties.

Au petit seigneur, dont le domaine n'était jamais très éloigné du hameau qu'ils habitaient, ils devaient fournir quelques redevances, sous forme de corvées, de produits agricoles ou d'argent. Ils devaient surtout lui acquitter une taxe en nature pour se servir de son moulin, de son four ou de l'église paroissiale dont il percevait généralement les dîmes. Au châtelain, qui s'était arrogé le droit de faire régner l'ordre et de dire la justice, ils devaient toutes sortes de « coutumes », de cadeaux, comme l'on disait alors, sensés manifester leur reconnaissance. Ils donnaient une part de leurs récoltes aux sergents du seigneur qui en avaient assuré la protection. Ils contribuaient en fournissant du foin et de l'avoine à l'entretien des forces de police, et participaient, par des corvées et la livraison de fournitures, à l'entretien de la forteresse. Ils devaient aussi acquitter la « taille » (du droit de « tollir », de prendre) dont le montant arbitraire venait s'ajouter de loin en loin, quand le seigneur était pressé par le besoin, aux autres perceptions. A cela venaient s'ajouter les amendes que le châtelain percevait du fait de son droit de justice, et qui constituaient une grosse part de ses revenus. Le manant devait acquitter avec l'aide des siens ces amendes souvent extrêmement lourdes qui lui étaient infligées quand il était reconnu coupable par le tribunal du châtelain. Une des premières « franchises » que sollicitèrent les paysans fut le droit d'échapper à toute intervention du juge seigneurial, tant qu'ils n'avaient pas porté plainte. Cette justice, considérée comme une source de revenus et dont le principe nous paraît aujourd'hui terriblement choquant, a provoqué une certaine égalisation des revenus dans la classe laborieuse. En effet, les paysans riches étaient des proies plus intéressantes que les plus pauvres, incapables de s'acquitter des amendes, et du fait de ces ponctions épisodiques qui raflaient tout ce qu'ils avaient pu amasser au cours d'une longue période, il leur était impossible de s'élever très au-dessus du niveau économique moyen.

Face aux classes oisives qui les exploitaient tant, on pourrait penser que les paysans aient eu tendance à se révolter et à proposer une organisation sociale et une idéologie radicalement différente de celle prévalant dans le monde des puissants, comme ces paysans normands qui au seuil du XIe siècle cherchaient à s'organiser entre eux, en dehors de tout cadre féodal. Mais ce serait faire abstraction du climat de guerre civile larvée et d'insécurité qui régnait à l'époque. Au cas où leur pouvoir se trouvait contesté, les seigneurs étaient capables d'une répression féroce, qui, si elle leur nuisait fort sur le plan économique, puisque d'une terre dévastée on ne peut guère tirer de redevances, nuisait encore plus aux travailleurs groupés dans des villages difficiles à défendre.

Le sac d'Origny par Raoul de Cambrai, tel qu'il nous est

dépeint dans une chanson de geste un peu tardive, est tout à fait significatif de cette violence aveugle toujours prête à se déchaîner dans le monde féodal. Raoul, qui a été dépouillé du fief de son père, entreprend de le réconquérir par la force.

« (...) Quand il débouche dans le Vermandois, déjà tout le pays fume comme un bûcher. Ses fourrageurs rabattent vers lui à pleines routes des troupeaux de bœufs, de moutons, de porcs et de pauvres gens qui n'ont pu fuir...

« (...) Or trois mauvais garçons de l'armée s'étaient glissés pendant la nuit dans Origny pour y faire du butin. Mais les bourgeois leur avaient couru sus avec des barres et des leviers, et ils en avaient assommé deux sur place; le troisième avait échappé à grand-peine, s'était jeté sur son cheval, et il revenait à franc étrier, les vêtements en lambeaux, le visage rayé de sang, éperdu.

« Il voit Raoul; il vient à lui, saute à terre, tombe à ses pieds. " Sire, sire, on massacre tes hommes! "

« Raoul l'entend, le sang lui monte à la tête, il lève les poings et crie à pleine voix : " Armez-vous, chevaliers! Je veux saccager Origny sur l'heure. Ah! les bourgeois commencent la guerre! Si Dieu m'aide, ils le paieront cher! "

« Trente cors sonnent à la fois pour signifier qu'il va y avoir bataille. Chacun s'arme en hâte, les destriers sont amenés, tous montent en selle. Et les dix mille barons s'avancent vers Origny, laissant là les tentes.

« Le bourg d'Origny est enclos d'un vieux fossé a demi comblé et d'une palissade. Mais des murs mêmes ne pourraient contenir la grande force de Cambrai. Sous les cognées et les coins d'acier la palissade s'abat de toutes parts; les chevaliers traversent le fossé, pénètrent par toutes les brèches et se précipitent en criant dans les rues, la lance baissée. Des femmes, des enfants, des vieillards essaient vainement de fuir : ils sont cloués contre leurs murs ou contre leurs portes. Les bourgeois d'Origny comprennent que cet assaut sera sans merci; ils se réfugient sur leurs maisons et, de là-haut, ils tirent des flèches, ils lancent des pierres et de grands pieux aigus; beaucoup d'hommes de Raoul tombent de leurs chevaux. Les écuyers apportent les échelles. On se bat dans les rues, dans les chambres, sur les toits. Le sang coule partout. Raoul est ivre de fureur. Il jure Dieu que si tous ne sont pas morts avant ce soir, il se fera tonsurer comme un moine. D'une voix terrible, il commande : " Le feu, mettez le feu! "

« Les écuyers l'entendent; ils pilleraient volontiers, mais ils n'osent lui désobéir. Ils jettent des charbons ardents dans les granges, ils dispersent les braises des âtres sur les planchers, ils appuient des torches sur les courtines. Et les salles s'allument, les solives craquent, les planchers s'effondrent, les tonneaux d'huile et de lard prennent feu en crépitant dans les lardiers. Tout Origny s'embrase. Les petits enfants — grand deuil et grand péché! — brûlent dans leurs berceaux. »

Les masses populaires, dispersées dans les campagnes, n'étaient pas en mesure de s'opposer victorieusement et par la force à l'aristocratie militaire. En 1038, l'archevêque de Bourges institua une confédération.

« Le serment était exigé de tous les diocésains de plus de quinze ans par l'intermédiaire de leurs curés. Ceux-ci, déployant les bannières de leurs églises, marchaient en tête des levées paroissiales. Plus d'un château fut détruit et brûlé par cette armée populaire, jusqu'au jour où, mal armée et réduite, dit-on, à monter sa cavalerie à dos d'âne, elle se fit massacrer par le sire de Déols, sur les bords du Cher » (M. Bloch).

Le rapport des forces était tel entre les paysans et les seigneurs aux XIe et XIIe siècles, que pour éviter les conflits violents qui n'auraient pu entraîner que la ruine mutuelle des antagonistes, les manants devaient chercher un cadre dans lequel contenir la domination seigneuriale et défendre leurs intérêts sans risquer l'épreuve de force frontale.

De plus, et malgré toutes les charges qu'il leur faisait supporter, le seigneur, châtelain, ou hobereau de village, était moins à craindre que ses ennemis, qui en cas de conflit ne se gênaient pas pour piller et brûler les terres et les maisons des dépendants de leur adversaire. Les chansons de geste sont pleines des récits de campagnes qui fument à la ronde.

Pour les paysans, dans de telles conditions, la seule solution réaliste était de chercher à tout prix à intégrer le monde dans un cadre contraignant, qui permette d'éviter les débordements de violence des grands, et de limiter leurs pressions économiques.

Pour résister et défendre leurs intérêts, les vilains devaient tout d'abord resserrer les liens qui les rattachaient à leur famille et à leur communauté villageoise. Ils devaient s'imposer à eux-mêmes des contraintes pour limiter les initiatives individuelles et les égoïsmes de chacun des membres de ces groupes afin qu'une action intempestive de l'un d'entre eux ne vienne pas attirer sur ses comparses les foudres des puissants. Là encore, ils devaient chercher à mettre en place un système de pensée admis par tous qui assujettisse avant tout l'élément à l'ensemble auquel il participe. Ils devaient aussi tenter d'endiguer les exactions arbitraires des grands grâce à la coutume dont ils étaient en commun les dépositaires, et qui constituait une grille inamovible et protectrice à travers laquelle ils observaient constamment la réalité en essayant d'y enserrer tous les éléments qui les avantageaient.

Dans leurs motivations quotidiennes, les paysans des XIe et XIIe siècles n'auraient eu que faire d'une pensée « rationnelle », individualiste, comme la nôtre. Ce dont ils avaient besoin, c'était d'un système beaucoup plus normatif, susceptible de faire prise sur le monde mobile et dangereux qui les entourait, en l'insérant dans des schémas, qu'ils puissent opposer aux prétentions des grands.

Ils devaient aussi tâcher de faire pression sur ces puissants qui vivaient au milieu d'eux, en essayant de les amener à adopter des modèles de comportement qui leur soient favorables. Pour cela, ils avaient intérêt à se rallier aux modèles proposés par l'intermédiaire de l'église et qui mettaient l'accent sur la participation du bon chef à un ordre voulu par Dieu, afin qu'il protège « les veuves, les orphelins et les pauvres », et qu'il les nourrisse. Et ils devaient approuver les images de dissuasion du démon et du mauvais riche proposées par les artistes et les clercs.

Certains leaders ont été directement investis du pouvoir par les masses populaires, contre la volonté de l'église et de l'aristocratie féodale. C'est le cas de Tanchelm, qui, vêtu en moine, prêchait en plein champ en attaquant l'Église officielle et ses mœurs dissolues, s'en prenant notamment aux prêtres qui vivaient avec des femmes. Cet homme, qui selon les dires de ses propres ennemis, avait une éloquence extraordinaire et l'apparence d'un « ange de lumière », attirait tant et si bien les foules qu'il acquit vers le début du XIIe siècle, dans la région d'Utrecht et d'Anvers, un pouvoir considérable, et mit sur pied une armée redoutable contre laquelle les plus grands seigneurs des environs étaient impuissants. Tanchelm s'était entouré à son apogée d'une cour de douze disciples, comme les douze apôtres, et une femme y représentait la Vierge Marie. Cette confrérie entourée d'une garde armée était dirigée par un ancien forgeron. Lui-même avait abandonné la bure monacale pour revêtir des robes d'or, et sa chevelure était ceinte d'un triple diadème d'or. Il se proclamait comme le Christ dépositaire de l'Esprit-Saint, et les foules enthousiastes, dit-on, buvaient l'eau de son bain en guise d'eucharistie.

Une trentaine d'années plus tard, un autre leader, Eudes de

l'Étoile, acquit de la même manière un pouvoir considérable dans les régions de Bretagne et de Gascogne. Il se prétendait le Roi des Rois et le fils de Dieu, et attirait à lui de « vastes multitudes de populace grossière ». Comme Tanchelm, il s'était doté d'une armée et vivait entouré d'une cour de disciples dévoués qui, quand ils furent faits prisonniers en même temps que lui, refusèrent sans défaillance de le renier jusque sur le bûcher où ils furent brûlés.

Il est frappant de voir que ces leaders populaires dont le pouvoir ne provient ni de l'Église ni de la chevalerie, ont néanmoins des caractères et un comportement très « féodal », et proche de ceux de certains princes tels que les clercs se plaisent à nous les montrer, cherchant à justifier leur pouvoir par rapport à Dieu, aimant à s'entourer d'une petite troupe de fidèles dévoués par référence au Christ et à ses apôtres, et suscitant l'amour et la vénération des pauvres qu'ils protègent et nourrissent.

Pour lutter contre les faux prophètes et les hérésies qui se développaient un peu partout et pour assurer sa propre puissance, il fallait que l'Église puisse canaliser les aspirations diffuses des masses en proposant une image du leader qui leur conviennent sans pour autant remettre en cause les structures féodales de base. Une image qui soit en quelque sorte le décalque institutionnel de celle qui correspondait alors aux aspirations populaires. Le futur saint Norbert, qui fut envoyé pour extirper l'influence qu'avait eu Tanchelm en Zélande et au Brabant, a adopté à bien des égards les pratiques de ce dernier à ses débuts, attirant les foules en guérissant les malades et les fous, et en domptant les bêtes sauvages. Et l'image charismatique que nous donne Helgaud du roi Robert le Pieux, capable de guérir miraculeusement certaines maladies, aimant à imiter le Christ et à s'entourer d'un groupe symbolique de « saints pauvres », protégeant les faibles et étant par-dessus tout cela un chef de guerre courageux, a dû trouver un puissant écho populaire, tant elle semble se rapprocher des modèles de comportement que nous devinons chez ces faux prophètes qui attiraient les foules.

L'image du leader temporel proposé comme modèle par l'Église, et idéalisé par les artisans romans dans leurs visions sculptées ou peintes de Dieu ou des grands héros chrétiens devait assez bien correspondre aux aspirations des masses et les paysans ont dû chercher à l'utiliser pour tenter d'influer sur leur propre maître, ou au moins pour le juger par rapport à cette référence incontestable.

Les églises et les monastères, bien qu'étant des puissances féodales qui exploitaient durement leurs dépendants, diffusaient une idélologie plus favorable aux masses rurales que l'idéologie chevaleresque essentiellement guerrière. Le clergé était d'autre part moins fermé aux travailleurs que la noblesse, moins dangereux aussi, car il n'était pas constitué de chevaliers violents par vocation, aussi était-il normal que les paysans tentent de s'appuyer sur l'idéologie chrétienne pout tâcher de contenir et de limiter les exactions de leurs chefs.

L'Église proclamait que sa mission était de protéger les pauvres, et effectivement les domaines monastiques pouvaient servir de refuges aux paysans pourchassés par des seigneurs pillards ; et les monastères jouaient un rôle d'assistance non négligeable envers les plus nécessiteux : aux XIe et XIIe siècles « les moines de Cluny partageaient chaque année, à l'entrée du Carême, deux cent cinquante porcs salés entre seize mille indigents, ceux de Saint-Benoît-sur-Loire nourrissaient, bon an mal an, parfois cinq cents mendiants, parfois sept cents » (Duby). Au grand mouvement de dons de terres seigneuriales du début du XIe siècle va succéder un autre mouvement, plus populaire celui-là, de petites aumônes paysannes, qui va élargir à la fin du XIe siècle les domaines ecclésiastiques.

Tout se passe comme si les paysans comme les seigneurs, mais pour des motifs différents, avaient cherché, en favorisant l'Église, à essayer d'y trouver un appui idéologique capable de les aider dans leurs luttes quotidiennes.

Les masses populaires ont pu s'appuyer sur l'Église pour renforcer et justifier la coutume qui constituait le premier rempart contre l'oppression des grands. Elles se sont aussi, nous l'avons vu, appuyées sur les images du bon seigneur diffusées par le clergé et par les artistes qui travaillaient pour eux, afin de faire pression sur leurs propres maîtres. Plus directement elles ont dû soutenir sinon impulser certaines actions entreprises par les clercs, comme par exemple, le mouvement qui cherchait à contenir les violences des chevaliers par le biais des « trèves de Dieu », qui limitaient les jours ouvrables pour la guerre et protégeait en principe les civils. Les masses ne pouvaient que soutenir des recommandations comme celles que l'on trouve dans le serment de paix du Concile de Verdun en 1016 et qui spécifie :

> « Je ne ferai pas proie de bœuf, de vache, de porc, de brebis, d'agneau, de chèvre, d'âne, du fagot qu'il porte, d'oie, de coq, de poule (sauf des faucons; et si je ne les prends, je les achèterai deux deniers) non plus que de la jument déferrée et de son poulain indompté. Je n'arrêterai pas le vilain et la vilaine, les sergents ou les marchands, ni ne prendrai leurs deniers, ni ne les obligerai à se racheter, ni ne leur prendrai ni ne leur détruirai leur avoir, ni ne les fouetterai. »

La réforme grégorienne de la fin du XIe siècle qui a soustrait l'église paroissiale, lieu de réunion des villageois, du patrimoine des seigneurs, n'aurait sans doute pas pu être menée à bien sans une pression, peut-être informelle et diffuse, mais néanmoins efficace des paysans. En tout cas, les textes nous montrent que sur d'autres plans cette réforme s'est opérée dans un climat de controverses passionnées dans lequel les masses populaires étaient partie prenante. En Allemagne, par exemple, les gens se faisaient traduire jusque sur les places publiques et dans les échopes les écrits où les clercs discutaient en sens divers des fins de l'État, des droits des rois, de leurs peuples, ou des papes.

Si l'Église a acquis un pouvoir aussi considérable à l'époque romane, si à bien des égards c'est de cette période que date la christianisation définitive des masses occidentales, c'est parce que l'Église, ou plutôt ce faisceau de tendances et d'intérêts divergents que constituait alors le clergé, était l'enjeu d'une lutte sociale, où les puissants comme les pauvres étaient impliqués. C'est parce que l'Église n'était pas aussi totalement, aussi systématiquement liée à la classe dominante qu'elle le fut à des époques plus récentes, parce que les conflits sociaux qui agitaient alors la société, pouvaient s'exprimer en son sein, qu'elle a joué un rôle aussi capital dans la civilisation féodale. L'image du « leader » qu'elle diffusait, par exemple, pouvait convenir aux puissants puisque cela justifiait idéologiquement le bien-fondé du pouvoir et de l'autorité du chef féodal. Mais cette image idéalisée constituait un modèle difficile à suivre, et les masses populaires pouvaient s'y raccrocher pour essayer d'influencer ou de contester leurs chefs temporels.

Pour éviter l'épreuve de force frontale et la ruine mutuelle, les classes antagonistes avaient besoin de l'Église pour que leurs oppositions idéologiques puissent se ramener à des prises de parti autour des modèles de comportement et des principes d'ordre qu'elle diffusait.

Mais il ne faudrait pas croire qu'il n'y ait que des motivations rationnelles à cette promotion par les masses populaires du système de pensée féodal et de certains aspects de l'idéologie chrétienne.

Le désir de s'assurer la protection du père-mère tout-puissant est une nostalgie qui plonge ses racines dans la petite enfance. Cette nostalgie qui a été particulièrement réactivée à l'époque féodale du fait de l'insécurité ambiante, a contribué au resserrement des structures de protection familiales et sociales, mais elle a toujours gardé son caractère de pulsion irrationnelle, prête à s'exprimer dans les domaines les plus hétéroclites. Ces foules de gens « dénués de ressources » qui sont parties au cours de la première croisade, sous la conduite de Pierre l'Ermite qu'ils vénéraient au point d'arracher les poils de son mulet pour en faire des reliques et qui ont fui la misère, les disettes et les violences qui régnaient en Occident dans l'espoir d'aller dans une Jérusalem mythique et prospère se mettre sous la mouvance du bon seigneur. Les groupes de pèlerins qui hantaient les routes de pèlerinages et se pressaient en foule dans les sanctuaires étaient mûs par cette nostalgie de la protection maternelle et parentale qui s'exprime alors dans tous les domaines, et qui a donné à la civilisation féodale sa vigueur et sa cohésion, malgré toute sorte d'injustices et de drames perpétuellement recommencés.

Ce désir capable de s'opposer à toute objectivité, capable de lancer les hommes dans des aventures aberrantes, avait besoin d'un univers à sa mesure pour se satisfaire; non pas du monde de la pensée « rationnelle », qui l'aurait refoulé, mais bien de celui qui fut structuré par le système de pensée féodale.

Pour résister à la pression seigneuriale, les travailleurs étaient aussi amenés, nous l'avons vu, à resserrer les liens qui les rattachaient à leur famille. Mais là encore un combat idéologique a dû se dérouler pour contraindre le chef de famille ou les membres du groupe à se conformer à des règles de comportement strictes susceptibles de limiter leurs prérogatives et les dangers qu'ils pouvaient faire courir aux autres. L'image du Christ triomphant des portails romans peut être interprétée comme une façon de vouloir le seigneur féodal, mais aussi comme une façon de vouloir le père, en lui proposant un modèle de comportement idéal. Nous ne savons pas assez de choses sur les structures familiales et les pratiques communautaires dans le monde rural au XIe et XIIe siècles, pour aller plus avant sur ce point. Par contre, dans le monde chevaleresque qui nous est mieux connu les choses sont claires.

Pour un chevalier, les contraintes lignagères devaient être assez étouffantes. Il devait passer une grande partie de sa vie dans la maison paternelle ou dans le château du seigneur de son père, sans pouvoir jouir en propre de ses biens. A la mort des parents, l'héritage était partagé entre les enfants, mais ceux-ci ne pouvaient pas en disposer pour autant à leur guise, car le lignage gardait un droit de contrôle.

Le chef de famille ne manifestait souvent que peu de tendresse à l'égard de ses enfants. A ses ennemis, qui le menaçaient de faire périr sous ses yeux son fils qu'ils détenaient en otage, s'il ne restituait une de ses forteresses, Jean, maréchal d'Angleterre a répondu : « Que me chaut de l'enfant, n'ai-je pas encore les enclumes et les marteaux dont j'en forgerai de plus beaux ? » Le mariage n'était pas pour le jeune homme une occasion de s'émanciper ou de faire un choix personnel, il concernait avant tout le lignage et était une affaire économique. Dans la chanson de Roland on voit Charlemagne annoncer à Aude la mort de son fiancé et essayer de la consoler naïvement en lui disant : « Sœur, chère amie, c'est d'un homme mort que tu t'enquiers. Je t'en donnerai un plus considérable en échange. » La cohabitation prolongée dans la maison du père des enfants dépourvus de toute indépendance économique, et soumis à sa domination militaire, l'oisiveté et la pratique d'exercices violents comme la chasse, les tournois et la guerre, tout ceci devait constituer un climat particulièrement propice aux réactivations du conflit œdipien. On peut dire que les guerres intestines qui ensanglantèrent tant de familles nobles, sont à la mesure des tensions qu'il devait souvent y avoir, de façon parfois diffuse et inconsciente, entre leurs divers membres.

Le châtelain pouvait être de son côté un danger pour le chevalier, en empiétant sur ses prérogatives domestiques, en essayant de reprendre le fief qu'il lui avait donné, en l'entraînant à sa suite dans des guerres meurtrières, sans lui donner de terres et de cadeaux en gage de sa fidélité.

Néanmoins, quelles que soient les contraintes lignagères et le poids de la domination du châtelain, le chevalier était bien trop vulnérable et isolé pour pouvoir chercher à s'émanciper radicalement de sa sujétion. Face aux dangers provenant de ses propres dépendants ou d'autres seigneurs rivaux, il avait besoin de l'appui de ses parents et des puissants auxquels il avait prêté hommage, pour dissuader les agresseurs éventuels et l'aider à maintenir ses prérogatives. Isolé enfin, au milieu de gens dont il ne partageait ni le mode de vie, ni les préoccupations, il avait besoin de s'intégrer par des hommages prêtés à des châtelains ou par ses relations familiales au monde des grands afin de participer aux fêtes et aux aventures guerrières de sa caste.

Dans une telle situation, le chevalier cherchait à avoir prise sur les parents et les seigneurs auxquels il était lié, afin de limiter leurs prérogatives dangereuses et de pousser au contraire tout ce qui pouvait lui être favorable dans cette dépendance. Pour ce faire, il ne cherchait pas à voir les choses de façon objective, à se rendre compte des rapports de force réels qui existaient entre lui et les plus forts que lui, mais à essayer d'imposer une façon de voir le monde qui lui soit favorable, une façon de le recomposer à partir d'un certain nombre de caractères, de sentiments, de situations préétablies et sanctifiées par la tradition.

Les chansons de geste ont véhiculé ces « archétypes » du bon seigneur, de la générosité, de la fidélité, de la bravoure, etc., grâce auxquels le chevalier cherchait à contraindre ses parents ou ses chefs à renoncer à leur propre puissance égoïste pour se soumettre à certaines règles de comportement qui lui soient favorables. L'accent qui est toujours mis dans les chansons de geste sur la générosité du seigneur est tout à fait symptomatique du désir des chevaliers de pousser leur chef à les récompenser de leur fidélité.

« De tant de richesses, le comte ne voulut rien garder, il partagea le tout entre ses hommes et ses soudoyers. Ainsi doit agir le baron qui veut être bien servi » (Garin de Lorain).

L'énumération rutilante, dans le « Roman de Brut » des cadeaux que fait le roi Arthur à ceux qui l'ont servi, devait donner mauvaise conscience à bien des puissants barons :

Trois jours dura ainsi la fête.
Le quatrième le mercredi,
le roi gratifia ses chevaliers d'un fief,
attribua des honneurs francs ;
paya leurs services à ceux
qui l'avaient servi pour une terre,
et leur donna bourgs et châtellenies,
évêchés et abbayes.
A ceux qui étaient d'autre terre
venus par l'amour du roi,
il donna coupes, donna destriers,
donna de ses plus riches trésors
donna présents, donna joyaux,
donna lévriers, donna oiseaux
donna pelisses, donna habits,
donna coupes, donna hanaps,
donna gazes, donna anneaux,
donna bliauts, donna manteaux,
donna lances, donna épées,
donna flèches barbelées,
donna cuivres, donna écus,
arcs, épieux bien affilés ;
donna léopards, donna ours,
selles, courroies, chevaux de chasse,
donna hauberts, donna destriers,
donna heaumes, donna deniers,
donna argent et donna or,
le meilleur de son trésor.
Il n'y eut homme de valeur
Venu le voir d'un autre pays
A qui le roi ne fit un présent
Qui ne fit honneur a tel baron.

A l'époque féodale, le caractère stéréotypé et excessif des héros, des sentiments, des situations, dans les poèmes épiques témoigne de l'effort idéologique qui régnait à l'intérieur de la classe chevaleresque pour contraindre l'autre à se conformer à certaines règles de comportement. Le Charlemagne magnanime des chansons de geste, comme le Christ triomphant des tympans romans, susceptible de recueillir les âmes des bons chrétiens et de les faire participer aux délices de sa cour céleste, sont chacun à leur manière l'image idéalisée du châtelain ou du père tel qu'il était désiré par les siens et qu'on l'incitait à être.

L'abbé d'un monastère (abbé signifie étymologiquement père) avait des prérogatives de chef. C'est lui qui imposait la discipline de la règle à ses moines. Discipline qui était durement ressentie comme en témoignent ces propos qu'un diable qu'il aperçut en rêve tient à un moine :

« Pourquoi vous, les moines, vous infligez-vous tant de travaux, tant de veilles et de jeûnes, de tristesses, de prières, et tant d'autres mortifications qui ne sont pas dans l'usage commun des autres hommes? En ce qui te concerne, je me demande bien pourquoi, avec tant de scrupule, dès que tu entends la cloche, tu es si prompt à bondir de ton lit, quand tu pourrais sacrifier au repos jusqu'au troisième son de la cloche » (R. Glaber).

L'abbé qui faisait régner la discipline pouvait chasser le moine hors du monastère. C'est lui qui s'occupait de pourvoir à son entretien, qui veillait sur la qualité des menus. Suger cherchait à ce qu'ils ne soient ni trop pauvres ni trop copieux. Quelquefois, on voit les moines s'insurger violemment contre l'autorité de leur abbé et même le tuer. L'histoire des communautés monastiques est faite de mouvements de réforme visant à restaurer la règle, qui succèdent invariablement à des périodes de relâchement.

Dans ce cadre de vie communautaire assez contre nature, que les hommes recherchaient comme une sécurité physique et morale dans leur quête pour fuir les dangers du monde et pour se mettre sous la dépendance du bon seigneur, les tensions devaient être souvent vives. Les moines devaient chercher à ce que l'abbé se plie à un certain nombre de cadres préétablis, afin qu'il n'utilise pas sa puissance à son profit personnel. Ils devaient aussi essayer de susciter chez lui un comportement qui leur soit favorable, et l'amener à jouer à leur égard le rôle d'un père protecteur et nourricier.

Nous voyons en fin de compte que les hommes soumis à la domination d'un puissant, et ce, quel que soit le groupe social auquel ils appartiennent, cherchaient en faisant prise sur le cadre de pensée et l'idéologie dominante, à limiter les dangers auxquels leur position de dépendance pouvait les exposer.

Et nous pouvons dire que le système de pensée roman a été, qu'il s'agisse pour un puissant d'assurer sa domination sur des plus faibles ou pour ceux-ci de limiter les exactions de leurs maîtres et de s'assurer sa protection, le dénominateur commun des volontés opposées des hommes des classes antagonistes.

L'art roman qui exprime et magnifie jusque dans ses moindres créations, ce système de pensée, est donc socialement engagé à un degré que l'on ne soupçonnait pas et son enjeu social est manifeste.

On peut se demander maintenant si le message social implicitement proposé par les artistes a porté ? S'il a été entendu et par la suite mis en pratique ? Ou si en fin de compte les œuvres plastiques aussi « engagées » soient-elles n'ont joué à cette époque qu'un rôle négligeable dans l'élaboration du système de pensée et de l'idéologie dominante ?

Sans pouvoir répondre formellement à une telle question on peut néanmoins faire un certain nombre de remarques.

Les églises de pierre, solidement construites et décorées avec faste, où se déroulaient des cérémonies complexes mises en scène par des acteurs en costumes rutilants, au milieu des chants interminables, des vapeurs d'encens et des reflets multicolores des fresques, des tapisseries et du mobilier liturgique, devaient, au milieu de pauvres villages de bois et de chaume et pour une population analphabète, avoir un attrait considérable et exercer une certaine fascination. Mais il n'y a pas que cet aspect, somme toute matériel, pour nous inciter à croire que l'art a joué un rôle important dans la civilisation féodale. Une œuvre d'art, de même qu'une quelconque information, ne peut avoir d'impact véritable que si le spectateur y trouve des éléments lui permettant de donner forme à ses propres aspirations et d'affirmer sa propre manière de vouloir le monde. L'art ne s'impose pas, il agit tout au plus comme un catalyseur. Et dans cette perspective, on peut penser que les artistes romans étaient particulièrement bien placés pour catalyser, pour susciter chez le spectateur à travers leurs créations, ce système de pensée susceptible de servir de cadre aux désirs des groupes sociaux antagonistes. En effet, ils appartenaient par leur origine et leur mode de vie aux classes laborieuses dont ils devaient bien connaître et ressentir les aspirations. Mais ils étaient aussi plus nomades que la majorité des paysans, et par-là, plus dépendants des grands, évêques ou abbés, seuls susceptibles de les accueillir, de les protéger et de leur donner du travail. De ce fait, ils devaient particulièrement ressentir ce désir « roman » de s'attacher à un

« leader » puissant et généreux. Ils étaient enfin très influencés par l'Église et connaissaient les aspirations des clercs et des moines.

Dans cette position ambiguë qui était la leur, ils devaient être particulièrement à même de proposer un système et de créer des images susceptibles de rallier aussi bien les masses populaires que les puissances ecclésiastiques et, par-delà, l'aristocratie, et de susciter ainsi une synthèse de leurs aspirations réciproques.

Limites et remise en cause du système roman

Le système de pensée roman qui est issu d'une conjonction d'aspirations sociales bien particulières ne pouvait se développer que dans les régions de l'Europe occidentale où l'émiettement du pouvoir central était assez avancé, où la coutume avait pris le pas sur le droit écrit et où l'anarchie et la violence des tensions sociales amenaient les manants et les chevaliers à renforcer l'église et les grands ordres monastiques pour essayer à travers eux de justifier leurs aspirations sur le plan idéologique.

Les pays germaniques qui ne connurent qu'avec retard le mouvement féodal, et où la puissance publique garda longtemps une importance qu'elle avait perdue en France, n'eurent pas non plus un style roman analogue à celui que nous avons étudié, et l'art gothique mit très longtemps à s'y frayer un chemin.

L'Italie du Sud et la Sicile, conquises par des seigneurs normands, virent se développer une civilisation originale conciliant les principes de dépendance vassalique et une puissante monarchie dotée d'une administration efficace. L'art y fut lui aussi original, mêlant des caractères normands à des fastes de palais byzantins.

Quand nous observons dans l'art de certaines régions des caractères différents de ceux qui sont utilisés dans le style roman tel que nous l'avons défini, nous pouvons toujours remarquer que les particularités sociales auxquelles étaient liés ces caractères esthétiques, par l'intermédiaire du même système de pensée, firent défaut.

Dans l'Italie du Nord, en Toscane par exemple, les églises sont rarement voûtées et les nefs sont séparées des bas-côtés par des files de colonnes souvent monolithes (le pilier cruciforme y étant l'exception). L'on n'y trouve pas de ces compositions étagées autour d'un clocher surmontant la croisée du transept. Le chevet à chapelles rayonnantes y est presque inconnu et le campanile ne fait pas partie de l'église, il lui est accolé ou franchement extérieur. Les parois et surtout les façades principales sont souvent recouvertes de parements de marbres colorés masquant la structure de la maçonnerie, ou d'une succession d'arcatures dégagées en saillie sur le nu du mur. La polarisation de proche en proche des éléments autour d'un noyau solide qui caractérisait l'art roman est ici ignoré. Ces églises ressemblent souvent plus à des édifices publics qu'à des forteresses.

En Italie, la châtellenie n'était pas le centre de tout pouvoir. Le rite de l'hommage, les mains jointes du vassal dans celles de son seigneur, n'y était pas pratiqué. Il n'y avait pas de classe chevaleresque. L'artistocratie préférait laisser la défense locale aux milices bourgeoises et s'occuper des fonctions administratives. Le droit écrit ne fut jamais comme de l'autre côté des Alpes supplanté par la coutume. Les villes, enfin, qui jouaient un rôle capital, regroupaient en leur sein la bourgeoisie et l'aristocratie, et la hiérarchie des fortunes y était plus accentuée que dans les villes du Nord de la France.

Les aspirations des divers groupes qui composaient alors la société dans l'Italie du Nord, les perspectives sociales, les utopies qui les guidaient, le système de pensée grâce auquel ils tentaient d'appréhender le monde ne pouvaient pas être les mêmes que dans le reste de l'Europe, et tout naturellement les artistes de ces régions ont été amenés à élaborer un style particulier pour exprimer leurs aspirations spécifiques. Le système roman qui n'a pu apparaître que dans une aire géographique limitée où prévalaient certaines conditions économiques et politiques bien particulières va se transformer dès que ce contexte social aura suffisamment évolué. Ce système en effet qui unifie les aspirations divergentes de groupes sociaux antagonistes est fondamentalement en équilibre instable. Dès que les rapports de force se seront modifiés sous la pression du progrès économique, ou de l'évolution des structures socio-politiques, les divers protagonistes vont se proposer de nouvelles aspirations, et par-delà, chercheront à appréhender le monde à travers un autre système de pensée mieux adapté à leurs nouvelles positions.

Or, le contexte économique et socio-politique dans lequel

était apparu l'art roman s'est peu à peu transformé au cours des XIe et XIIe siècles. Stimulée par les caractères particuliers de l'exploitation féodale, la production agricole s'est accrue dans de très larges proportions.

« Une grande mutation de productivité, dit G. Duby, la seule de l'histoire avant les bouleversements des XVIIIe et XIXe siècles, s'est produite dans les campagnes d'Europe occidentale entre l'époque carolingienne et l'orée du XIIIe siècle. »

Dans les cas les moins favorables, on peut estimer que les rendements moyens passèrent de 2,5 pour un aux environs de 4 pour un si bien que la part de la récolte dont pouvait disposer le producteur doubla. Parallèlement à cet accroissement de productivité, il y eut un intense mouvement de défrichement, et de vastes étendues de landes, de bois et de marais furent mises en culture. Cet essor agricole entraîna à sa suite un puissant essor démographique. Les agglomérations anciennes virent leur population s'accroître, et de nouveaux villages se créèrent en grand nombre.

Cette évolution tendait inexorablement à remettre en cause le rapport des forces sociales qui étaient à la base du système de pensée roman.

Les puissants, qui arrivaient à s'approprier la meilleure part de la plus-value, en devenant toujours plus riches, étaient amenés à se couper de plus en plus, par leur mode de vie et leur genre de consommation, des masses rurales. Cette coupure devait entraîner un relâchement des relations affectives et patriarcales entre les manants et les chevaliers qui constituaient un des éléments de base du système de relation traditionnel.

Désireux d'acquérir, des denrées, des vêtements, des armes de bonne qualité, et de ne plus se contenter de ce que pouvait produire pour eux les vilains des alentours et les artisans villageois, les nobles s'intéressaient de plus en plus à l'économie de marché et tournaient leurs regards vers les bourgs importants où se regroupaient des commerçants et des artisans toujours plus nombreux, qui eux étaient fondamentalement étrangers au système de relation traditionnel et devaient se heurter constamment aux contraintes lignagères, à l'arbitraire des coutumes et à la multiplicité des dominations locales, qui constituaient autant d'entraves à la bonne marche de leurs activités.

Parmi les nobles, ce furent les plus puissants qui furent le plus favorisés par l'essor économique, ceux qui possédaient de vastes étendues de terre incultes que des équipes de défricheurs mettaient en valeur, ceux qui pouvaient profiter de l'essor commercial parce qu'une cité était sous leur domination, ou qu'ils possédaient des péages sur des fleuves ou des routes importantes. Ces « princes » intéressés au renouveau commercial et enrichis par les défrichements allaient s'opposer au pouvoir des châtelains indépendants afin de reconstruire à leur profit de grandes dominations territoriales. Entourés de leurs administrateurs et de leurs sergents, ils s'efforceront de remettre à l'honneur le droit écrit, seul susceptible de les aider à gérer leur principauté et à assurer leur suprématie.

Les progrès de l'enseignement, aux XIe et XIIe siècles, suivirent l'essor économique, et furent stimulés par les nouveaux besoins en matière de justice et d'administration. L'abbé Guibert de Nogent, qui, né en 1053, écrivait vers 1115 ses confessions, oppose en ces termes les deux extrémités de sa vie :

> « Dans le temps qui précéda immédiatement mon enfance et durant celle-ci même, la pénurie des maîtres d'école était telle qu'il était à peu près impossible d'en trouver dans les bourgs : à peine s'il s'en rencontrait dans les villes. En découvrait-on par hasard? Leur science était si mince qu'elle ne saurait se comparer même à celle des petits clercs vagabonds d'aujourd'hui. »

Cet essor en matière d'éducation s'accentuera au cours du XIIe siècle et s'affirmera à travers le développement des écoles urbaines.

Dans le monde religieux, les évêques, qui dominent les principales cités et qui jouent un rôle administratif croissant, et les clercs qui assument des fonctions de prédication et d'enseignement vont voir leur influence s'élargir, du fait de l'essor économique et du développement commercial et urbain; et ils tenteront peu à peu de reprendre la suprématie que leur avait ravi les ordres monastiques et d'imposer leur propre vision du monde et leur conception particulière et moins exclusive des liens de dépendance vis-à-vis des « autorités », et par-delà de Dieu luimême.

Peu à peu, nous voyons que, sous la pression du progrès économique, le fractionnement et le renforcement de l'autorité autour des châtelains ou des abbés, la primauté des relations de dépendance personnelles et l'emprise de la coutume, qui était au cœur même du système de pensée roman, vont perdre de leur vigueur. Et inexorablement, ce système de pensée, lui-même sera amené à se transformer pour exprimer les nouvelles aspirations de groupes sociaux engagés entre eux dans des relations différentes.

La remise en cause du système de pensée roman ne s'opérera pas toujours au même rythme, avec la même vigueur et suivant les mêmes lignes de force dans toutes les régions d'Europe occidentale; les divers mouvements artistiques de la seconde moitié du XIIe siècle en font foi. La Catalogne, par exemple, retranchée dans ses montagnes, restera fidèle au style roman jusqu'en plein XIIIe siècle; tandis qu'en Angleterre, en Normandie, et surtout dans les villes du Nord de la France favorisées par l'essor économique, un puissant mouvement va se développer vigoureusement dès le deuxième tiers du XIIe siècle, remettant en cause les fondements même du système roman et proposant une nouvelle façon de penser et d'appréhender le monde, qui se manifeste dans le domaine qui nous intéresse par une esthétique nouvelle : le gothique, qui peu à peu étendra son aire d'influence à une bonne partie de l'Europe. C'est la naissance de ce nouvel ordre de la pensée que nous allons maintenant tâcher d'observer en mettant en parallèle les caractères spécifiques des œuvres du premier art gothique avec d'autres manifestations de la société contemporaine.

Dans la mesure du possible nous centrerons toutes nos observations sur un exemple unique : la façade occidentale de Chartres, qui, avec son triple portail sculpté, ses trois grandes verrières et ses éléments d'architecture, constitue l'ensemble le plus riche et le plus caractéristique de cette nouvelle esthétique qui s'élabore au milieu du XIIe siècle, dans une société qui peu à peu se transforme.

La réalité généralisée

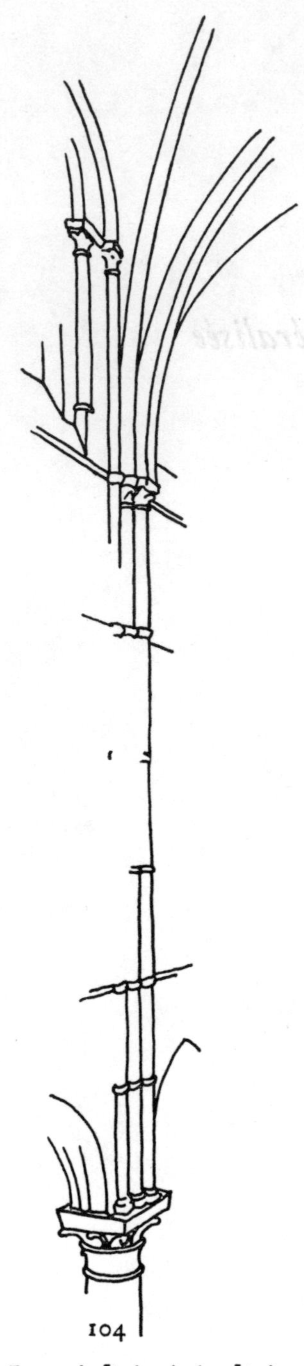

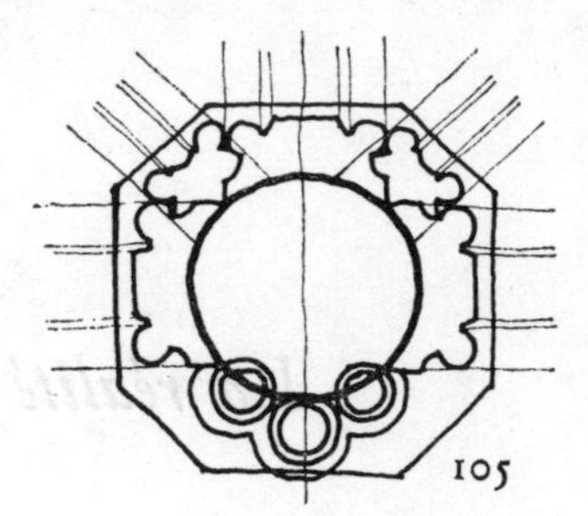

104 105 106

La réalité généralisée

◀ PLANCHE X
Chartres :
statue-colonne
du portail roya

PLANCHE XXVI
Chartres :
clocher sud. ▶

Page précédente :

PLANCHE XXV
Senlis :
la cathédrale
dans la ville.

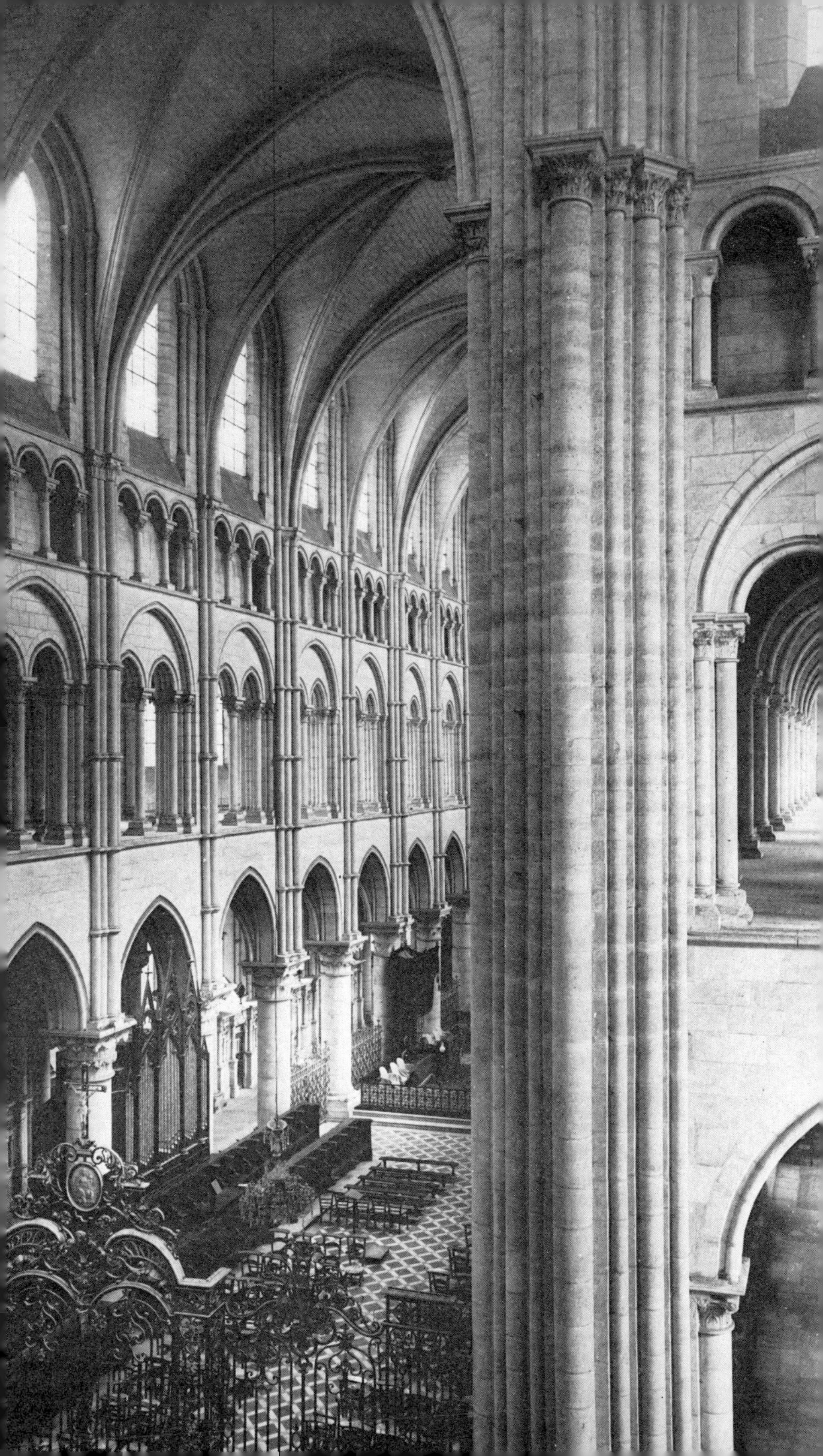

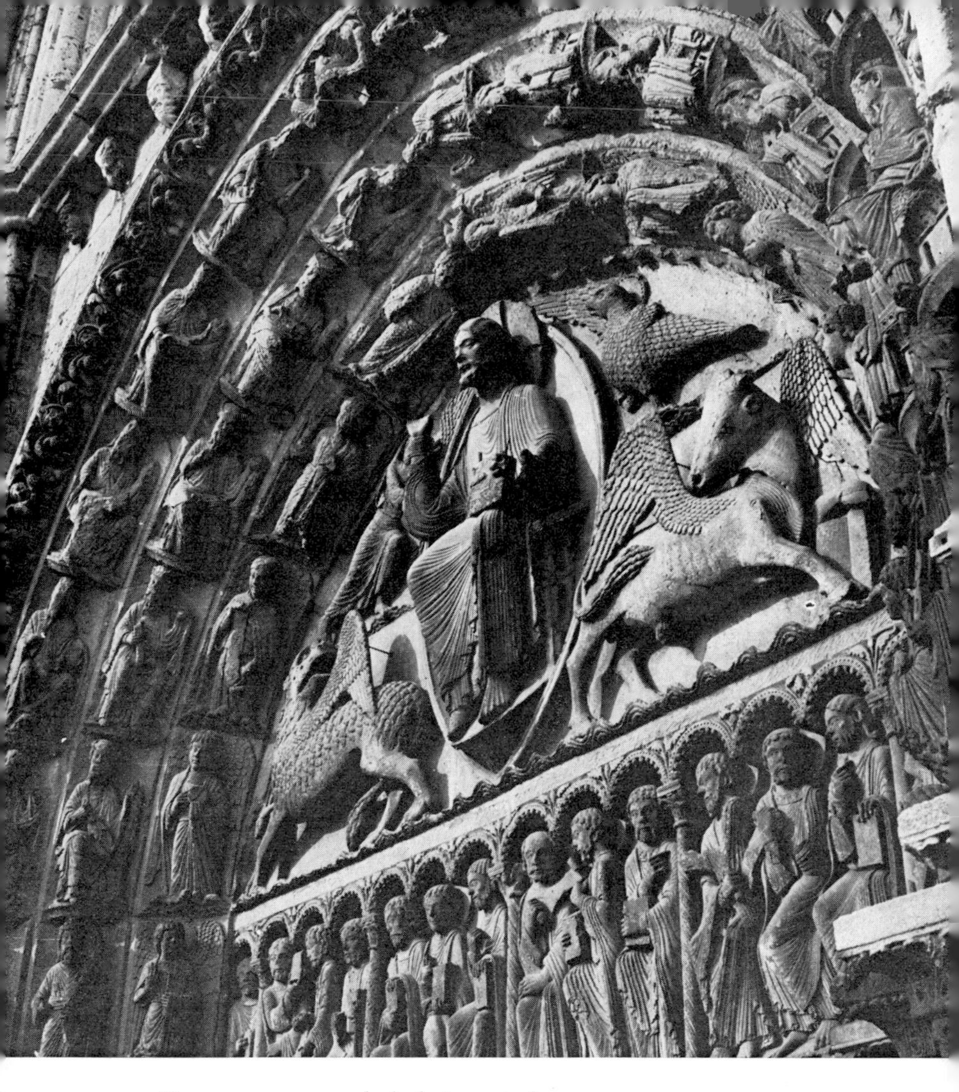

LANCHE XXXI - Chartres : tympan de la baie centrale
u portail royal.

◀ PLANCHE XXX - Laon : vue intérieure de la nef
e la cathédrale depuis le transept.

◀◀ PLANCHES XXVIII/XXIX - Chartres : le portail royal.

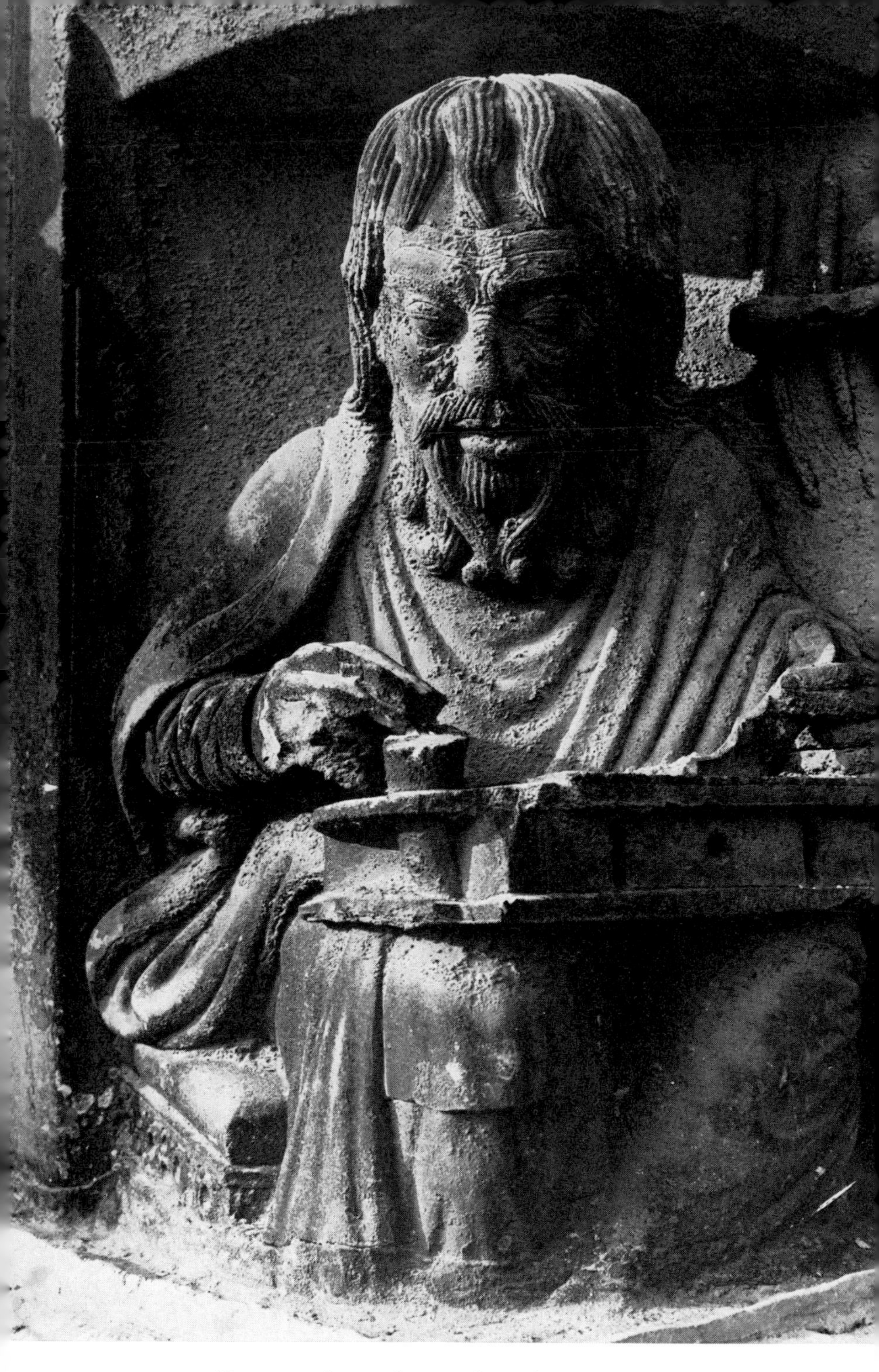

PLANCHE XXXII - Chartres : claveau du portail royal,
« Aristote figurant la dialectique ».

La réalité généralisée

Dans la façade occidentale de la cathédrale de Chartres et les œuvres du premier art gothique, nous allons voir que les principes d'organisation caractéristiques du style roman sont remis en cause au profit d'un nouvel ordre dont on retrouve l'expression dans les créations littéraires et théologiques contemporaines, comme dans l'évolution des pratiques juridiques et sociales de ce temps.

Dans un premier chapitre, nous allons observer comment sont caractérisés dans ce nouvel ordre gothique les éléments qui composent un même ensemble, quel qu'il soit. Ensuite, nous étudierons la façon dont ces éléments sont assemblés et coordonnés entre eux, et enfin, nous nous pencherons sur l'évolution des attachements et des transferts affectifs sous-jacents à cette nouvelle grammaire de la pensée. Cette analyse une fois faite, nous tenterons de voir quels furent les groupes humains qui avaient intérêt à élaborer et à voir s'élaborer un tel système de pensée pour renforcer leurs positions sociales et exprimer leurs désirs les plus profonds.

Pour les hommes de l'époque romane, nous l'avons vu, les éléments qui composent un ensemble peuvent être très hétérogènes et mal définis en eux-mêmes, ce qui compte, c'est la façon dont ils s'insèrent dans toutes sortes de réseaux de dépendances enchevêtrées. Pour les artistes chartrains et les hommes qui vivaient dans les villes de la France du Nord dans la deuxième partie du XIIe siècle, il en va autrement.

A Chartres (Pl. XXVIII, XXIX), l'élément s'émancipe des

déterminismes auxquels les artistes romans se plaisaient à l'assujettir.

Le lien qui rattache la figure au bloc de pierre qui lui sert de fond est moins pressant que dans les œuvres purement romanes.

Le Christ en gloire du portail central par exemple (Pl. XXV), est dégagé, presque en ronde bosse, et comme suspendu à la dalle du tympan. Il n'est plus comme les Pantocrators romans au cœur même de la muraille protectrice.

Le cadre architectural ou ornemental n'exerce plus de tension sur la figure qu'il contient.

Les personnages sculptés sur les claveaux des archivoltes, fortement dégagés, en haut-relief, ne sont que des décors d'applique, accrochés à la partie porteuse et fonctionnelle du claveau. Ils semblent tout à fait à l'aise, chacun dans l'espace qui lui est assigné, et l'on n'a jamais l'impression que leurs mouvements et leurs attitudes sont déterminés par les limites du bloc de pierre qui leur sert de fond. Aristote (Pl. XXXII), qui figure la dialectique, a le front ridé, l'air soucieux, il est penché sur son écritoire, et ne semble pas gêné par l'étroitesse de la petite niche dans laquelle il se trouve. Toute son attitude semble guidée par l'ardeur qu'il met à son ouvrage et non par les limites de l'espace dans lequel il est situé. Et cette petite niche voûtée elle-même n'est plus ici qu'un lieu matériel neutre aux caractères bien typés, incapable d'exercer une contrainte sur la figure qu'il contient, et sur la paroi à laquelle le philosophe a accroché son encrier et ses plumes comme s'il s'agissait de l'échoppe d'un quelconque écrivain public.

Les personnages traités en haut-relief, qui figurent dans les scènes du Nouveau Testament représentées sur la frise des chapiteaux, se détachent en clair sur le fond d'ombre créé par la forte saillie des arcades surmontées d'éléments d'architecture qui occupent la partie supérieure de ces chapiteaux. Les sculpteurs chartrains ont brisé, par cette composition, la dépendance chère aux artistes romans entre la figure et la pièce d'architecture. Les petits personnages ainsi représentés qui miment les principales scènes de la vie de Jésus ne se plient plus au schéma ornemental dérivé du modèle corynthien et ne semblent pas participer à la fonction portante du chapiteau. Leurs pieds bien posés sur la moulure qui fait la transition avec le fût des colonnes, ils ont des attitudes et des mouvements qui leur sont propres, comme des acteurs sur la scène d'un théâtre. Et la frise des chapiteaux n'est plus ici qu'un espace de représentation neutre, incapable de conditionner la morphologie des êtres qui y prennent place.

On ne trouve plus non plus à l'œuvre, dans le portail royal, ce cadre intérieur, cette trame de composition toute-puissante sur les variations de laquelle toute une humanité s'était définie pendant la période précédente. Les petites figurines qui évoluent dans le décor à entrelacs des colonnettes ont une anatomie bien typée qui n'est en aucune mesure conditionnée par les méandres de la tige végétale sur laquelle elles s'accrochent. Elles sont autonomes et se déplacent dans cette végétation luxuriante et féerique comme s'il s'agissait d'un espace matériel familier.

Certes, il faut être très nuancé; en cherchant bien, on trouve à Chartres des traces de ces principes de composition qui ont été de mise durant la période romane. Le tympan qui représente l'ascension du Christ semble bien avoir été composé suivant un schéma d'ordonnancement d'origine végétale, et les anges s'efforcent de frôler de leurs ailes le cadre délimité par l'arc brisé des archivoltes. Mais ces procédés de composition traditionnels que l'on perçoit encore à l'œuvre par moments ne constituent plus ici le système dominant. Ce sont des archaïsmes qui disparaîtront dans les créations ultérieures.

Tous les réseaux de contraintes enchevêtrées qui enserraient les figures romanes vont être remis en cause dans l'art gothique du XIIe siècle, et l'individu, l'animal, le végétal, l'objet, vont pouvoir émerger du lacis de sujétions qui les emprisonnaient et affirmer leur identité, leur spécificité.

Ce lacis de sujétions auquel les artistes romans se plaisaient à inféoder leurs figures sculptées ou peintes était, nous l'avons vu, lié à un resserrement des contraintes familiales et sociales dans la société féodale contemporaine. De la même façon, nous verrons plus loin que le desserrement de ces mêmes contraintes architecturales et ornementales dans le premier art gothique correspond à un lent mouvement d'émancipation des individus et des groupes hors des anciennes sujétions lignagères ou vassaliques qui les enserraient rigoureusement à l'époque romane, et qui peu à peu s'avéreront, à partir de la deuxième partie du XIIe siècle, et du fait de l'évolution économique et politique du monde féodal, moins utiles et plus gênantes.

A Chartres, les mouvements étranges et l'expressivité épique qui arrachaient les personnages romans à leur propre moi pour les faire participer à une vision d'ensemble sont ignorés; toutes les figures apparaissent beaucoup plus calmes et paisibles. Certes, elles ne sont pas toujours au repos, mais leurs mouvements ne semblent jamais gratuits. Le paysan figuré sur un claveau en train de tuer son cochon, les apôtres qui devisent ensemble sur le linteau, ou même, les petites figures qui se déplacent dans le décor fastueux des colonnettes ont tous un mouvement qui semble être la pure et simple expression de l'activité qu'ils ont entreprise.

Il n'y a pas de mouvements inutiles dans le monde de Chartres. Si le sculpteur ne cherche plus à entraîner la figure dans un univers mystique en lui imprimant des mimiques étranges, il ne cherche pas non plus à représenter le geste spécifique d'un individu particulier. L'anecdote est bannie de cet univers. C'est le mouvement fonctionnel qui est magnifié, celui qui exprime l'appartenance à un état déterminé qui a sa place dans l'ordre de la création.

Sur le plan de l'expressivité il y a comme un reflux à Chartres, vers un plus grand réalisme, vers une plus grande humanité des figures.

Alors que le visage hiératique du Christ de Tahul au regard presque insoutenable était l'expression pure et désincarnée de sa puissance divine, et que par sa seule présence il déniait toute valeur à une quelconque réalité. Le visage du Christ de Chartres (Pl. XXVI) ou ceux des rois et reines de l'ancienne loi sont des visages humains. Aussi idéalisés soient-ils, ils se réfèrent à notre univers quotidien. La saillie des arcades sourcilières et des pommettes est doucement modelée. Les courbures des lèvres et les rides sur le front des plus âgés sont comme des plissements de peau et ne sont plus marqués par des sillons hiératiques comme à Moissac. Tout est traité ici par référence à des visages de chair. Mais ces visages n'ont pas la diversité que l'on peut rencontrer dans la réalité. Ce ne sont pas des portraits. Larges, pleins, symétriques, sans aucun défaut, sans aucun signe distinctif, les cheveux légèrement ondulés, ils ont tous comme un air de famille. Ils n'appartiennent pas à tel ou tel individu mais à l'humanité en général.

Les barbes et les cheveux légèrement ondulés ne servent plus de prétexte à toutes sortes de compositions ornementales. Ils sont délicatement indiqués comme une matière floue bien spécifique et les tresses des femmes sont constituées d'une imbrication vraisemblable de mèches de cheveux. Pourtant l'artiste ne cherche pas à imiter un système pileux particulier. Jamais des cheveux tressés ne pourraient tomber comme nous le voyons ici, de façon absolument verticale.

Il n'y a pas que les personnages à Chartres, qui soient traités de cette façon ambiguë en se référant à des formes naturelles tout en se gardant bien de transcrire une réalité particulière.

Les moutons qui accompagnent les bergers le jour de la Nativité, sont minuscules, ils leur arrivent à peine aux chevilles. Ils ont la taille qui sied à leur importance dans la scène sacrée. Et malgré cet « irréalisme » ils sont traités d'une façon très précise qui témoigne d'un sens aigu de l'observation. Les animaux de l'Apocalypse qui entourent le Christ en gloire et qui sont des figures symboliques par excellence ont néanmoins des corps pesants qui sont des corps de chair. Le pelage du lion de saint Marc constitué d'une juxtaposition de petites touffes de poils et la queue du taureau de saint Luc (Pl. XXXI), ne servent pas comme à Moissac de prétexte à une composition décorative abstraite, mais se réfèrent à la réalité physique d'une toison animale.

Les ailes des anges ne sont pas des faisceaux de lanières courbes qui se plient au gré de la composition comme c'est souvent le cas dans l'art roman, mais des imbrications de plumes dont la penne centrale est bien marquée.

Les artistes chartrains cherchent à créer des images vraisemblables à l'aide d'un vocabulaire plastique qui s'inspire des formes naturelles et avec lequel il recomposent un monde idéal, rigoureux, épuré de tous ses accidents, de tous ses particularismes inutiles.

Le vêtement qui était utilisé par les artistes romans comme signe, comme symbole ou comme procédé de composition, prend parfois à Chartres une matérialité nouvelle (Pl. XXVI, fig. 107), il commence à apparaître comme une construction de tissu obéissant à ses lois propres. Les plissés fins des corsages sont différenciés des étoffes plus lourdes des robes et des manteaux. Les galons des encolures sont traités avec beaucoup de délicatesse par référence à une réalité de broderie. Les plis des vêtements des personnages dont la facture est la plus moderne, ne se polarisent plus sur les corps qu'ils recouvrent, mais obéissent à leur propre pesanteur. Pourtant l'artiste ne cherche pas à imiter ce qu'il voit. Jamais aucune figure vivante ne pourrait se draper à la façon de ces statues colonnes. Jamais les plissements d'une étoffe ne pourraient atteindre à une telle régularité (Pl. XXVI). Le vêtement est ici une composition rigoureuse jusqu'à l'absurde.

Cette façon très particulière dont les artistes du premier art gothique aimaient à caractériser les éléments constituant un ensemble, par référence à des concepts généraux excluant toute expression individuelle, s'exprime bien dans leur manière de traiter les végétaux. La flore ornementale romane était, nous l'avons vu, dérivée de modèles antiques. A l'époque gothique, on voit apparaître une nouvelle flore qui se réfère, elle, à la réalité occidentale. Mais alors que dans l'art gothique du XIIIe siècle, comme dans les portails du transept de Chartres, l'on peut voir des compositions végétales faisant référence à des espèces bien déterminées, comme la vigne, l'églantier, le lierre, le houx, le figuier, l'aubépine. Dans le premier art gothique comme à Notre-Dame de Paris, on voit apparaître une flore qui se réfère à des formes végétales telles qu'on peut en trouver dans les campagnes d'Occident. Les feuilles qui sont sculptées sur les chapiteaux sont grasses, modelées, souples et vivantes. Pourtant elles n'appartiennent à aucune espèce végétale particulière. Elles constituent ce que Denise Jalabert a appelé très justement une « flore généralisée ».

Si l'on reprend ce même terme, on peut dire que l'humanité du portail royal de Chartres est une humanité « généralisée ». Les artistes font alors abstraction de ce qu'un personnage ou une plante peuvent avoir de trop particulier pour s'intéresser à ce qui chez lui est spécifiquement humain ou végétal.

De façon plus large, on dira que les éléments que les artistes du premier art gothique aiment à isoler dans un ensemble sont bien caractérisés et se rattachent tous à une « réalité généralisée » dépouillée de tous ses particularismes individuels.

Cette nouvelle approche, ce nouveau cadre de référence, à l'œuvre dans la première sculpture gothique a entraîné un puissant mouvement de clarification sur le plan iconographique.

Les monstres composites qui gravitent autour du portail méridional d'Aulnay, comme les peuplades fabuleuses qui se regroupent autour du Christ de la Pentecôte de Vézelay, et toutes les figures troubles et inquiétantes qui prennent place sur les innombrables chapiteaux romans ou se métamorphosent suivant les ondulations d'un rinceau, sont bannis des nouvelles cathédrales. Par contre, le monde quotidien prend place dans l'ordre sacré des portails, le travail manuel s'y exprime à travers les représentations des travaux des mois et le travail intellectuel à travers les arts libéraux.

Le mouvement qui affecte l'iconographie de la deuxième moitié du XIIe siècle a entraîné une réhabilitation de la réalité occidentale et une remise en ordre sélective des thèmes traditionnels hérités de l'Antiquité et de l'Orient.

Les artistes ont opéré un choix dans le vaste répertoire hétéroclite dont ils avaient hérité. Ils ont abandonné un grand nombre de motifs par trop étranges ou mal définis, malgré leur ancienneté. Ils n'ont plus utilisé le symbolisme de façon libre et foisonnante et se sont efforcés de codifier leur vocabulaire plastique, d'en faire une écriture sacrée où chaque terme soit bien défini et ait une ou plusieurs significations fixes admises par tous.

Ils ont unifié progressivement les variantes de certains thèmes hérités de traditions différentes comme la crucifixion, et sont arrivés à élaborer une iconographie générale et cohérente, regroupant de multiples catégories de représentations en un tout bien composé et harmonieux qui puisse représenter alors aux yeux de tous la quintessence même de la réalité naturelle et surnaturelle.

Émile Mâle parle du XIIIe siècle où tout est « ordre et lumière » en matière de thèmes et de signification, et montre que le mouvement de clarification s'amorce déjà à Chartres.

Le conformisme iconographique des artistes romans était lié à la suprématie de la coutume en matière juridique. De la même manière, l'effort de clarification iconographique de l'art gothique est associé au renouveau du droit écrit et à l'effort de clarification juridique qui s'affirme peu à peu dans le courant du XIIe siècle, et de façon particulièrement vigoureuse dans ces villes du Nord de la France qui furent les berceaux de la nouvelle esthétique.

La coutume et les anciennes pratiques de jugement comme l'ordalie ou le duel judiciaire, qui étaient en vigueur à l'époque romane, vont se trouver de plus en plus mal adaptées, au cours du XIIe siècle, aux nouveaux besoins d'une société plus prospère où le commerce est en pleine expansion et où les grandes principautés territoriales qui s'étaient défaites à l'orée du XIe siècle commencent à se reconstruire. Et, peu à peu, le droit écrit va reprendre de l'importance, et de nouvelles juridictions plus larges vont se mettre en place.

Cette mise en cause de l'immémoriale coutume et ce renouveau du droit écrit vont conduire à supprimer bien des particularismes et à préciser des règles et des situations de référence bien définies. La taille, qui était exigée arbitrairement par les seigneurs à l'époque romane, va devenir, à partir du milieu du XIIe siècle, une redevance périodique dont le montant sera fixé une fois pour toutes. Et les manants ou les bourgeois vont s'unir dans bien des cas pour acheter des chartes de franchise les libérant de certaines exactions arbitraires et limitant les droits de justice du maître de la forteresse.

Même les seigneurs, pour se procurer les sommes d'argent nécessaires à la satisfaction de leurs nouveaux besoins, vont devoir remettre en cause la coutume afin de transformer les prestations en nature qui leur sont dues par des redevances en numéraire.

« A une période singulièrement mouvante, dit M. Bloch, à un âge d'obscure et profonde gestation, va donc succéder, à partir de la seconde moitié du XIIe siècle, une ère où la société tendra désormais à organiser les relations humaines avec plus de rigueur, à établir entre les classes des limitations plus nettes, à effacer beaucoup de variétés locales, à n'admettre enfin que de plus lentes transformations. »

Cette description de l'évolution des structures juridiques et sociales au XIIe siècle pourrait s'appliquer presque mot pour mot à l'évolution de l'iconographie, et par-delà, de la sculpture monumentale qui passe, à cette même époque, de l' « obscure et profonde gestation » des chapiteaux romans, à l'ordre rigoureux du portail royal, dont les éléments constituants sont bien caractérisés par rapport à des modèles universellement admis et ne sauraient se modifier au gré de la composition.

Dans un monde féodal plus pacifique et plus policé, où la propriété commence à être garantie contre les convoitises par une juridiction supérieure, les anciennes solidarités féodales et lignagères vont peu à peu perdre de leur importance. Dès la fin du XIIe siècle, on note dans les chartes françaises ayant trait à des transactions une tendance à borner aux plus proches la recherche des approbations familiales, et à partir du XIIIe siècle, on voit se substituer aux vastes parentèles de naguère des groupes plus voisins de nos étroites familles d'aujourd'hui. La châtellenie cesse progressivement d'être la pièce maîtresse des pouvoirs de justice.

« Vassal ou mandataire d'un prince qui se prétend la source de la paix et de la justice, le gardien de la forteresse est ainsi dépouillé par le haut des plus élevées de ses prérogatives. La protection qu'il accorde à moins de prix puisque les manants peuvent maintenant recourir directement au roi, au duc, aux puissances ecclésiastiques. Le ban qu'il conserve encore prend un caractère plus nettement privé : il est plus facilement démembré, partagé entre les héritiers ou vendu par morceaux. »

Ce cadre juridique stable qui se met progressivement en place au cours de la période gothique et qui suit la reconstruction de la puissance publique, va permettre à l'individu de s'émanciper du lacis de sujétions qui l'enserrait à l'époque romane et d'affirmer son autonomie et sa spécificité.

Le portail royal de Chartres témoigne dans son domaine de cette résurgence du concret et de l'humain hors des vieux cadres qui les enserraient à l'époque romane. Résurgence que l'on perçoit aussi en littérature, dans la façon nouvelle dont les poètes ne se bornent plus à retracer des faits d'armes épiques, mais cherchent avec beaucoup d'application à analyser les sentiments de leurs héros et à mettre en scène dans les épisodes guerriers des combats singuliers, au détriment des grands chocs d'armées chers aux anciens chants.

Ce sens nouveau de l'observation va de pair avec une plus grande rigueur d'exposition. A partir du milieu du XIIe siècle on voit apparaître le « roman » qui n'est plus récité par le poète qui peut y insérer des passages de son cru, mais qui est conçu et rédigé pour être lu et dont toute improvisation est bannie.

L'évolution qui affecte la société, l'art et la littérature du XIIe siècle, s'exprime aussi dans le domaine théologique.

Au cours du XIIe siècle, de nouvelles conceptions de la place de l'homme dans le monde vont se faire jour. Les penseurs vont abandonner les naïvetés hétéroclites des bestiaires et des lapidaires, pour mieux observer la réalité. Ils vont redécouvrir des textes oubliés qui correspondent à leurs nouveaux désirs, comme les traductions d'Aristote ou les commentaires de Denys, qui font référence à une vision plus organisée, plus « rationnelle » de l'univers dont l'homme fait partie.

Peu à peu au XIIe siècle le monde n'apparaît plus, nous dit le père Chenu comme « une série incohérente de phénomènes et d'événements, que l'âme pieuse réfère sommairement à la mystérieuse et implacable volonté d'un démiurge; c'est un ensemble organique, homogène, dont l'observation est non seulement possible, mais efficace et délectable, dans une vive et fine opération de l'intelligence ». L'homme lui-même est une nature qui fait partie de cet univers où sa liberté réagit au milieu des déterminismes qu'il observe.

Une controverse très symptomatique opposait au XIIe siècle deux théories opposées tendant à expliquer la place de l'homme dans la création. Pour la première, qui fut défendue notamment par le bénédictin saint Anselme et que l'on pourrait qualifier de romane, parce qu'elle semble être la transcription des grandes visions apocalyptiques des tympans où les individus n'existent que par et pour la formidable apparition du Pantocrator, l'homme fut créé par Dieu pour suppléer, dans un monde restauré, les anges déchus qui participaient à sa cour céleste, et sa vocation profonde, c'est le service de son maître. Pour la seconde théorie, qui va supplanter la précédente dans le cours du XIIe siècle comme l'art gothique supplantera l'art roman, l'homme a été créé pour lui-même, « selon la densité originale d'une certaine nature conduite selon certaines lois, dans un environnement d'êtres et de choses à lui référés, où il trouve son contexte vital et la matière de ses entreprises » (Chenu). Cette deuxième conception est beaucoup plus conforme à la vision qui se développe dans le portail royal de Chartres et dans le premier art gothique, et à l'image d'une société moins anarchique, régie par des règles mieux définies où la puissance publique se reconstruit lentement et où les individus et les groupes acquièrent peu à peu une certaine autonomie face à la domination des châtelains locaux.

Le monastère, qui était à l'époque romane la « cité de Dieu », et où les moines, ses « hommes » les plus fidèles, chantaient perpétuellement sa louange, va perdre, dans cette vision nouvelle d'un univers plus autonome, sa prééminence.

« Le monde existe et des chrétiens y vivent; c'est leur vocation. Les états de vie profanes sont matière de grâce et de salut. Hors la profession monastique, hors la cléricature, le baptême est déjà renoncement au démon et au " monde " » (Chenu).

Au milieu du XIIe siècle Gerhold de Reichersberg évoque : « cette grande fabrique, ce grand atelier, l'univers », et affirme :

« Chaque ordre en effet, et plus généralement toute profession, trouve dans la foi catholique et la doctrine apostolique une règle adaptée à sa condition, et s'il mène sous elle le bon combat il pourra ainsi parvenir à la couronne. »

L'idée qui se fait jour au XIIe siècle, que le salut ne s'acquiert plus par une soumission totale et presque physique à la personne du Dieu-Seigneur, mais par le respect de la juste règle, par la conformité à certains modèles de comportement fonctionnels, va permettre de réhabiliter, comme nous l'avons vu à Chartres, une réalité quotidienne, épurée de toutes ses étrangetés, de tous ses particularismes, de tout ce qui ne peut trouver sa place dans l'ordre et la clarté de cette « grande fabrique » bien ordonnée, présidée par un Dieu-juge.

Face à ce monde utopique de référence que construisent les théologiens et qui n'est pas sans analogies avec celui qui s'élabore sur le plan social, la grande question est de savoir si l'individu est ou n'est pas conforme aux modèles idéaux qui lui sont proposés, s'il suit ou transgresse les règles qui lui sont prescrites, et cela met en cause sa détermination personnelle.

A l'image de la petite âme de Saint-Benoît-sur-Loire du XIe siècle complètement dominée par le conflit qui oppose l'ange et le démon essayant de s'emparer de sa personne, on va voir de plus en plus souvent succéder à partir du XIIe siècle la pesée des âmes, qui est une opération plus délicate, qui suppose une observation plus fine des vertus et des vices propres à l'individu. C'est au XIIe siècle aussi que la pratique de la confession de fidèle à prêtre, renfermée jusque-là dans le milieu monastique se propagera chez les laïcs.

Dans ce monde qui prend une conscience plus nette de ses caractères particuliers, ceux qui sont en marge de la société chrétienne, qui ne se plient pas à ses modèles et qui transgressent ses règles, vont être de plus en plus souvent rejetés. L'église va durcir son attitude vis-à-vis des hérésies, et les condamnations de doctrines erronées seront plus fréquentes. Le concile du Latran de 1215 imposera le port d'un signe distinctif aux juifs, et celui de 1179 prescrira la relégation des lépreux hors des agglomérations, en marge du monde chrétien.

L'évolution qui affecte la pensée religieuse au XIIe siècle ne se manifeste pas uniquement dans l'élaboration d'une nouvelle image du monde, mais aussi, et cela est fondamental, dans une nouvelle pratique intellectuelle liée à une nouvelle méthode d'enseignement : la scolastique.

« Au cours du XIIe siècle, les écoles urbaines prennent de façon décisive le pas sur les écoles monastiques. Issus des écoles épiscopales, les nouveaux centres scolaires s'en affranchissent par le recrutement de leurs maîtres et de leurs élèves, par leurs programmes et leurs méthodes... L'étude et l'enseignement deviennent un métier, l'une des nombreuses activités qui se spécialisent sur le chantier urbain... Le livre devient instrument et non plus idole. Comme tout outillage, il tend à être fabriqué en série, il fait l'objet d'une production, d'un commerce. » (Le Goff.)

Chartres était au XIIe siècle l'un des centres intellectuels de premier plan où s'opéra cette mutation. Le fait de voir représentés sur le portail royal les sept arts libéraux, que trois personnages y sont figurés en train d'écrire et que l'on peut dénombrer près de quarante livres ou rouleaux entre les mains des principaux acteurs du drame, témoigne de façon naïve de ce renouveau intellectuel.

Mais il n'y a pas que cette transcription du réel sur le figuré. Le lien unissant les nouvelles pratiques intellectuelles qui s'élaborent dans les villes et les nouvelles pratiques artistiques est beaucoup plus profond.

Les maîtres de la scolastique comme les artistes du premier art gothique, mais sur un autre plan, vont s'émanciper d'un certain nombre de sujétions qui limitaient l'autonomie de leurs démarches, et en premier lieu de ce respect immodéré des « autorités » qui caractérisait les théologiens monastiques. Ils vont passer les textes de base au crible de la raison et chercheront à faire appel à l'intelligence pour entraîner la conviction. Il ne s'agit pas pour eux de « prouver la foi », mais comme le dira saint Thomas d'Aquin « de rendre clair tout ce qui est avancé dans cette doctrine ». Comme sur le plan social, il ne s'agit pas tant pour les divers groupes en présence à l'époque gothique de mettre en cause ou de justifier le féodalisme et le pouvoir des grands, que de s'efforcer de l'aménager en l'insérant dans un ensemble rationnel et ordonné.

Alors que le discours roman n'était le plus souvent qu'un commentaire foisonnant autour d'un certain nombre de données de base traditionnelles auxquelles on adhérait de façon subjective, comme la sculpture décorative n'était qu'une variation infinie autour d'une trame immuable, le discours gothique ou scolastique va devenir en soit une construction objective et rationnelle, et devra se plier de façon évidente à un certain nombre de règles strictes et « universelles » pour être accepté. Il devra être comme disait saint Thomas d'Aquin, « conforme à l'ordre de la discipline ».

Dans leurs écrits, les maîtres s'efforceront de bien individualiser les éléments de base de leurs raisonnements en posant des questions bien précises à propos de chaque proposition d'un texte, en divisant leurs exposés en chapitres, eux-mêmes subdivisés en éléments d'importance moindre, qui s'articulent entre eux dans une construction devant « rendre palpable et explicite l'ordre et la logique de leur pensée » (Chenu). Nous sentons chez les maîtres de la scolastique, tant au niveau de leur conception du monde que dans leur façon d'appréhender les problèmes et d'exposer leurs idées, une même recherche pour individualiser les éléments de base qui constituaient un ensemble, et pour caractériser ces éléments par rapport à un certain nombre de normes et de règles universellement admises.

Nous avons vu que la sujétion de l'élément autour d'un pôle de regroupement tout-puissant qui était caractéristique du système de pensée roman, se trouvait transposée en architecture dans le lien qui relie le contrefort ou la demi-colonne à la masse de la muraille ou du pilier, et aussi dans l'inféodation successive des volumes. Dans le premier art gothique, ces lignes de force, essentielles de l'architecture romane vont être naturellement remises en question.

Dans la façade occidentale de Chartres, la paroi disparaît, au niveau des piedroits du triple portail (Pl. XXVIII, XXIX), et des trois baies qui le surmontent, derrière des faisceaux de colonnes de toutes tailles. Elle n'apparaît plus que comme un remplissage entre un réseau d'arcs, de corniches et de pilastres puissamment modelés, qui semblent constituer avec les colonnes l'essentiel de la structure porteuse. Et dans la tour sud (Pl. XXVII), les contreforts font fortement saillie à l'extérieur, et les baies des deuxième et troisième niveaux occupent, avec leurs successions d'archivoltes et de colonnettes, tout l'espace compris entre ces contreforts au détriment de la paroi qui ne joue plus visuellement qu'un rôle secondaire. La muraille toute-puissante qui constituait le noyau de l'architecture romane est ici remise en cause. Elle perd visuellement sa suprématie et son autorité et n'apparaît plus que comme une succession de plans verticaux qui participent à une structure plus complexe.

Dans le même temps, les voûtes romanes qui prolongeaient les murailles et déterminaient des espaces simples, fermés, protecteurs, que les doubleaux et les moulures venaient magnifier, vont être mises en pièces par les architectes du premier art gothique (Pl. XXX) qui vont les décomposer en un certain nombre d'arcs et de quartiers de voûte juxtaposés ayant chacun un rôle précis à jouer. Et le pilier cruciforme cher aux bâtisseurs romans va être remplacé par des éléments aux caractères mieux définis : de grosses colonnes, uniques ou accolées par deux, comme à Paris et à Sens, ou des compositions de colonnettes en délit dégagées du pilier central auquel elles ne sont rattachées que de loin en loin par une baque de pierre, comme à Laon (fig. 104, 105, 106, 109).

Les nouvelles cathédrales ne sont plus composées à de rares exceptions près, par une inféodation successive de volumes autour d'une tour qui surmonte la croisée du transept. A Sens, à Paris, à Noyon, cette tour est purement et simplement supprimée, et les clochers sont disposés à la périphérie de l'édifice.

Ces églises ne sont plus des images idéalisées du château féodal centré et dominé par un puissant donjon, mais bien plutôt des transpositions mystiques d'une cité dont les tours de défense sont rejetées à la périphérie, le long de l'enceinte extérieure (Pl. XXV).

Les bâtisseurs de la deuxième partie du XIIe siècle qui cherchent à affirmer l'autonomie de chacun des membres fonctionnels de l'édifice s'efforceront parallèlement de limiter la gamme des composants qu'ils utilisent. Les procédés de voûtement, la structure des points d'appui, les profils des moulures et des arcs, vont peu à peu constituer les éléments bien caractérisés d'une écriture architecturale qui se voudra universelle. Et les constructions gothiques n'auront pas la diversité foisonnante de celles de l'époque précédente.

Il faut noter que la mutation que l'on observe entre l'architecture romane et gothique est beaucoup plus marquée sur le plan esthétique que sur le plan technique.

D'un point de vue constructif il n'y a pas grande différence entre la façade occidentale de Chartres et celle, romane, de l'Abbaye-aux-Hommes de Caen, constituée d'une immense muraille percée de trois portes et de trois fenêtres hautes. Les

108

colonnes, les colonnettes, les archivoltes et les moulures, qui dominent visuellement à Chartres, ne jouent pas un rôle majeur sur le plan statique, et c'est le noyau de maçonnerie de plus de trois mètres d'épaisseur qui les supporte, qui encaisse encore en fait l'essentiel des poussées.

De même, dans biens des cas l'efficacité technique des croisées d'ogives est sujette à caution. A Morienval (fig. 108), qui est une des premières réalisations de ce nouveau procédé de voûtement en Ile-de-France, les grosses moulures cylindriques des croisées d'ogives du déambulatoire sont disproportionnées par rapport à l'exiguïté des quartiers de voûte qu'elles sont censées supporter et qui n'auraient pas eu besoin de ce renfort. Dans ce cas, il est clair que l'adoption de cette innovation a dû compliquer la tâche des maçons plus qu'elle ne l'a simplifiée.

La statique et la résistance des matériaux ont leurs exigences propres qui ne concordent pas toujours avec les impératifs et les règles particulières d'une esthétique et d'un système de pensée quels qu'ils soient. Le rôle des bâtisseurs est d'élaborer un compromis entre ces deux systèmes, plastique et constructif, auxquels ils doivent se soumettre également. Au cours du XIIe siècle, ils ont adapté par tâtonnements successifs leurs techniques de construction à la nouvelle esthétique, ils ont innové, ils ont inventé et ils sont arrivés très vite, en tout cas en matière de voûtement, à des synthèses où l'imbrication entre les impératifs techniques et esthétiques est tellement serrée que l'on serait bien incapable de différencier, comme on peut le faire encore à Morienval, le domaine de la plastique de celui de la nécessité constructive.

Le mouvement qui conduit vers l'architecture gothique n'est pas le simple contrecoup de progrès en matière de construction, il a été en grande partie impulsé par une mutation des besoins esthétiques qui ont entraîné par la suite l'adoption de nouvelles techniques. Si l'on analyse méticuleusement dans la façade occidentale de Chartres les caractères particuliers des diverses campagnes de construction qui se sont échelonnées au XIIe siècle, on peut saisir sur le vif cette mutation entre l'esthétique romane et gothique. Mutation qui n'est pas liée en l'occurrence à une évolution des techniques de construction, car celles-ci sont les mêmes dans toutes les parties de la façade, mais bel et bien à une réorientation profonde du système de pensée lui-même.

Deux tours encadrent la façade occidentale de Chartres : la tour nord, que nous qualifierons de romane, a reçu au XVIe siècle un couronnement flamboyant, mais ses premiers étages sont du XIIe siècle, et c'est par là que commença l'édification de la façade vers 1135 ; la tour sud (Pl. XXVII), que nous qualifierons de gothique, construite sur le même plan et avec les mêmes techniques que la tour nord, fut entreprise quelques années plus tard vers 1144 et terminée vers 1160.

Dans la tour gothique, le soubassement, qui inclut dans une même bande moulurée les bases des colonnes et des contreforts, est plus fortement affirmé que dans la tour romane. Les saillies des moulures y sont plus vigoureuses, et surtout, il y a une recherche de continuité dans leurs profils qui tend à affirmer visuellement le soubassement comme une entité architecturale bien définie.

Les archivoltes des arcs du premier et du deuxième étage sont exprimées de façon plus vigoureuse, dans la tour gothique. La corniche qui sépare les deux premiers niveaux y est plus épaisse et plus saillante. Elle a l'allure d'un puissant chaînage. Les plus inclinés qui limitent à chaque niveau la section des contreforts y sont plus horizontaux, plus vifs, ils font vibrer les verticales et affirment une succession de séquences, alors que les transitions plus douces qui sont ménagées dans la tour romane ont tendance à faire perdre au contrefort sa valeur d'élément autonome bien découpé et à le fondre dans la muraille.

Au premier étage, la paroi entre les contreforts disparaît dans la tour gothique, pour laisser place à une multiplication de colonnes et de moulures et les ouvertures qui apparaissent comme des évidements dans une structure complexe sont équidistantes des contreforts. Dans la tour romane au contraire, un élément de la paroi reste apparent et nu sur le côté de chacune des baies qui sont conçues comme des percements dans une muraille et qui se pressent contre le contrefort central comme les personnages romans venaient se presser autour de la grande figure du Christ des tympans. Au-dessus de ces baies, une double arcade aveugle montée sur de hautes colonnes, et une multiplication de plans et de saillies vient faire disparaître à nos yeux dans la tour gothique le nu de la paroi, alors que dans la tour plus ancienne au contraire, c'est cette muraille qui nous est présentée et que les contreforts viennent même magnifier en venant s'y fondre par l'intermédiaire d'un long plan incliné.

A travers ces variations de détails, autour de deux structures assez voisines, c'est quelque chose d'assez fondamental qui est en train de se passer. Nous voyons s'affirmer dans le court laps de temps qui sépare la construction du clocher nord de celle du clocher sud, les fondements d'un nouveau système de pensée, qui s'exprime par ailleurs en sculpture, en théologie et sur le plan social, et qui tend à affirmer l'autonomie des divers éléments qui constituent un ensemble en les arrachant aux vieilles sujétions qui les enserraient dans le système précédent.

Si les hommes de la deuxième partie du XIIe siècle ont pu remettre en cause aussi radicalement les liens de dépendance auxquels leurs prédécesseurs s'efforçaient de soumettre toutes leurs créations c'est parce qu'ils ont adhéré à un nouvel ordre capable de se substituer aux anciennes dépendances, pour assurer la protection de l'individu contre les dangers du monde.

C'est ce nouvel ordre, cette nouvelle façon de structurer les éléments d'un ensemble quelconque, qu'il nous faut maintenant tenter d'appréhender.

Les solidarités du groupe

La porte est ouverte à tous... quiconque viendra et de quelque partie qu'il vienne, s'il n'est pas larron, en la commune vivre pourra, et dès qu'il sera en la ville entré, nul ne pourra à lui mettre main ou par violence traiter.

Commune de St-Quentin, 1151.

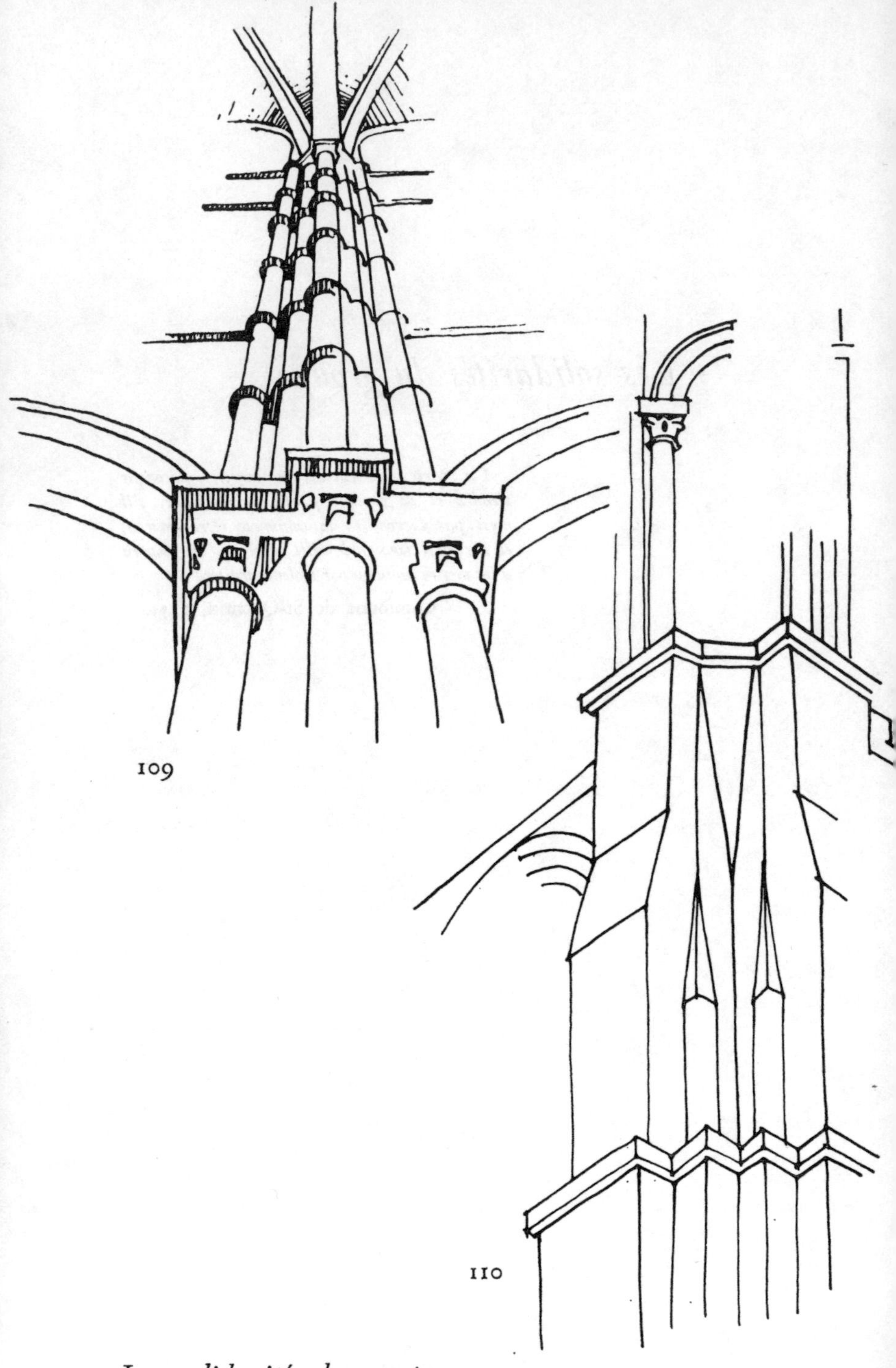
109
110

Les solidarités du groupe

Les hommes de la deuxième partie du XIIe siècle qui vivaient dans la France du Nord, dans ces villes qui étaient à la pointe du progrès économique, ont trouvé dans la solidarité des égaux une alternative avantageuse à la sujétion du plus faible au plus puissant.

Alors que dans les œuvres romanes, des personnages de taille et de morphologie variables se trouvent souvent réunis dans la même scène et participent à la même action sans que l'on se soucie de les hiérarchiser, dans le portail royal de Chartres les figures sont réparties par groupes homogènes suivant leurs caractères spécifiques (Pl. XXVIII, XXIX, XXXI).

Les rois et les reines de l'ancienne loi qui occupent les piedroits du triple portail sont démesurément allongés et figés. Les apôtres qui devisent entre eux sur le linteau central sont plus petits et plus trapus, et les figurines qui s'activent dans la frise des chapiteaux, toutes à peu près de la même taille, ont des grosses têtes et des corps menus.

Le monde du portail royal est une juxtaposition de groupes de figures aux caractères spécifiques associés à chacune des pièces fonctionnelles qui composent l'architecture.

Ce regroupement par catégories homogènes, n'affecte pas seulement les personnages mais tous les éléments figurés. Les tailloirs des chapiteaux sont uniformément ornés des mêmes motifs végétaux et la partie haute de leur corbeille est occupée par un décor d'architecture. Chaque catégorie de représentations se voit affecter un espace bien déterminé, et inversement, chaque élément de l'architecture va tendre dans l'art gothique à recevoir un même genre de figures. Les chapiteaux, par exemple, qui étaient pour les artistes romans des espaces polyvalents où pouvaient s'insérer toutes sortes de thèmes hétéroclites, vont se voir exclusivement affecter à partir de la fin du XIIe siècle à des représentations végétales.

Les éléments qui se sont émancipés des anciens liens de dépendance qui les enserraient durant la période précédente, sont regroupés ici par affinité dans des ensembles collectifs juxtaposés. Dans cette restructuration générale, après l' « anarchie » romane, le lien important est celui qui relie l'élément aux éléments semblables constituant entre eux un groupe homogène, qui a sa place dans l'ordre de l'architecture et par-delà dans celui de la création.

Si les artistes du premier art gothique se sont efforcés de représenter une réalité dépouillée de tous ses particularismes, c'est qu'ils s'intéressaient aux caractères communs d'un ensemble d'individus, de choses ou de phénomènes, et que l'expression des particularismes irréductibles et originaux d'un élément aurait nui à la cohésion du groupe auquel il doit être rattaché. Si les statues-colonnes, par exemple, avaient été traitées de façon plus anecdotique, si chacune de leurs attitudes, de leurs expressions avait été dépeinte en mettant l'accent sur sa spécificité individuelle, on n'aurait pas perçu aussi fortement la cohésion monumentale du groupe qu'elles constituent et qui est associé aux faisceaux de colonnes qui supportent le triple portail.

Le cadre roman pouvait se manifester par une moulure, par un motif décoratif comme cette bande de tissus repliée en forme de grecque * qui sort de la bouche d'un monstre et qui contient la grande vision apocalyptique de Moissac. Sauf quand il s'agit de petites arcades conventionnelles, on ne peut jamais le relier à une réalité matérielle bien définie. A Charlieu, un bas-relief représente Daniel dans la fosse aux lions. La fosse est signifiée par une boucle composée d'un entrelacs décoratif qui s'interrompt dans la partie haute pour communiquer avec le monde extérieur. Cette représentation est très abstraite. On nous montre un espace clos, mystérieux, qui, justement parce qu'il n'est pas une image de la réalité matérielle, peut être associé à tout ce que peut représenter pour nous cette notion d'espace refermé et dangereux, dans lequel seul le saint, qui a renoncé à ses instincts, peut pénétrer sans danger.

A Chartres, le cadre, qui enserre les figures ou les groupes de figures, acquiert un caractère toujours plus concret. Il n'est plus constitué par des entrelacs ou des feuillages irréels mais le plus souvent par les éléments d'un décor construit.

Toute la partie haute de la frise des chapiteaux est occupée par de petites arcades surmontées par des éléments d'architecture. Les artistes n'ont pas figuré là l'architecture militaire contemporaine, ni même les constructions religieuses de l'époque, mais plutôt une architecture urbaine qui n'était pas celle de leur temps mais qui constituait comme le projet de la cité uture, de la cité idéale; et effectivement, certains de ces éléments semblent contenir en germe des compositions de l'architecture civile et religieuse des siècles postérieurs.

Pierre Francastel a observé que le décor urbain des fresques de Giotto était l'expression du projet urbain de la Renaissance qui se matérialisera au cours des siècles suivants. De la même manière on peut dire que l'on pressent à Chartres, dans ce cadre architectural où évoluent presque toutes les figures, le projet idéal de la cité gothique où s'affirme le groupe solidaire.

On a l'impression que la succession des scènes qui prennent place sur les chapiteaux se déroulent dans un décor urbain. En fait, depuis l'annonce aux bergers jusqu'à la Pentecôte, elles sont sensées se dérouler pour la plupart en extérieur. Et les travaux des mois figurés sur les claveaux des archivoltes, qui sont des scènes champêtres par excellence, sont néanmoins représentés dans des niches comportant un plafond et un plancher délimités par des dalles moulurées en saillie. Ce cadre construit n'est donc pas plus vraisemblable que celui des feuillages fantastiques de l'art roman. Il exprime un désir plus qu'une réalité. Le désir de relier l'ensemble des éléments de l'histoire du monde dans l'ordre sécurisant d'une grande cité cohérente et juste.

La façade occidentale de Chartres paraît être composée très simplement, par juxtaposition de pièces architecturales associées à des registres de représentations regroupant des figures semblables. En fait, cette apparente simplicité masque toutes sortes de recherches pour harmoniser entre elles les diverses parties de la composition.

Aristote penché sur son écritoire (Pl. XXXII) semble tout à fait à l'aise dans le petit espace qui lui est dévolu, et pourtant, il ne pourrait pas s'y redresser sans en heurter le plafond. Et les apôtres assis sous le petit cloître du linteau (Pl. XXVIII, XXIX) ne pourraient pas s'y tenir debout car il est proportionnellement bien plus exigu que dans la réalité. Le naturel avec lequel les personnages chartrains semblent se mouvoir dans l'espace qui leur est dévolu est le résultat d'une patiente recherche de la part des artistes qui s'efforcent de nous convaincre qu'il y a un accord naturel évident entre la figure et l'espace matériel qui la contient. Comme ils s'efforcent avec beaucoup de talent de nous montrer que la composition harmonieuse d'un ensemble peut être obtenue par la simple juxtaposition de ses éléments constitutifs. Regardons le linteau du portail central. Les pieds nus des apôtres qui y sont représentés, reposent sur des dalles inclinées qui adoucissent la rigueur du plan horizontal. Sous chacune de ces dalles, deux sillons sont creusés comme pour marquer l'emplacement de chaque pied, et cette ligne noire discontinue vient adoucir la rigueur du passage entre le linteau et le trou d'ombre de la baie. Au-dessus du linteau, la vision du Christ entouré du Tétramorphe est limitée par des ondulations représentant des nuées qui viennent composer comme un débord de toit en tuiles au-dessus des arcades du petit cloître où se tiennent les apôtres. Le rectangle de pierres taillées du linteau n'est pas, nous le voyons, traité pour lui-même, et juxtaposé de façon brutale avec d'autres cadres de représentation. Il est traité en fonction du contexte dans lequel il doit s'insérer harmonieusement.

Par des analogies et des oppositions de modelés, de rythme et de lumière, les sculpteurs arrivent à faire cohabiter le plus naturellement du monde des scènes appartenant à des univers différents. On peut voir sur un claveau un paysan se chauffer devant son âtre, et tout à côté, sur le tympan, le Christ emporté au ciel au milieu des anges. Et près des immenses statues des rois et reines de l'Ancien Testament adossées aux colonnes, on aperçoit, sur les colonnettes refouillées, des figurines nues s'égayer dans d'étranges feuillages. Malgré ces contrastes, la composition de l'ensemble ne perd rien de sa cohérence et n'apparaît jamais comme une juxtaposition hétéroclite de scènes disjointes.

Par une succession d'efforts de clarification et d'harmonisation, les artistes chartrains sont arrivés à nous proposer une vision particulièrement vaste et cohérente, qui est un résumé de l'histoire et du devenir du monde chrétien conçu et composé suivant le modèle fonctionnel de l'architecture (Pl. XXVIII, XXIX). Les grandes figures des précurseurs de l'ancienne loi sont associées aux colonnes qui supportent les chapiteaux, les linteaux et les deux tympans latéraux sur lesquels sont figurées des scènes du Nouveau Testament. Le monde du travail quotidien, représenté par les travaux des mois et les arts libéraux, vient prendre place sur les archivoltes des portails latéraux, et l'harmonie du cosmos y est insérée par le biais des signes de zodiaque. Sur le tympan central enfin, dominant toute la composition, apparaît le Christ de la fin des temps entouré du Tétramorphe et protégé du poids de la muraille par sa cour d'anges et de vieillards qui se répartissent sur les archivoltes. Dans cet univers « parfait en tout point et dont l'équilibre ne peut faillir », comme disait alors Abélard, dans cette vision utopique de la société idéale que nous proposent les artistes, on sent que les divers groupes qui composent l'ensemble sont en harmonie les uns avec les autres du seul fait que chacun a sa place désignée et sa fonction bien spécifique à remplir.

Le monde des figures sculptées, qui est relié membre à membre à la structure architecturale, l'est aussi à l'ordre strict d'une grande composition iconographique cohérente. Les artistes, qui, nous l'avons vu, se sont efforcés dans la deuxième partie du XIIe siècle d'épurer et de clarifier leurs références iconographiques, ont aussi cherché à les décomposer en un certain nombre d'éléments qu'ils ont ensuite recomposés dans des ensembles cohérents et bien hiérarchisés. Dans le portail royal, la vision unique et complexe des grands tympans romans se trouve subdivisée. Les vieillards de l'Apocalypse et les anges qui se pressaient familièrement autour des Pantocrators de Moissac ou de Beaulieu sont traités ici comme des groupes cohérents; ils prennent place chacun sur un registre des archivoltes bien différenciées du tympan sur lequel apparaît le Christ en gloire.

Dans l'art gothique, cette décomposition des thèmes va s'accentuer. Dans le portail du jugement de Notre-Dame de Paris, les saints, rangés dans les voussures autour de Jésus-Christ, sont hiérarchisés en groupes concentriques représentant successivement l'ordre des patriarches, celui des prophètes, celui des confesseurs, celui des martyrs et celui des vierges. Et dans la baie de droite du portail méridional de Chartres, entièrement consacrée aux confesseurs, ceux-ci sont classés par groupes, selon qu'ils sont laïcs, moines, prêtres, évêques ou archevêques. Ayant décomposé leurs thèmes iconographiques en un certain nombre d'ensembles homogènes, les artistes vont s'efforcer de les coordonner entre eux afin d'aboutir à de vastes ensembles cohérents. Pour cela, ils vont jouer de façon nouvelle et plus systématique avec les correspondances symboliques, notamment pour relier l'Ancien et le Nouveau Testament. Le symbolisme ne sera plus le lien à tout faire qui permet de relier n'importe quel élément du monde du rêve ou de la nature aux grands thèmes de l'histoire chrétienne. Il va devenir un système universel susceptible de coordonner entre eux des thèmes et des images aux caractères bien définis.

En disséquant et en recomposant leurs thèmes, les artistes de l'âge gothique arriveront à créer des œuvres de plus en plus vastes. Et les cathédrales du XIIIe siècle regrouperont de façon encyclopédique, comme les sommes des théologiens de la même époque, tous les éléments de la création en de vastes compositions bien ordonnées.

Ce double mouvement de dissection et de recomposition qui affecte la première sculpture gothique, tant sur le plan plastique que sur le plan iconographique, se retrouve à l'œuvre dans le domaine social, où, comme le dit M. Bloch :

« A partir du second âge féodal, on vit à la fois les classes s'ordonner de plus en plus strictement et le rassemblement des forces autour de quelques grandes autorités et de quelques grandes aspirations s'opérer avec une vigueur croissante. »

La nouvelle distribution des rôles, le nouvel ordre que l'on voit s'affirmer dans le portail royal de Chartres, correspond à une nouvelle façon d'envisager et de désirer la société. Alors que dans « l'anarchie » du monde roman le seigneur ou l'église étaient voulus comme principes de regroupement, dans un monde hétéroclite, à partir de la deuxième moitié du XIIe siècle, la société sera de plus en plus désirée comme une juxtaposition fonctionnelle de groupes sociaux obéissant à des normes et des règles précises Comme le note toujours M. Bloch :

« De toutes parts, le sentiment des liens de dépendance personnelle, naguère si fort allait s'amenuisant et c'était sur le plan d'un échelonnement de classes que l'édifice humain tendait à se reconstruire. »

Ce sera dans les milieux urbains que cette prise de conscience de la solidarité entre membres égaux d'un même groupe va se manifester le plus vivement. Par le seul fait d'une certaine concentration humaine encouragée par l'essor économique, les villes faisaient cohabiter des groupes de commerçants, d'artisans et d'agriculteurs toujours plus nombreux partageant les mêmes aspirations, et qui étaient coupés de fait des seigneurs qui résidaient pour la plupart en milieu rural. Ces hommes, qui peu à peu prenaient conscience de la force économique qu'ils représentaient, n'attendaient plus leur sécurité de leur sujétion à tel ou tel châtelain des environs, étranger par son mode de vie à leurs préoccupations quotidiennes. C'était bien plus par une solidarité horizontale, avec ceux qui vivaient dans le même cadre familier et qui partageaient leurs préoccupations professionnelles qu'ils pouvaient assurer leur sécurité et infléchir une organisation sociale et juridique dans laquelle à l'origine ils n'avaient pas leur place.

Peu à peu, dans les villes artisanales et commerçantes vont apparaître et s'organiser les associations de métiers, les corporations, qui regroupent les membres d'une même profession, sur un pied d'égalité, pour la défense de leurs intérêts comme pour l'organisation commune de pratiques religieuses ou récréatives. Les premières mentions des statuts de métier font leur apparition entre 1120 et 1150, au moment précis où l'art nouveau tente ses premières expériences.

Ce découpage fonctionnel de la société ne nuira pas à des prises de conscience plus vastes, dépassant le cadre professionnel. En 1150, à Chartres, un procès se déroule devant la cour du roi Louis VII, opposant un certain Raoul Mauvoisin et les « pauvres de la ville ». Le fait est symptomatique des nouvelles solidarités actives qui amènent les membres d'un même groupe à organiser ensemble leur défense.

C'est à travers le mouvement communal que cette prise de conscience nouvelle s'exprimera avec le plus de vigueur et prendra même parfois une allure franchement révolutionnaire. Dans certaines villes du Nord de la France, au XIIe siècle, dans les zones qui furent précisément les berceaux du nouvel art gothique, les bourgeois, comme on disait alors, vont s'unir entre eux dans une conjuration pour affirmer et imposer leur droit à l'autogestion face aux seigneurs clercs ou laïcs des environs et éliront leurs représentants qui auront pour mission de régler les divers problèmes de justice, d'administration et de défense. Ce mouvement communal qui va se développer avec des succès divers et prendra parfois des allures très violentes, a profondément choqué tous les esprits traditionalistes, pour qui le fondement de toute organisation sociale était le serment qui reliait un plus faible à un plus puissant, et non la conjuration unissant des égaux dans une communauté fraternelle où « l'un secouera l'autre comme son frère en ce qui est utile et honnête », comme l'affirme un serment juré par les participants de l' « Amitié » de la ville d'Aire en 1188.

Si, malgré d'innombrables oppositions, le mouvement communal s'est néanmoins propagé, c'est qu'il n'était pas un phénomène marginal mais l'expression politique la plus avancée d'une prise de conscience des solidarités de classe que l'on sent à l'œuvre à cette époque aussi bien dans le monde rural que dans l'aristocratie et le clergé.

Dans les campagnes, les rustres vont tenter de se détacher de la subordination qui les reliait au seigneur des environs et resserrer les liens de solidarité qui les unissent entre eux. Ils s'organiseront souvent en une communauté paroissiale fermée aux nobles et qui s'occupera de l'entretien de l'église, le seul édifice vaste et solidement bâti au milieu des chaumières où ils pouvaient tenir les assemblées chargées de délibérer des affaires communes, et qui servait « en même temps que de maison de Dieu, de maison du peuple » (Bloch). Dès le XIIIe siècle au plus tard, ils vont constituer pour l'administration de la paroisse des « fabriques », « comités élus par les paroissiens et reconnus par l'autorité ecclésiastique; occasion pour les habitants de se rencontrer, de débattre des intérêts communs, en un mot de prendre conscience de leur solidarité » (Bloch).

La paysannerie va aussi se hiérarchiser. Les plus favorisés : les alleutiers, qui possèdent en propre leur terre, et les laboureurs qui ont un attelage et une charrue, moins laminés que par le passé par les exactions arbitraires des seigneurs, vont s'élever au-dessus des plus pauvres : les tenanciers, qui payent un loyer au seigneur pour la terre qu'ils travaillent, et les manœuvriers qui n'ont que leurs bras pour assurer leur subsistance. Une nouvelle classe va peu à peu prendre corps, celle des serfs, qui constitueront la fraction la moins favorisée de la paysannerie, et qui seront abandonnés à la main-mise des hobereaux de village.

Les chevaliers, rejetés des villes sous la pression des bourgeoisies « fort peu désireuses d'admettre dans leurs communautés des éléments indifférents à leurs activités et à leurs intérêts » (Bloch), exclut des communautés paroissiales où se resserrent les solidarités paysannes, de plus en plus éloignés des masses du fait de l'évolution de leur genre de vie, vont tendre à se regrouper en une classe bien définie, ayant une morale et une éthique particulière. Cette classe que constituaient les chevaliers « était, vers le milieu du XIIe siècle, toute prête à se solidifier en classe juridique et héréditaire » (Bloch).

Alors que dans la Première Croisade « romane » de 1098, les chevaliers et les paysans étaient mêlés dans la même troupe illuminée en marche vers Jérusalem, et participaient aux mêmes tourments et aux mêmes carnages, dans la Deuxième Croisade, contemporaine du portail royal, beaucoup plus organisée, mais moins efficace aussi, le clivage entre la chevalerie et les masses de petites gens s'y fera sentir de façon dramatique. L'empereur Conrad laissera massacrer les pauvres qui avaient suivi ses chevaliers, et Louis VII, après ses échecs militaires, se rembarquera à Satalie pour l'Occident avec les nobles et leurs gens d'armes, abandonnant aux païens le menu peuple qui l'avait accompagné. Dès ce moment, la croisade deviendra une œuvre de pénitence « pieux égoïsme en quête du salut individuel », et les grands, comme le dit Alphandery, qui « viennent de faillir à leur renom de soldats de la chrétienté... ne sont plus dans la hiérarchie féodale " ceux qui luttent " et qui par conséquent protègent. Ils sont déjà ceux qui jouissent ».

La reconstruction de la société comme une juxtaposition de groupes sociaux bien définis affecte aussi le monde du clergé.

> « Dans le courant du XIIe dit G. Duby, l'ordre des clercs paraît se fermer plus étroitement à la paysannerie... à la Ferté, on ne les admet pas comme moines mais comme convers, et, pour ne pas les mêler aux fils des chevaliers, on interdira à ceux-ci en 1188 de se faire simples convers, ils devront prononcer tous les vœux; l'abbaye de Cluny, jadis plus accueillante aux " rusticis ", les admet moins volontiers au XIIe siècle et les maintient aussi, loin du cœur, dans une position subalterne. »

Le clergé va aussi s'adapter de façon sélective aux exigences des divers groupes sociaux. L'ordre cistercien et les ordres militaires vont tenter de concilier l'idéal monastique et l'idéal chevaleresque, tandis que dans les villes de nouveaux mouvements vont se développer pour répondre aux aspirations des masses urbaines. L'ancien marchand lyonnais Pierre Valdo et plus tard saint François d'Assise, fils d'un tisserand, et saint Dominique, seront les chefs de file de ces nouvelles communautés évangéliques qui cristalliseront les aspirations des masses et s'opposeront à certains secteurs de l'église féodale traditionnelle ainsi qu'aux moines bénédictins, en prônant l'insertion dans le siècle, et en organisant leurs membres de façon plus communautaire et moins patriarcale. Les prieurs des ordres mendiants en particulier, seront élus par les « frères » et ne bénéficieront plus de l'autorité consacrée des anciens abbés.

De même qu'en sculpture, l'autonomie des registres de représentation a été un principe d'ordre qui a permis aux artistes chartrains d'élaborer une composition particulièrement vaste et cohérente présidée par un Christ-juge, de même sur le plan politique, le cloisonnement en classes et groupes sociaux bien distincts, qui affecte la société féodale dans la deuxième partie du XIIe siècle et qui s'opère au détriment des liens de dépendance personnelle, va permettre la reconstruction des grandes principautés territoriales qui s'étaient morcelées au Xe siècle.

Pour arbitrer les conflits entre les individus et les groupes, pour maintenir une certaine cohésion, un certain ordre, entre les membres de cette société stratifiée, pour assurer le respect du droit sur un territoire suffisamment vaste, il fallait une autorité supérieure, non plus celle d'un potentat tout proche qui protège et contraint, mais celle d'un sage, d'un juge équitable, qui soit le garant d'une loi admise par tous.

C'est tout naturellement les princes et les évêques qui vont tenter de jouer ce rôle nouveau.

En Ile-de-France, dans le domaine royal, qui fut le berceau de l'art gothique, les rois dont le pouvoir avait été réduit au XIe siècle au niveau de celui de seigneur de seconde zone, vont renforcer patiemment leur domination à partir du XIIe siècle, en luttant contre les seigneurs brigands qui opprimaient les paysans et pillaient les caravanes de marchands jusqu'au milieu de leurs domaines, et en imposant leur arbitrage dans les conflits qui opposaient leurs sujets entre eux. Dans leur effort de reconstruction de la puissance publique, ils vont s'appuyer sur les évêques, qui disposaient des armes spirituelles, dont les chancelleries étaient les mieux organisées, et qui étaient de ce fait les premiers sollicités pour garantir des contrats ou des accords passés entre des individus ou des groupes.

De plus en plus, le monde crée par Dieu nous est dépeint à la façon d'un organisme bien composé. Aux images hétéroclites de Eadmer de Cantorbéry du début du XIe siècle, qui, dans la division tripartite du monde, compare les clercs et les moines aux moutons « abreuvant les autres du lait de la prédication et leur inspirant par la laine du bon exemple un fervent amour de de Dieu », Jean de Salisbury oppose, vers 1160, l'image d'une société composée de parties fonctionnelles dont le modèle est le corps humain. Le prince en est la tête, les conseillers le cœur, les juges et les administrateurs provinciaux les yeux, les oreilles et la langue, les guerriers les mains, les fonctionnaires des finances l'estomac et les intestins, les paysans les pieds.

Dans cet univers, Dieu n'est plus le père-seigneur omniprésent auquel les choses et les gens sont tous rattachés par un lien charnel. Il est « l'ordonnateur de la création... glorifié par son ordonnance » dont parle Abélard.

On remet à l'honneur, à partir de la deuxième partie du XIIe siècle, les œuvres du théologien de l'empire carolingien J. Scot Erigène qui présente le monde comme une vaste composition cohérente et équilibrée : « les choses, dit-il, qui paraissent se contredire mutuellement par infériorité d'origine ou par opposition de nature sont en réalité associées dans la concordance unique et délectable d'une harmonie supérieure et bien tempérée ».

Même dans le monde du péché les choses ont une tendance à s'ordonner et à se clarifier. Comme on peut le lire dans un manuscrit du XIIIe siècle, le Diable a neuf filles qu'il a mariées :

La simonie aux clercs séculiers
L'hypocrisie aux moines
La rapine aux chevaliers
Le sacrilège aux paysans
La simulation aux sergents
L'usure aux bourgeois
La pompe mondaine aux matrones.

et la luxure, qu'il n'a pas voulu marier, mais qu'il offre à tous comme maîtresse commune.

Cette recherche de la subdivision, du classement, on la

retrouve au niveau de la forme du discours chez les théologiens scolastiques, qui se plaisent à subdiviser leurs exposés en un certain nombre de parties fonctionnelles s'enchaînant logiquement entre elles, et qui s'efforcent de faire apparaître l'ordre et la logique de leur pensée.

Alors que l'enseignement se pratiquait dans les monastères par un transfert de connaissances d'un individu à un autre qui se constituait son disciple, à l'époque gothique, dans les écoles urbaines, le maître s'adresse à un groupe d'élèves. Il doit s'efforcer de les convaincre en faisant appel à la raison et ne peut avoir vis-à-vis d'eux l'attitude irrationnelle et affective que l'on a vis-à-vis d'un disciple unique.

Panofsky a mis en lumière les parallélismes de structure qui relient l'architecture gothique et la pensée scolastique. Il a montré que l'impératif de la scolastique, qui exige « une organisation selon un système de parties et de parties de parties homologues », se traduisait en architecture dans « la division et la subdivision uniforme de toute la structure ». Et il affirme que ces analogies s'amorçent au milieu du XIIe siècle, entre la première scolastique et la première architecture gothique.

Les bâtisseurs de la deuxième partie du XIIe siècle ont cherché à construire leurs édifices à partir d'un certain nombre de pièces d'architecture aux caractères bien typés, qui elles-mêmes sont regroupées en un certain nombre de registres cohérents juxtaposés (fig. 109).

Ils ont cherché à systématiser d'abord les caractères des éléments constitutifs ayant la même fonction à remplir, et ceci, quels que soient leurs emplacements. Les socles des statues-colonnes et des colonnettes du portail royal sont ornés d'une juxtaposition de motifs de forme ovale, ponctués de trous d'ombre. Ayant à traiter au-dessus de la frise des chapiteaux les socles des deux contreforts ornés de colonnettes qui structurent verticalement la façade, les bâtisseurs ont réutilisé exactement les mêmes motifs, et ceci est symptomatique de leurs recherches pour systématiser les caractères des différents éléments fonctionnels de l'architecture.

Ils ont aussi composé leur façade comme une imbrication de registres horizontaux, délimités par d'épaisses corniches, et qui correspondent au niveau du triple portail, à celui des fenêtres hautes et à celui de l'étage supérieur modifié au XIIIe siècle, et de registres verticaux, limités par les deux tours latérales et par des contreforts ornés de colonnettes, et qui englobent chaque fois une des baies du portail et une des fenêtres hautes correspondantes. Chacun de ces registres est divisé à son tour en un certain nombre de groupes d'éléments analogues qui accrochent différemment la lumière. Au niveau du triple portail, les chapiteaux et les bordures des bases, au relief refouillé, constituent deux bandes horizontales assez sombres tandis que les statues colonnes et le soubassement apparaissent en demi-teinte.

Cette décomposition visuelle de l'architecture en un certain nombre de registres bien définis est très marquée dans les premières nefs gothiques, comme celle de Laon, (Pl. XXX) édifiée à partir de 1155. Les quatre niveaux de l'élévation intérieure, qui correspondent respectivement aux grandes arcades, aux tribunes, au triforium * et aux fenêtres hautes, sont bien caractérisés, et viennent interférer avec la division verticale en doubles travées successives. Et chacune des familles de composants a ici ses caractères particuliers. Les puissantes colonnes du niveau inférieur, avec leurs bases et leurs chapiteaux imposants, sont toutes du même modèle. Les colonnettes en délit qui montent depuis le sol ou depuis les chapiteaux du niveau inférieur et viennent prolonger les diverses membrures des arcs qui décomposent les voûtes en autant de quartiers, n'ont aucune parenté avec les précédentes. Ce sont des faisceaux de raidisseurs dont la section est dérisoire par rapport à la hauteur et qui sont rattachés de loin en loin à la paroi par une bague de pierre. Et les grandes baies géminées de l'étage de la tribune n'appartiennent pas à la même famille d'éléments que les petites arcades en plein cintre du triforium.

Tous ces groupes distincts sont ici juxtaposés avec une apparente simplicité et une franchise que l'on ne retrouvera pas dans l'architecture gothique classique, où les divers ensembles constituant la structure perdent leur spécificité pour suivre le même schéma idéal qui se démultiplie à l'infini, semblable à lui-même dans toutes les parties de l'édifice.

Cet organisation par juxtaposition de groupes d'éléments homogènes s'exprime aussi au niveau de la disposition des espaces. Les chapelles rayonnantes, par exemple, quand elles ne sont pas purement et simplement supprimées, comme à Sens ou à Laon, ne sont plus comme des églises en réduction venant s'agréger individuellement autour de la grande abside. Elles sont constituées par des renfoncements entre les contreforts du déambulatoire, et sont si serrées les unes contre les autres, qu'extérieurement, on ne les perçoit pas comme des volumes autonomes mais comme un seul et même registre. Suger exprimera ce nouveau principe de composition quand il dira qu'il a fait établir dans le chevet de la nouvelle basilique de Saint-Denis :

« Une séquence de chapelles disposées en demi-cercle, en vertu de quoi, toute l'église resplendit d'une merveilleuse lumière ininterrompue répandue des plus lumineuses fenêtres. »

Les bâtisseurs des premiers édifices gothiques ont, comme les sculpteurs, attaché beaucoup d'importance à relier harmonieusement les divers groupes d'éléments et les divers registres entre eux, et la simplicité apparente de leurs compositions par parties ou groupes juxtaposés est en fait le résultat de mises au point très subtiles. Regardons les colonnettes dégagées couvertes de somptueux motifs ornementaux qui servent de fond aux statues colonnes. Elles sont bien individualisées, mais la façon dont elles s'insèrent dans la composition d'ensemble est traitée avec un soin et une délicatesse extrêmes; leurs bases sont analogues à celles des colonnes principales, mais leurs socles ne sont plus marqués que par des angles saillants qui viennent s'amortir au niveau du soubassement. Et au niveau supérieur, elles sont surmontées chacune par une amorce de chapiteau qui vient se perdre dans la découpe générale des tailloirs et du décor architectural qu'ils surmontent.

Les bâtisseurs de la tour sud ont fait preuve, en matière de transition, d'une grande virtuosité. Pour amorcer le passage entre le plan carré des trois étages inférieurs et le plan octogonal de la flèche, par exemple, (fig. 110) ils ont commencé dans l'angle extérieur du troisième niveau, par remplacer au-dessus de la corniche inférieure, les deux saillies intérieures par deux colonnes engagées. Au quart de la hauteur de l'étage, ces colonnes viennent s'amortir par un long profil triangulaire dans l'angle rentrant des contreforts. Un peu plus haut, l'arête de l'édifice est tranchée en biseau jusqu'à la corniche supérieure qui surmonte le trou d'ombre de la baie du petit clocheton qui accompagne quatre des faces de l'octogone de la flèche. Ces modulations imperceptibles, dont il y a bien d'autres exemples, font en sorte que les divers composants de ce clocher, qui sont vigoureusement individualisés, s'assemblent avec harmonie, sans brisure, sans contraste trop violent, sans qu'un élément ne prime sur ses voisins.

Alors que dans l'art roman, c'était la muraille ou le bloc de pierre qui constituait de par sa prééminence le facteur d'unité, nous voyons ici les artistes s'efforcer avec tout leur talent de nous démontrer que la cohésion d'un ensemble peut et doit provenir de la simple juxtaposition des parties fonctionnelles qui le constituent et qui sont réparties par groupes homogènes.

Grâce à ce principe d'ordre dont ils s'efforcent de nous prouver le bien-fondé, ils vont élaborer des compositions architecturales d'une ampleur nouvelle, et les cathédrales gothiques seront plus vastes, plus riches, plus complexes que les églises romanes.

Nous retrouvons à l'œuvre, nous le voyons, à travers la sculpture et l'architecture du premier art gothique, dans la première scolastique comme dans l'évolution politique et sociale qui affecte le monde féodal de la deuxième partie du XIIe siècle, un même système de pensée, qui tend à appréhender un ensemble quelconque en définissant clairement la nature des éléments qui le constituent, en regroupant les éléments analogues dans des groupes homogènes, et en s'efforçant de juxtaposer ces groupes entre eux afin de reconstituer un tout cohérent.

Ce système de pensée, qui peut permettre d'appréhender les domaines les plus divers, constitue déjà en lui-même une prise de position qui limite le champ du possible et oriente de ce fait les potentialités d'évolution des divers secteurs d'activités où il est utilisé. Il n'est pas neutre, mais correspond pour les hommes de cette époque à une nouvelle façon d'appréhender et de vouloir leur environnement.

Ce que l'on voit à Chartres, n'est pas la transcription architecturale et sculpturale d'habitudes de pensée acquises dans d'autres domaines et réutilisées là par routine. Les principes d'ordre qui constituent le système de pensée gothique sont ici désirés et recherchés pour eux-mêmes, et les artistes les expriment avec fougue en utilisant toutes les ressources de leur art. A travers la façade occidentale encadrée de ses deux tours, qui apparaît en pleine lumière comme une vaste composition unique et frontale d'architecture, de sculpture et de vitraux, on sent une volonté de puissance, une manière de prendre possession de l'univers au nom d'une hiérarchie et d'une harmonie nouvelle.

Jamais peut-être l'art gothique n'arrivera par la suite dans ses compositions les plus complexes et les plus élaborées à une telle conviction, à une telle ampleur de vue.

La façade occidentale de Chartres est un projet idéal jeté à la face du monde, en pleine clarté, la cristalisation monumentale des désirs et des espoirs des hommes qui vivaient dans un monde féodal qui peu à peu se métamorphosait, et à un moment privilégié de rupture où tous les espoirs étaient encore permis.

La communauté des frères

Le système de pensée roman était, nous l'avons vu, sous-tendu par un investissement affectif des liens de dépendance qui puisait ses racines dans des nostalgies très archaïques de la protection parentale. A l'époque gothique, nous allons assister à une profonde réorientation de l'affectivité collective, qui fera le plus souvent appel à d'autres images, à d'autres nostalgies, mieux adaptées aux exigences du nouveau système de pensée dont nous avons défini les caractères.

Le Christ qui trône dans le tympan de la baie centrale du portail royal (Pl. XXXI) n'est plus l'image fulgurante du Seigneur omniprésent qui « attire tout à lui », que l'on trouvait dans l'art roman. Son attitude et sa physionomie sont empreintes de calme, de sérénité et d'intelligence. Il a à peu près la même taille que les grands personnages des piédroits et n'écrase plus par sa seule présence toutes les figures qui lui sont associées. Sa suprématie ne s'exprime plus ici par une prise de possession physique directe sur tout ce qui l'entoure, mais par l'ordre et la clarté avec laquelle il ordonne sa création.

Cette évolution va s'accentuer dans les œuvres gothiques ultérieures, et les sculpteurs ne se référeront plus aux visions enflammées de l'Apocalypse de saint Jean, mais à l'évangile de saint Matthieu, et ils élaboreront une scène beaucoup moins épique où le Christ-juge, montrant ses stigmates, préside au jugement dernier, accompagné de saint Jean et de Marie qui intercèdent pour les humains.

Les Christs gothiques n'ont plus le caractère protecteur,

sécurisant, maternel, de leurs prédécesseurs romans. On ne retrouve plus entre eux et les figures qui les entourent ce lien affectif qui unissait les séraphins adolescents ou l'enfant du Tétramorphe de Moissac, à la grande figure divine. Le Christ en gloire de Chartres, comme les Christ-juges des œuvres plus tardives, sont moins physiquement impliqués dans la composition que les Pantocrator romans. Entourés de leurs agents répartis en bon ordre dans les archivoltes et les linteaux, ils n'occupent qu'une partie d'une vaste composition hiérarchisée et équilibrée.

Ces Christ ne sont plus, nous le sentons, la transposition idéalisée du seigneur tout proche, mais bien plutôt celle du prince ou de l'évêque, dont le pouvoir se renforce au cours du XIIe siècle, et qui sont des maîtres plus lointains dont la mission première est de garantir la loi et l'ordre et dont la puissance s'exprime par la prospérité et la bonne gestion de leur évêché ou de leur principauté, plus que par leur force physique ou la bravoure du petit groupe de fidèles qui les entourent et leurs sont personnellement attachés par un lien affectif.

Le Pantocrator de Chartres est isolé dans sa mandorle qui flotte dans les airs, et les crucifiés de la fin du XIIe siècle ne semblent plus ouvrir les bras pour acccueillir leurs fidèles. Le nouveau leader n'est plus un pôle de ralliement investi d'une charge affective intense susceptible de catalyser les désirs les plus archaïques de protection parentale, mais un modèle d'humanité, de beauté, de vertu, de renoncement.

Dans les crucifix de la deuxième partie du XIIe siècle, on voit le Christ se différencier de la croix. Ses bras s'inclinent sous le poids de son corps, ses genoux fléchissent. Dans un médaillon d'une des verrières de la façade occidentale de Chartres, on voit pour la première fois Jésus mort, dont le corps déhanché dépasse du cadre cruciforme. La croix et le Christ ne constituent plus un tout indivisible comme au Puy ou à Barcelone, et ce dernier peut acquérir de ce fait une matérialité, une présence physique autonome ; et son corps est traité pour lui-même comme un corps d'homme.

De plus en plus souvent, les artistes vont même représenter la descente de croix où s'affirme cette dissociation entre le Christ et le symbole de sa passion et de son triomphe. Regardons le Christ provenant d'une descente de croix bourguignonne et qui est actuellement au Louvre. Son anatomie n'est pas vraiment réaliste, son mouvement non plus; un cadavre aurait en réalité la tête beaucoup plus penchée en avant. Malgré cela, tout chez lui fait référence à une réalité humaine. L'artiste n'a pas cherché à représenter un corps particulier, une situation, un mouvement réel, néanmoins il s'est efforcé de mettre en valeur dans son œuvre des caractères généraux d'humanité. Ce qu'il nous présente, ce n'est plus le Dieu, signe et symbole, face auquel toute réalité s'estompe, mais le représentant d'une humanité généralisée, transfigurée en la personne du Christ.

« Le plus beau des enfants des hommes », comme on aimait alors à appeler le Christ, émerge du cadre cruciforme qui le déterminait, il perd son caractère conventionnel de majesté, et les expressions de souffrance, de renoncement ou de gravité, qui l'animent, ont une matérialité nouvelle.

On sent à travers la poésie du XIIe siècle une évolution dans les caractères du héros chevaleresque qui n'est pas sans analogie avec celle qui affecte les grandes figures sculptées. Les héros de la « Table ronde », par exemple, ne se caractérisent plus uniquement par leur force et leur bravoure physique. Ils sont moins sécurisants que les héros des anciens chants, et l'on met un accent nouveau sur leurs vertus, leur intelligence et même leur talent de stratèges. Et en théologie, la Création n'est plus envisagée comme un ensemble d'éléments que l'on réfère sommairement à la toute-puissance d'un démiurge, mais comme un monde ordonné, ayant sa consistance et ses lois propres, à l'image de son créateur :

> *Œuvre de poids mesure et nombre*
> ...
> *Œuvre digne de l'ouvrier*
> ...
> *Parfaite autant que son modèle*
> *Comme lui enfermant tout* (Abélard).

Ce nouveau leader que nous voyons apparaître à Chartres est là encore l'objet d'une attitude assez ambiguë de la part des artistes.

Alors que dans le portail royal les petites figures des chapiteaux et des linteaux sont bien posées sur une moulure qui simule le sol, et ont des positions qui paraissent logiques; le Christ et les statues-colonnes ont les pieds très inclinés vers l'avant, en déséquilibre sur des socles en pente (fig. 107), et les statues sont démesurément allongées et figées dans un carcan de draperies rythmées par de longs plis verticaux qui les relient visuellement à la structure architecturale (Pl. XXVI). Grâce à ces artifices, l'artiste manifeste sa volonté de distinguer les grands héros du commun des mortels, et de les placer, du fait de leur rang, dans des positions précaires et inconfortables.

Le Christ, ce leader par excellence, auquel les grand chefs réligieux ou politiques se référaient constamment comme à un modèle, les artistes, tout en l'idéalisant, vont se plaire à le tourmenter. Ils vont susbtituer systématiquement la couronne d'épines au diadème royal. Ils le cloueront sur la croix, alors que dans l'art roman Jésus était souvent simplement juxtaposé au symbole de sa passion et de sa grandeur par d'invisibles chevilles de bois. Ils le feront souffrir, le corps fléchi en avant, lourdement pendu par les paumes des mains. Les instruments du supplice de la crucifixion feront objet d'une dévotion particulière et seront de plus en plus souvent représentés par les artistes.

Le Christ en croix, qui n'est plus signe et symbole comme à l'époque romane, deviendra un leader torturé, qui a mérité par les épreuves qu'il a subies son rôle de chef, qui, comme le dit saint Bernard, « a préféré se sacrifier pour vaincre chez l'homme la pire des tentations : le vice affreux de l'ingratitude. »

Les images du leader transmises par l'art religieux et par la poésie et qui constituent autant de modèles de comportement proposés à ceux qui ont un pouvoir de commandement jouent un rôle considérable, et leur élaboration est conditionnée de façon sourde et diffuse par les conflits sociaux et les rivalités familiales.

La nouvelle vision gothique d'un Dieu sage et juste dont la grandeur se manifeste par l'ordre de sa création, par la perfection de son humanité et par son sacrifice rédempteur, devait correspondre assez bien à l'image du leader tel que les nouvelles communautés solidaires pouvaient le désirer : un leader sage et mesuré, qui a renoncé à ses pulsions égoïstes, qui s'est sacrifié afin de pouvoir jouer son rôle d'arbitre et de juge, un leader qui soit un modèle pour ceux qui le suivent.

Les images élaborées par les artistes et qui correspondaient à certaines aspirations populaires, ont dû jouer un rôle non négligeable vis-à-vis des chefs temporels. Un roi comme saint Louis, qui se fit coucher à sa mort sur un lit de cendres, un ascète comme saint François d'Assise, qui reçut les stigmates de la passion avant sa mort, n'auraient sans doute pas pu exister ni connaître une telle popularité s'ils ne s'étaient pas rattachés à des modèles élaborés par les artistes bourgeois et leurs commanditaires d'église, et consacrés par les foules de fidèles durant tout le siècle qui les a précédés.

Parallèlement à l'évolution du héros positif, les caractères du démon vont se modifier au cours de la période gothique.

Face à ce monde ordonné et hiérarchisé qui peu à peu se reconstruit, les diables vont perdre eux aussi une part de leur puissance, de leur présence physique angoissante. Ils ne se référeront plus, comme à l'époque romane, à l'image du seigneur tyrannique et brutal qui cherche à dominer et à persécuter sauvagement ses hommes, mais à celle du séducteur qui distille plus subtilement son poison dans les âmes, et qui s'efforce de miner de l'intérieur les solidarités du groupe, et par-delà, l'édifice bien ordonné de la Création.

Dans le même temps, les caractères des Vierges vont se modifier. Les lourdes idoles d'Auvergne ou de Catalogne complètement absorbées dans leur fonction, et qui sont des visions infantiles de la mère puissante et sécurisante protégeant son enfant Dieu, vont se transformer en des images de beauté. La Vierge va rajeunir dans la deuxième partie du XIIe siècle. Elle ne tiendra plus son enfant serré contre son ventre et ne sera plus complètement absorbée dans sa fonction de protection. Elle perdra son caractère hiératique et jouera avec son fils sur son bras. Le lien qui relie la mère et l'enfant deviendra moins pressant et moins charnel.

Ces nouvelles images ne feront plus appel aux mêmes nostalgies. Ce n'est plus aux souvenirs archaïques de la mère virile, qui est la première protection de l'enfant dans le monde, que l'artiste se réfère, mais à des visions plus présentes de la sœur ou de l'épouse, de la beauté de la femme et de la beauté du monde telle qu'il la conçoit et la désire. La Vierge n'est plus un schéma et un symbole capable de mobiliser les pulsions affectives les plus enfouies. Elle devient un modèle de féminité, l'image radieuse d'une humanité rachetée.

A Chartres, les images de la mère de Dieu sont à bien des égards traditionnelles, néanmoins elles ne s'insèrent plus de la même façon dans l'architecture.

La Vierge qui trône sur un des tympans latéraux du portail de droite est une transposition monumentale des Vierges de bois d'Auvergne ou de Catalogne. Mais alors que celles-ci étaient enfouies dans l'ombre des absides ou des cryptes, au cœur même de l'église protectrice, où elles reluisaient d'or et d'argent à la lueur des cierges, la Vierge de Chartres est située en pleine lumière et insérée dans la vaste composition cohérente du triple portail.

Et Notre-Dame-de-la-Belle-Verrière est associée à la clarté du vitrail, et non plus à la pénombre et à la muraille comme dans l'abside peinte à fresque de Tahul, et son extraordinaire beauté rayonnante s'impose comme quelque chose de plus artificiel, de plus élaboré que la puissance sécurisante des mères romanes.

L'évolution des caractères de la Vierge est liée à l'évolution même de l'architecture de l'église qui perd parallèlement ses allures de forteresse ou de caverne protectrice pour s'ouvrir à la lumière et au monde. Les nouvelles églises construites ou reconstruites dans la deuxième moitié du siècle le sont le plus souvent dans les zones urbaines. Elles sont protégées par la ville et par ses remparts (Pl. XXV), par la force et la cohésion des communautés qui la composent, et peuvent s'ouvrir largement sur l'extérieur. Et les cryptes, qui constituaient dans bien des églises romanes, le sanctuaire le plus profond et le plus maternel sont le plus souvent bannies des nouvelles cathédrales.

Si les artistes gothiques n'ont plus recherché dans les murailles, les voûtes et les cryptes, dans les Pantocrator et les Vierges, une image nostalgique de puissance et de sécurité, c'est que cette puissance et cette sécurité ils s'efforçaient de les trouver d'une autre façon que leurs prédécesseurs, en s'appuyant sur d'autres forces et d'autres attachements. C'est dans le groupe, dans la solidarité des frères, dans la communauté paroissiale, dans la corporation de métier, dans la commune urbaine, dans l'ordre et la clarté d'une société constituée de groupes fonctionnels hiérarchisés, qu'ils voyaient alors ce cadre protecteur indispensable et non plus comme avant dans l'attachement personnel et affectif vis-à-vis d'un chef patriarcal tout proche.

Les images inconscientes qui sont sollicitées par ce nouvel ordre social sont moins primitives, et puisent leurs racines à des époques moins reculées de l'enfance, que durant la période précédente. Le leader n'est plus présenté comme la figure inaccessible et fulgurante du père-mère archaïque. Il devient un modèle d'identification comme peuvent l'être des parents pour des enfants d'un âge avancé. Et ce sont des nostalgies afférentes à la communauté des frères qui sont mises au premier plan.

Le milieu du XIIe siècle fut tout au plus marqué sur le plan politique et socio-économique par une inflexion de certaines évolutions, par une réorientation de certaines tendances dominantes, sous la pression du lent mouvement d'essor économique et technique qui affectait alors le monde féodal. Si le système de pensée dominant avait été l'empreinte fidèle de l'ordre économique et social ambiant, on n'aurait pas assisté, à cette époque, à des mutations aussi radicales dans le domaine de l'esthétique, de la sensibilité et de l'organisation de la pensée elle même, mais tout au plus à une suite de réajustements progressifs.

C'est parce qu'un système de pensée est l'expression d'un désir et non la transcription d'une réalité, et que de plus il a sa cohérence propre et ne peut de ce fait se plier à toutes les évolutions, qu'il est sujet à de telles mutations, qu'il suit dans son évolution une trajectoire originale qui démultiplie, déforme, amplifie les tendances profondes de l'évolution socio-économique sous-jacente.

Le dynamisme du premier art gothique qui l'amènera, dans une société pourtant fondamentalement traditionaliste, à remplacer en quelques décennies les techniques, les formes et les thèmes de l'art roman, ne peut se comprendre que si l'on perçoit la dimension d'utopie d'un pareil mouvement, que si l'on sent qu'en proposant un nouveau système de pensée et une nouvelle esthétique, c'est à un bouleversement des structures de leur société que les hommes aspiraient alors. Bouleversement qui ne fait que s'amorcer en fait dans la deuxième partie du XIIe siècle et qui consiste à s'émanciper de la toute-puissance du passé, de la coutume, du père ou du seigneur, pour s'intéresser plus au présent, à la nature et à ses lois, afin de vivre dans le cadre collectif d'un groupe fonctionnel qui a sa place bien définie dans un ensemble hiérarchisé et cohérent.

Il apparaît logique qu'à partir d'un certain moment, au cours d'une évolution, le modèle des relations de dépendance sociale et l'image du leader proposée par les artistes à leurs concitoyens change. Il est normal que ce changement se fasse brutalement sous forme d'une prise de conscience qui s'affirme à partir d'un certain seuil d'évolution socio-économique, puisque ces modèles et ces images sont l'expression d'un désir plus que la transcription d'un état de fait, et que la façon dont le monde est désiré peut évoluer beaucoup plus vite que ce monde lui-même.

Ce qui apparaît plus inquiétant dans cette mutation que nous avons observée à travers l'exemple chartrain, c'est le sort réservé aux pulsions affectives et notamment à celles qui sont rattachées aux images parentales. Entre le Christ de Moissac et celui de Chartres, c'est l'image du père, autant que celle du Seigneur, qui change. Or il est impossible que l'évolution des mœurs ait réellement occasionné en une génération un changement des relations familiales amenant une évolution aussi marquée des perceptions enfantines et des désirs les plus archaïques. L'évolution des structures familiales est généralement très lente. Certes, de nombreux indices nous montrent qu'à partir du milieu du XIIe siècle la cohésion du lignage commence à regresser et que la dépendance vis-à-vis de l'ancêtre est ressentie comme de plus en plus contraignante. Mais cette évolution, aussi importante qu'elle fût ne concernait que le monde des adultes. C'est par les adultes que, du fait de l'évolution socio-économique, la dépendance pouvait être ressentie comme une gêne, pas par les enfants. Il est peu probable que les relations des parents vis-à-vis des nourrissons et des enfants aient évolué au cours du XIIe siècle au point de modifier l'image que ceux-ci allaient garder de leurs parents dans les profondeurs de leur inconscient.

Pour expliquer la mutation affective que nous avons observée entre l'art roman et l'art gothique, on est amené à penser que dans leurs œuvres les artistes ne font pas appel à la réalité de leur passé mais disent leur manière de vouloir *a posteriori* cette réalité passée.

L'artiste roman, du fait de son insertion dans un monde troublé, régi par les liens de dépendance patriarcaux et féodaux, cherche dans ses souvenirs, dans les images enfouies dans son inconscient, les éléments qui lui apparaissent les plus positifs, les plus chargés d'espoir eu égard à sa situation présente.

Ce qui change à Chartres, c'est que le sculpteur ne fait plus appel à la même réminiscence paternelle, qu'il ne reconstruit plus son souvenir ou sa nostalgie suivant les mêmes lignes de force.

A chacune des phases de l'enfance et de la vie adulte, on garde en soi des images parentales, mais ces images sont vivantes et en perpétuelle association avec de multiples autres éléments du passé ou du présent. Aussi, c'est *a posteriori* et en fonction de ses préoccupations d'adulte que l'artiste est amené à restructurer ses désirs et ses nostalgies les plus enfouies.

L'image très archaïque du père-mère tout-puissant, qui est plus ou moins inscrite dans l'esprit de chacun, a été revivifiée et remodelée par les artistes romans en association avec celle de Dieu, du seigneur ou du diable, de la muraille, de la voûte ou du pilier, afin de pouvoir exprimer leurs désirs et leurs préoccupations quotidiennes.

C'est à d'autres souvenirs, à d'autres nostalgies, que l'art roman avait négligés, que les artistes de la période suivante feront appel afin de mieux exprimer leurs nouveaux désirs et leurs nouvelles préoccupations. Dans une société qui conçoit différemment son devenir et cherche à resserrer les solidarités protectrices entre membres égaux d'un même groupe, au détriment des attaches patriarcales et féodales, les nostalgies afférentes à la communauté des frères prendront une importance affective accrue. A la figure de l'Abraham de Moissac (Pl. XVI), recueillant dans son sein l'âme du pauvre Lazare, va succéder, dans l'art gothique, celle du même Abraham, mais combien moins tendre et sécurisant, recueillant plusieurs petites figures dans un pli de son manteau. Ce sont les justes, qui sont ainsi sauvés, et la relation de l'individu au groupe prime sur la relation personnelle et physique avec le patriarche.

On peut se demander ce que sont devenues les pulsions affectives et les nostalgies originelles auxquelles les artistes romans se sont référés et qui ne trouvent plus matière à s'exprimer dans le nouveau système gothique. Sont-elles simplement abandonnées dans le lointain souvenir, ou refoulées parce que considérées comme nocives ? L'énergie psychique qui y était attachée se trouve-t-elle réinvestie sur d'autres images et d'autres nostalgies ? Sans pouvoir répondre de façon rigoureuse à ces questions, on peut néanmoins observer, dans la façade occidentale de Chartres, s'opérer une sorte de transfert affectif au profit des nouvelles solidarités du groupe.

Le portail royal n'est plus, comme à l'époque romane, dominé par la présence du seul Pantocrator. Toute une procession de grandes figures, qui ont à peu près les mêmes caractères morphologiques que le Christ, viennent prendre place sur les piédroits, et ce sont elles qui attirent le plus d'attention, parce qu'elles sont placées à portée du regard et qu'elles ont été traitées avec un soin et un talent tout particulier. C'est le groupe qu'elles constituent, le groupe des princes, qui est investi collectivement de puissance et d'autorité.

Ce premier transfert des vertus et caractères du père-seigneur à celle du groupe des puissants, correspond, dans un monde qui peu à peu se structure et élargit ses horizons au-delà de la châtellenie, à une prise de conscience nouvelle des solidarités de classe. Le maître n'est plus, ne doit plus être, un individu tout proche, unique en son genre. Il doit faire partie d'une caste héréditaire, cohérente, qui a ses règles propres et sa fonction sociale à remplir, et c'est en tant que membre de cette caste que l'on a intérêt à l'appréhender.

Ce n'est pas uniquement sur le groupe des leaders que se transfère l'autorité et les vertus attachés au père-seigneur roman. C'est en fait, toute la composition du triple portail et jusqu'à la structure de la façade tout entière qui se trouve à Chartres investie de la puissance sécurisante qui se focalisait auparavant autour de la seule personne du Pantocrator.

Quand, dans l'art roman, nous voyons, comme à Vézelay, des portails triples avec le Christ en gloire au tympan de la baie centrale, l'artiste magnifie cette baie centrale et l'amplifie, si bien qu'elle accapare toute l'attention et dépasse largement par sa taille et son ampleur les baies latérales qui lui sont accolées. A Chartres on ne retrouve pas une telle démesure. La baie centrale est juste un peu plus élevée que les deux baies latérales, et l'ensemble du triple portail semble remarquablement équilibré.

A l'époque romane, les portails dominés par le Christ de l'Apocalypse fascinaient les sculpteurs au point de nécessiter une protection spéciale pour ménager des transitions entre cette vision sacrée, le monde extérieur, et le reste de l'édifice. Le portail de Vézelay apparaît au fond d'un narthex, et ceux de Moissac, de Beaulieu ou d'Autun sont précédés par une zone d'ombre créée par un porche profond. A Chartres au contraire, les bâtisseurs nous présentent le Christ en gloire de l'Apocalypse au niveau de la façade, en pleine lumière, et cette scène sacrée est conçue comme l'un des éléments d'une composition plus vaste dans laquelle elle est insérée.

Si à Chartres, la vision apocalyptique apparaît moins épique

que dans l'art roman du fait de son insertion dans cette composition d'ensemble, cette composition, elle, se trouve investie par là d'une valeur nouvelle. La puissance sécurisante du père-seigneur roman, vers lequel convergeaient tous les désirs et toutes les nostalgies se transfère ici à l'ensemble bien structuré de la façade occidentale, et par-delà, à la communauté solidaire et à l'ordre d'une société fonctionnelle et hiérarchisée.

Au niveau du groupe des statues-colonnes, on observe un transfert analogue. Les plis fins et serrés de la robe et du manteau d'une des reines de l'Ancien Testament (Pl. XXVI) descendent depuis sa taille et son avant-bras jusqu'à ses pieds avec la régularité des cannelures d'une colonne, et les longues tresses rectilignes de sa coiffure, tombent jusqu'à la hauteur de ses genoux. En rythmant ainsi par la succession des verticales l'élancement des colonnes, l'artiste a associé plastiquement la figure à son support, et la beauté, la douceur, la sensualité de cette reine, qui nous apparaît dans le cadre extrêment contraignant et presque architectural des draperies verticales de sa robe et de son manteau, se trouvent si profondément insérées dans la composition d'ensemble qu'elles communiquent à toute la structure de la façade une dimension et un attrait affectif nouveau.

Ce transfert, cet investissement sentimental du groupe, et par-delà, de l'ordre et de la clarté d'un ensemble bien composé, a été le ciment du nouveau système de pensée gothique, et a dû constituer un des phénomènes majeurs de l'évolution de la sensibilité collective au XIIe siècle. Et les artistes des premières cathédrales ont dû jouer un rôle important dans ce mouvement en proposant à travers leurs œuvres une structure qui leur permette, et qui permette aux spectateurs, de remodeler leurs pulsions instinctuelles et de transférer leurs affects et leurs nostalgies inconscientes suivant des lignes de force adaptées à un projet social contemporain.

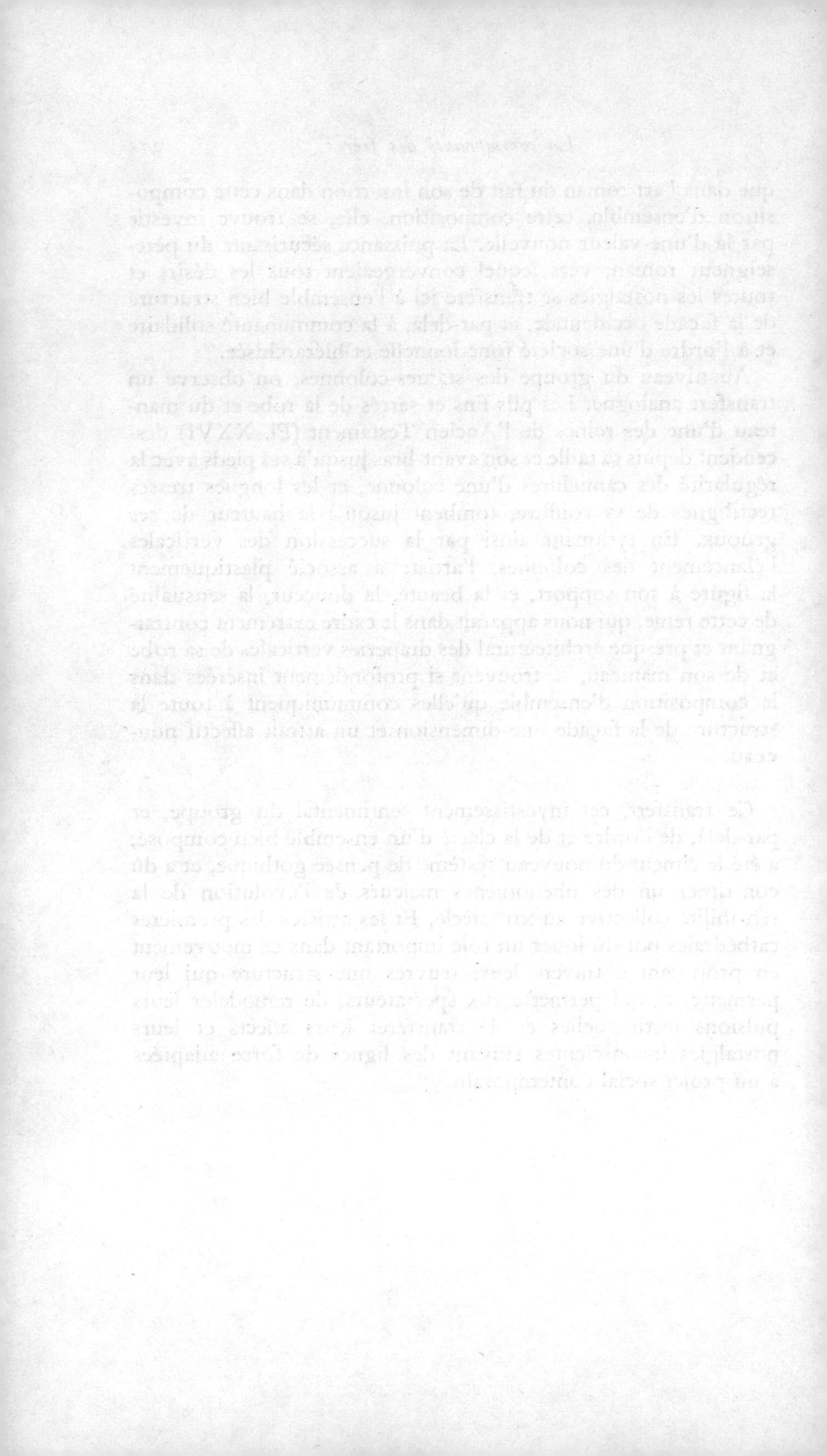

Les lumières de la cité

Et lumineux est le noble édifice que la nouvelle clarté envahit.

Suger.

Dans ce nouveau système de pensée, dans cet univers plus vaste et mieux ordonné qui peu à peu se construit, la conception de la lumière et toutes les valeurs qui lui sont attachées vont être profondément modifiées.

Alors que dans les édifices romans, il y avait comme un lien entre la pénombre et la muraille, dans l'architecture nouvelle il va y avoir une association entre la structure et la clarté. En effet, c'est parce que les éléments de cette structure ont pris le pas sur les parois et les voûtes que les bâtisseurs ont pu ouvrir leurs édifices par des baies plus larges ; mais inversement, c'est cette lumière plus abondante qui va leur permettre de mettre en valeur et de justifier plastiquement leurs compositions savantes de colonnes, de colonnettes, de doubleaux, d'ogives, de formerets et d'archivoltes qui composent cette structure (Pl. XXX).

La clarté est nécessaire dans un monde plus ordonné où chaque groupe a un rôle fonctionnel à jouer. Le flou, la pénombre, l'imprécision doivent en être bannis.

Les théologiens s'efforceront de clarifier, de rendre intelligibles les enseignements des docteurs de l'église, et ils attacheront plus d'importance aux « lumières du Nouveau Testament qui s'opposent aux ténèbres ou à la cécité de la loi juive » (Panofsky), et les poètes associeront systématiquement ce qui est clair et lumineux à ce qui est beau et bon.

Du fait de la multiplication des éléments de structure au détriment des surfaces planes ou courbes, et d'une plus grande attirance pour la lumière qui amenait à élargir la taille des baies, la peinture ne trouvera plus sa place dans l'édifice gothique; le vitrail, au contraire, y jouera un rôle majeur.

Il ne faudrait pas croire pourtant quc l'évolution qui mène des fresques romanes aux vitraux gothiques soit le fait de simples contingences architecturales. La clôture des baies aurait pu être assurée de bien d'autres manières qu'à l'aide de vitraux historiés montrant des épisodes de la mythologie chrétienne. Les bâtisseurs auraient pu utiliser du verre blanc comme l'ont fait les cisterciens dans l'église d'Obazine, des compositions de dalles ajournées, ou même du parchemin tendu sur des montants de bois. S'ils ont utilisé le vitrail c'est, nous allons le voir, parce que cette technique était particulièrement bien adaptée au mouvement économique, social et esthétique qui affectait alors la société féodale.

L'élaboration de vitraux exige d'abord une infrastructure artisanale et commerçante très importante. Il faut du fer, du plomb et de l'étain en abondance, du verre et des matières colorantes de toutes sortes, généralement à base d'oxydes métalliques, de fer, de cuivre, de cobalt et de manganèse. Ces matériaux relativement précieux et rares faisaient l'objet d'un commerce souvent à longue distance, et c'était seulement dans les villes importantes que l'on pouvait se les procurer aisément. Il faut aussi une main-d'œuvre très qualifiée pour préparer le verre et le colorer, pour dessiner les motifs sur de grandes tables enduites de plâtre ou de poudre d'os, pour choisir les couleurs, couper les morceaux, les peindre de diverses nuances de gris, les recuire au four, les sertir de plomb, souder le plomb à l'étain, etc. Toutes les techniques utilisées étaient obtenues par tâtonnement avec des méthodes empiriques, et derrière une œuvre achevée de bonne qualité il faut imaginer les essais, les échecs, les observations innombrables qui ont permis d'arriver progressivement à une technique fiable, à une de ces recettes d'atelier que donne Théophile dans son traité des techniques. Il nous dit par exemple que pour faire « la couleur avec laquelle on peint le verre » (c'est-à-dire la grisaille) il faut broyer de la battiture de cuivre après l'avoir brûlée dans un vase de fer avec un tiers de verre pilé et un tiers de saphir grec, et traiter le mélange au vin ou à l'urine.

L'art du vitrail n'aurait pas pu apparaître dans l'Occident morcelé du XIe siècle. Même les plus puissants monastères de cette époque ne pouvaient pas regrouper une masse de techniciens, de matériaux et d'informations suffisante pour susciter la création de techniques aussi complexes. L'apparition et l'expansion de l'art du vitrail ne pouvaient se faire que dans les centres urbains importants, où des artisans de diverses disciplines, qu'il s'agisse de métallurgistes, de verriers, de céramistes, d'orfèvres, de miniaturistes ou de peintres, puissent échanger leurs informations techniques et collaborer, chacun avec leur pratique spécifique à un projet commun.

Les grandes verrières du premier art gothique, comme celle de la façade occidentale de Chartres, témoignent de l'expansion artisanale des villes de la France du Nord, et de la vitalité des nouvelles structures professionnelles qui se mettent en place et qui, ne s'étant pas encore figées dans des corporations malthusiennes jalouses de leurs secrets professionnels, permettaient aux artisans de diverses disciplines de se rencontrer sur un pied d'égalité.

Par-delà cette simple synergie, l'art du vitrail qui représente comme la quintessence du savoir-faire et de la technicité des nouveaux bourgeois, s'insérait bien dans la nouvelle esthétique et se pliait parfaitement aux critères du nouveau système de pensée que nous avons vu à l'œuvre à cette époque dans les domaines les plus divers.

Le décor peint à fresque dans les églises romanes, qui pouvait être exécuté par une petite équipe de passage disposant d'un matériel réduit, est constitué par une fine pellicule de peinture appliquée sur un mortier plaqué sur la muraille. Il n'a pas d'existence indépendamment de son support, il ne joue aucun rôle fonctionnel. C'est une parure pour la paroi.

Le vitrail, au contraire, est un élément de l'architecture qui a, par-delà son rôle décoratif ou didactique, une fonction matérielle à jouer : il protège de la pluie et du vent et il diffuse la lumière.

Les artistes du premier art gothique, qui ont cherché à décomposer visuellement l'édifice en un certain nombre de parties fonctionnelles et qui ont redistribué les éléments de leur décoration en associant un espace de représentation particulier à chacun des membres de la construction, ont trouvé dans le vitrail dont le rôle matériel est bien caractérisé et qui s'assemble de façon logique avec les autres membres de l'architecture, un espace qui leur convenait bien, et ils lui ont réservé le monopole de la représentation des scènes sacrées à l'intérieur de l'édifice, comme ils réserveront aux chapiteaux le monopole du décor végétal.

Si, dans cette redistribution générale des rôles ils ont donné aux vitraux une importance capitale, c'est que cet espace-là les fascinait, comme les chapiteaux avaient fasciné leurs ancêtres romans. Pour eux qui cherchaient, nous l'avons vu, à décomposer la réalité en un certain nombre d'éléments juxtaposés, le vitrail constituait un espace de prédilection, puisqu'il est lui-même constitué d'une juxtaposition de fragments de verre colorés. Fragments dont la plus grande dimension n'excède guère vingt centimètres et qui sont regroupés en un certain nombre de plages de couleur homogènes qui figurent les diverses parties de chaque scène.

Dans la façade occidentale de Chartres, ces plages de couleur sont si bien imbriquées les unes dans les autres que l'on trouve rarement plus de trois ou quatre fragments de verre de la même teinte contiguë. Un vêtement est souvent composé d'une robe et d'un manteau de couleur différente, et chacune de ces parties, visuellement isolées, est constituée d'un tout petit nombre de fragments de la même teinte. Un visage, une main n'est généralement constitué que d'une seule pièce. Si la technique du vitrail a connu un tel succès au XIIe siècle c'est qu'elle demandait un effort de dissection et d'analyse de la réalité qui correspondait aux plus profondes aspirations des hommes de ce temps.

Les vitraux de la façade occidentale de Chartres se caractérisent par la façon apparemment très simple dont l'ensemble des scènes a été composé. La verrière centrale est découpée par des montants de fer en vingt-huit panneaux carrés, dans chacun desquels prend place une scène de la vie du Christ réinscrite dans un cadre carré ou, une fois sur deux, dans un médaillon circulaire. La progression se fait de bas en haut et de gauche à droite. On ne peut imaginer une composition plus simple, plus lisible et mieux accordée à la découpe de la structure métallique de soutien. C'est l'ensemble des scènes figurées juxtaposées qui constitue la verrière. Seule une judicieuse répartition des couleurs, et un équilibre des scènes les unes par rapport aux autres donne à l'ensemble sa cohésion et son ampleur. Les verriers chartrains, comme les sculpteurs du portail royal et les bâtisseurs de la tour sud, ont cherché à nous convaincre du bien-fondé du nouveau système de pensée qui était le leur, en essayant de nous prouver *de visu* que la cohésion d'un ensemble peut découler de la simple juxtaposition fonctionnelle de ses éléments constituants, sans autres artifices.

Cette simplicité apparente, cette cohérence et cette ampleur du premier art gothique correspond à un moment de rupture des cadres de pensée dans la société féodale. A un moment privilégié où la nouvelle utopie, où les nouveaux espoirs n'avaient pas été confrontés à la réalité. De fait, on ne retrouve plus dans les vitraux plus tardifs cette apparente simplicité dans la composition, cet accord parfait entre le remplage métallique et la découpe des scènes, et cette correspondance serrée entre le fragment de verre, la petite plage de couleurs à laquelle il participe et l'élément de base de la scène figurée.

Au XIVe siècle, l'utilisation du jaune à l'argent passé au pinceau sur le verre rompra la correspondance entre le fragment de verre et la plage de couleur, puisque sur un même fragment on pourra avoir deux teintes distinctes. Mais déjà bien avant, dans les verrières du XIIIe siècle représentant sur toute leur hauteur des personnages, cette association entre le fragment de verre et l'élément constituant la scène perdra de sa vigueur, car dans les fonds comme dans les pans de vêtements, ou même les visages, il faudra un grand nombre de fragments pour constituer une même plage de couleur. Et dans les verrières représentant des scènes plus petites, les compositions deviendront plus complexes, plus savantes, et l'armature métallique ne correspondra plus que très partiellement à la composition des médaillons que l'artiste se plaît à isoler sur un fond ornemental qui devient le ciment visuel de l'ensemble.

Si l'art du vitrail s'est développé aussi vigoureusement au XIIe siècle, au point que dès ses premières expériences il nous apparaisse, comme à Chartres, parfaitement sûr de ses techniques et de ses procédés de composition et atteigne au chef-d'œuvre, c'est parce qu'il était en symbiose avec les potentialités et les nouvelles aspirations des hommes du XIIe siècle.

Honarius d'Autun dit en parlant des verrières :

« Les fenêtres translucides qui nous séparent de la tempête et nous versent la clarté sont les docteurs. »

Et vers 1200, le chancelier du chapitre de Chartres dira :

« Les fenêtres vitrées par lesquelles se transmet la clarté du soleil signifient les Saintes Écritures. »

Situés entre le ciel et la terre, entre le cosmos et les structures internes de l'édifice qu'ils mettent en valeur, capables comme les docteurs de l'église ou les Saintes Écritures de donner un sens aux mystères du monde, les vitraux, chefs-d'œuvres du nouvel artisanat urbain, qui prennent la place au XIIe siècle des anciennes murailles, sont une des expressions les plus parfaites et les plus saisissantes de la nouvelle esthétique et du nouveau système de pensée qui se met en place vigoureusement dans un monde féodal qui peu à peu se transforme.

L'ordre gothique et son enjeu social

Pour comprendre la genèse de ce nouveau système de pensée gothique qui s'exprime vigoureusement dans la France du Nord à partir de la deuxième partie du XIIe siècle, nous allons essayer de voir quels furent les groupes sociaux qui avaient alors intérêt à abandonner la démarche romane pour appréhender le monde de cette nouvelle manière.

C'est dans les villes, qui étaient au cœur du renouveau économique, parmi ces « bourgeois » comme on disait alors, qui se trouvaient en marge d'un monde dans lequel au départ ils n'avaient pas leur place, que l'inadéquation entre le système de pensée roman et leurs aspirations quotidiennes, liées à leurs pratiques professionnelles et sociales, devait être le plus vivement ressentie.

Artisans et marchands avaient besoin de pouvoir disposer de leurs biens pour faire des transactions commerciales sans recourir à l'assentiment de tous leurs proches. Pour eux, l'individu, son adresse, sa technicité devaient être reconnus par-delà toutes les attaches familiales ou sociales.

(Le bourgeois) « est, et surtout quand il est riche, dégagé des contraintes; et d'abord des contraintes lignagères. La famille rurale se resserre pour défendre l'alleu ancestral; ici, les fonds comptent moins que l'activité individuelle et chacun va de son côté; les fils font leurs affaires personnelles, gagnent un argent qui ne doit rien à personne et échappent à l'autorité paternelle. La famille bourgeoise se disperse plus vite » (Duby).

Sur le plan social, ces hommes regroupés dans les villes, n'avaient que faire de l'autorité paternaliste des sires des environs qui cherchaient à imposer leurs droits de justice et qui s'appropriaient sous forme d'amendes ce qu'ils avaient mis de longues années à amasser. Nous sentons à travers « les Établissements de Saint-Quentin » de 1151, toute l'animosité et la suspicion des bourgeois à l'encontre des notables : ces « seigneurs félons menés par convoitise », à qui l'on interdit de construire des maisons fortes dans un périmètre de trois lieues autour de la ville, à qui l'on interdit de réaliser des gains frauduleux sur les monnaies ou de contracter des emprunts sans donner de bons gages et sans stipuler les termes, à qui surtout l'on s'efforce de dénier leurs droits de justice. Le comte de Vermandois lui-même et ses hommes sont suspects :

« Il ne peut entrer dans la ville qu'avec une petite escorte de quatre ou de douze chevaliers. S'il possède une maison forte, il ne doit y mettre comme gardes que des membres de la commune, acceptés par le maire et les jurés, et non point des gens " pour la destruction des bourgeois ". » (Petit Dutaillis.)

Marc Bloch résume à merveille les griefs du bourgeois à l'encontre du système :

« Parce qu'il a besoin de traiter rapidement ses affaires, et que celles-ci, en se développant, ne cessent de poser des problèmes juridiques nouveaux, les lenteurs, les complications, l'archaïsme des justices traditionnelles l'exaspèrent. La multiplicité des dominations qui divisent la ville même le choquent comme un obstacle à la bonne police des transactions et comme une insulte à la solidarité de sa classe. Les immunités diverses dont jouissent ses voisins d'église ou d'épée lui paraissent autant d'empêchements à la liberté de ses gains. Sur les routes qu'il hante sans trêve, il abhorre d'une haine égale les exactions des péagers et les châteaux d'où fondent, sur les caravanes, les seigneurs pillards. »

La domination des seigneurs ecclésiastiques était souvent aussi durement ressentie dans les villes que celle des seigneurs laïcs. En 1112 les habitants de Laon (qui sera un des berceaux du premier art gothique), furieux contre les exactions de Gaudry leur évêque, se révoltent et proclament la commune. Sous la conduite d'un serf d'une abbaye voisine, ils attaquent la résidence épiscopale et tuent l'évêque qui s'était réfugié dans un tonneau. Les nobles et les clercs, qui avaient échappé au massacre s'enfuirent. Leurs maisons furent pillées et brûlées, et la cathédrale, gagnée par l'incendie, fut en partie détruite. Par la suite, la répression s'organise, et en 1115, la ville, investie sans combat par le roi Louis VI et son armée, subit des représailles drastiques.

Pour se défendre, pour faire prévaloir leurs vues, les « bourgeois » étaient amenés à s'unir dans des corporations de métier, dans des communes urbaines, et à tenter d'obtenir des seigneurs, prélats ou laïcs, qui dominaient les villes, des chartes leurs donnant une certaine autonomie interne. Mais le combat qui les opposait aux puissances féodales traditionnelles était très inégal. Ils ne pouvaient à l'évidence, vaincre l'aristocratie militaire et l'église à visage découvert pour imposer un ordre social qui leur convienne pleinement. Même quand ils parvenaient à se constituer durablement en commune, ils devaient faire, les premiers moments d'exhaltation passés, des concessions importantes aux évêques ou aux plus puissants seigneurs, s'ils ne voulaient pas attirer sur leur cité une répression sanglante.

Dans la lutte de classe sourde et continue qui les opposait aux puissances féodales dont ils ne pouvaient remettre en cause la suprématie, les bourgeois vont utiliser toutes leurs possibilités d'action.

Ils vont souvent jouer des rivalités entre les diverses autorités civiles et religieuses, recherchant l'appui de l'évêque ou du prince contre les châtelains locaux, ou inversement. Ils vont profiter des difficultés financières des grands pour acheter des franchises. Ils vont s'intéresser au droit écrit, qui se développe alors, et qui leur semble seul pouvoir leur donner des garanties suffisantes.

Ils vont s'efforcer surtout de faire prise sur l'idéologie et le système de pensée traditionnel pour les transformer en un sens qui leur soit plus favorable. Pour cela, ils vont chercher à faire pression de diverses manières sur le clergé séculier, pour l'amener à entrer dans leurs vues et à transmettre à travers la nouvelle esthétique et la première scolastique une vision du monde, des valeurs et une pratique intellectuelle, auxquelles ils puissent adhérer.

Les clercs, qui se pressaient toujours plus nombreux dans les écoles urbaines, qui gravitaient autour des cathédrales, constituaient un milieu relativement perméable aux idées nouvelles. Leur sort était lié à celui des bourgeois au milieu desquels ils vivaient. C'est par leur intermédiaire que les classes urbaines pouvaient avoir partiellement prise sur l'idéologie dominante, pouvaient exprimer leurs désirs dans la pierre comme dans les textes, et par là leur donner une portée universelle. Et ils ont joué de ce fait un rôle considérable d'intermédiaire et de médiateurs dans les luttes de classes.

Pour s'opposer aux prétentions des potentats, les bourgeois devaient dépasser le système de pensée roman qui faisait la part trop belle à l'autorité. Ils avaient besoin que les modèles de référence et les principes d'ordre transmis par l'église, et qui étaient reconnus par tous, puissent canaliser les sentiments et les raisonnements des hommes dans un sens qui leur soit plus favorable.

Les bourgeois du XIIe siècle, qu'ils soient artisans, commerçants ou agriculteurs, voulaient considérer l'individu et l'objet en fonction de ses caractères spécifiques, de son utilité. Cela, du fait de leur pratique professionnelle, qui exigeait une technicité et une observation accrue de la réalité, mais aussi et surtout de leur pratique sociale. Pour eux, un ensemble quelconque devait, comme la société à laquelle ils aspiraient, être constitué d'éléments aux caractères bien définis. D'autre part, dans leur lutte contre leurs ennemis de classe, ils trouvaient dans la solidarité avec leurs égaux, dans le cadre de la corporation de métier, de la communauté paroissiale ou de la commune, s'il y en avait une, le plus clair de leur force et la plus sûre de leur protection. Aussi, ils cherchaient à ce que ce nouveau lien d'homme à homme, cette nouvelle solidarité horizontale, soit admise par tous, reconnue par l'église et introjectée dans les structures mêmes de la pensée dominante.

Le commerce et l'artisanat en pleine expansion poussaient les bourgeois à désirer un champ d'activité vaste et ordonné qui dépasse le cadre trop étroit de la châtellenerie, et qui ne soit pas perpétuellement bouleversé par les rivalités et les affrontement des grands. Aussi, ils avaient tendance à soutenir les tentatives de reconstruction politique de l'église et des princes, qui s'efforçaient d'assurer une certaine cohésion à travers les pays chrétiens morcelés. Et par-delà cet appui tactique, ils adhéraient pleinement à la vision d'un monde idéal qui soit une vaste composition encyclopédique hiérarchisée et ordonnée, régie par un Christ-juge rigoureux.

Ils devaient trouver aussi, dans l'image du leader telle qu'elle apparaît à Chartres ou dans les crucifix de la fin du XIIe siècle, d'un leader humain, mesuré et sage, qui a perdu sa prééminence absolue et son pouvoir de fascination, qui a renoncé à ses pulsions égoïstes et qui assume la souffrance du monde, un modèle sacralisé par l'église, qui correspondait mieux à leurs aspirations que l'image des patriarches omnipotents de l'époque précédente. Modèle d'identification auquel ils pouvaient se référer eux mêmes et qu'ils pouvaient opposer à leurs chefs temporels pour les contester.

L'ordre gothique tel que nous l'avons précédemment observé, devait, nous le voyons, assez bien correspondre à la façon dont les bourgeois de la deuxième partie du XIIe siècle cherchaient à appréhender le monde, dans le contexte féodal où ils étaient plongés, et qu'ils ne pouvaient pas remettre en question. Et de fait, les dons aux églises des bourgeois enrichis, les mouvements de fraternité évangélique qui se développèrent au cours de la « croisade des cathédrales » dans les milieux populaires, la rivalité des villes quant à la splendeur de leurs églises, et tous les mouvements de construction qui se sont développés dans les cités du Nord de la France, témoignent de l'effort des nouvelles classes urbaines pour officialiser et universaliser, par le biais de la religion, ce système de pensée et cette idéologie gothique particulièrement adaptés à leurs aspirations profondes.

Ces villes où s'est opérée en premier chef la mutation idéologique que nous venons d'observer, qu'elles soient constituées en commune ou pas, vivaient en symbiose avec le pays environnant. Elles n'étaient pas un corps étranger dans le monde rural, mais bien plutôt des lieux privilégiés, où se trouvaient concentrés les aspects les plus novateurs d'un mouvement qui intéressait l'ensemble des campagnes.

Charles Petit Dutaillis a bien marqué dans son étude sur le mouvement communal, le caractère des villes du XIIe siècle dans la France du Nord.

« Il y avait, dit-il, des communes qui étaient de petits bourgs ruraux ou des fédérations de villages. D'autre part, même dans les villes importantes, comme Soissons, Senlis, Saint-Quentin, Dijon, etc., les traditions étaient restées rurales, les occupations d'un bon nombre de bourgeois étaient restées à demi agricoles,... Comment s'en étonner ? Au XIIe siècle, de la Somme à la Loire, pays de presque toutes les anciennes communes, le développement de la vie urbaine était récent. Au xe siècle, on ne connaissait guère dans cette région que l'existence aux champs. Les villes ne se sont pas seulement reconstituées par la renaissance du commerce et d'une industrie exportatrice; leur développement a été souvent dû à la sécurité que les remparts et l'architecture militaire offraient maintenant aux agriculteurs. Excédés par le brigandage, ils s'efforçaient d'avoir leur domicile en un lieu fortifié et allaient soigner leurs champs et leurs vignes dans les environs; d'autres se fixaient en ville, ouvraient des échoppes, faisaient quelquefois fortune, mais sans renoncer à la terre. Les textes montrent que nombre de villes qui ont obtenu soit des chartes de commune soit des chartes de franchises étaient en réalité de gros villages, où des demeures rustiques, avec des basses-cours, des étables, des granges, des jardins d'exploitation côtoyaient les maisons de pierre. Même dans les villes d'industrie comme Sens, Saint-Quentin ou Péronne, la prospérité économique était de source en grande partie agricole... En somme, les gens qui ont obtenu des chartes communales n'étaient point forcément des commerçants et des artisans absorbés par leur métier; leurs caractéristiques, c'était d'être des hommes d'énergie, qui avaient eu recours au moyen révolutionnaire de la conjuration pour arriver à leurs fins, ou bien avaient eu la chance d'être favorisés par un seigneur d'humeur débonnaire ».

Le dynamisme du mouvement urbain ne s'explique que parce qu'il exprime des tendances, qui, plus diffuses, se rencontrent dans les milieux ruraux.

L'amélioration de la productivité, exigeait de la part des vilains, l'usage de bêtes de somme plus nombreuses et plus puissantes et l'utilisation d'instruments aratoires de plus en plus souvent en fer, qu'il fallait acheter, ce qui représentait des investissements croissants. Par ailleurs la diminution progressive des corvées et des prestations en nature au profit de prélèvements en argent, qui va s'accélérer au cours du xiie siècle, obligera les paysans à participer de plus en plus activement à l'économie de marché, en vendant leurs surplus, ou en travaillant contre un salaire sur les terres des seigneurs. G. Duby remarque « que dans le cours du xiie siècle, mais plus vivement à partir de 1150, l'accélération de la circulation monétaire commença d'inciter les seigneurs à étendre dans les perceptions la part du numéraire. Beaucoup de maîtres, en effet, par les modifications mêmes que leur nouvelle aisance et des préoccupations moins frustes introduisaient dans leur genre de vie, se détachaient peu à peu du cadre champêtre et adoptaient un comportement moins rustique. »

Du fait du renouveau de la circulation monétaire et de la

lente reconstruction des pouvoirs supérieurs qui assurent une certaine police sur de larges territoires, les liens qui unissaient les manants aux seigneurs, châtelains ou hobereaux de village, tendaient à perdre de leur vigueur et à devenir moins directs, moins personnels, moins affectifs. Dans ce contexte nouveau, les paysans, qui étaient plus nombreux sur des terres mieux cultivées, devaient de plus en plus mal supporter l'immixtion dans leurs affaires quotidiennes de ces chevaliers, qui devenaient chaque jour plus étrangers à leur genre de vie, et qui du fait de l'évolution politique n'étaient plus tant « ceux qui combattent et par conséquent protègent », mais déjà « ceux qui jouissent ».

Les manants, éparpillés dans des hameaux difficiles à défendre étaient moins bien placés que les bourgeois pour bousculer par la force la domination des féodaux. Aussi, pour assurer leur position dans la lutte de classes qui les opposait aux seigneurs, avaient-ils recours aux moyens de pressions les plus divers et les plus détournés. Dans certains cas, ils vont se référer aux autorités supérieures des princes ou des évêques pour contester la domination des châtelains locaux. Très souvent ils vont profiter du renouveau juridique et des besoins financiers de leurs maîtres pour acheter certaines franchises et s'émanciper d'une part de l'arbitraire de la domination des grands. Ils vont aussi s'organiser de façon collective dans le cadre paroissial et tenteront d'acquérir une certaine autonomie d'organisation ne serait-ce qu'en matière de travaux agricoles.

Robert Boutruche note dans son étude *Seigneurie et Féodalité* que :

« Au cours d'une lutte de classes où s'affrontent les puissants et leurs sujets, l'emprise des magnats se relâche sous la pression des ruraux, de même que la forêt s'éclaircit sous la cognée des défricheurs. Pourtant, si les maîtres renoncent à l'arbitraire, ils font payer les exemptions fiscales et l'amélioration des statuts personnels. Ils conservent des justices, des banalités, des droits de gîte, des communaux, des redevances foncières et des menus profits. Ils laissent difficilement aux collectivités rurales la possibilité de conquérir leur autonomie. En revanche, ils collaborent avec elles dans les actes de la vie agraire. Ils acceptent que des groupes paysans assurent la police, qu'ils répartissent les taxes entre leurs membres, qu'un seul ministérial soit présent dans un village là où, jadis, plusieurs agents tourmentaient les tenanciers. Ils trouvent leur compte à une entente qui supprime des intermédiaires gourmands. »

Dans cette lutte sourde, faite de dissimulations, de sabotages larvés, de contestations autour des droits réciproques des uns et des autres, et de violences, les pressions idéologiques devaient jouer un grand rôle. Et les ruraux qui vivaient dans les régions de la France du Nord, qui étaient à la pointe de l'expansion agricole et où la reconstruction de la puissance publique s'opérait avec le plus de vigueur, ne pouvaient qu'adhérer au nouveau système de pensée tendant à redonner à l'individu comme à l'objet une certaine autonomie, et à faire du groupe fonctionnel l'élément de base de tout ensemble. Ils ne pouvaient que se rallier aux valeurs et aux principes d'ordre qui s'élaboraient dans ces villes, qui accaparaient de plus en plus leur attention du fait du renouveau commercial et qui étaient pour eux un refuge possible, comme les monastères l'avaient été pour leurs ancêtres. Et ils devaient soutenir les efforts du clergé séculier autour duquel ils se regroupaient dans le cadre paroissial et qui diffusait une morale, une idéologie et des modèles de référence qu'ils pouvaient tenter d'opposer à leurs maîtres temporels.

On peut se demander ce que les masses urbaines et rurales ont gagné en fin de compte à ce bouleversement idéologique qui laissait en place l'essentiel des structures d'exploitation. A la fin du XIIe siècle et au cours du XIIIe siècle, le groupe des travailleurs, dégagé d'une bonne part de l'arbitraire de la domination seigneuriale, qui, nous l'avons vu, tendait à égaliser, par le biais de ponctions épisodiques, leurs conditions de fortune, va se hiérarchiser et perdra par là sa cohésion. Des bourgeois enrichis deviendront vite d'importants personnages, d'autres viendront grossir le prolétariat urbain. A la campagne, une partie de la paysannerie s'élèvera sur le plan social, l'autre sombrera dans un servage sans espoir. Cette évolution fut très marquée et souvent assez rapide.

« La société rurale, dit G. Duby, retourne avec entrain aux vieilles habitudes individualistes que légitiment maintenant les formules retrouvées du droit romain, et reprend cette liberté d'allure dont le milieu bourgeois, alors seul pénétré profondément par l'économie d'échange, avait eu le privilège. Dans le Mâconnais par exemple, dans le village de Laives, où tous les paroissiens se trouvaient sensiblement au même niveau, au milieu du XIIe siècle, certains sont maintenant (au XIIIe) de purs tenanciers et travaillent pour cinq familles rentières. »

La distinction entre les paysans, selon qu'ils sont libres ou serfs, qui s'était perdue à l'époque romane va réapparaître.

« Durant la seconde moitié du XIIe siècle et l'âge suivant, dit Robert Boutruche, la pression exercée par les puissants sur les couches paysannes les plus désarmées a incité les contemporains à réviser leurs conceptions, à creuser le fossé entre libres et non libres. Sans être refoulés dans un ghetto, ni rejetés hors de la société chrétienne, ces derniers furent exposés, plus que jamais, à des appréciations méprisantes. »

En fin de compte, le mouvement d'émancipation urbain et rural du XIIe siècle, le bouleversement du système de pensée que nous avons observé, permettront, à long terme, à une fraction des « laboratores » de se libérer effectivement des contraintes les plus astreignantes de la domination féodale et de constituer les bases de sa future domination.

Mais parallèlement, la solidarité des groupes urbains et ruraux qui avait fait leur force, va peu à peu s'effriter, se morceler, du fait des oppositions entre les « gros » et les pauvres. L'on ne retrouvera pas dans les œuvres plus tardives de l'époque gothique, l'harmonie, l'accord profond, évident, qu'il y a dans la façade occidentale de Chartres entre l'individu et le groupe fonctionnel auquel il participe, entre l'élément et la composition de l'ensemble et sur le plan social, les corporations de métier et les communes perdront peu à peu de leur vigueur et de leur dynamisme.

Dans le monde aristocratique, les plus puissants, les rois, les ducs, les comtes, ceux qui en principe dominaient des territoires assez vastes, se trouvèrent être de par leur situation les plus intéressés par l'essor économique, le renouveau du commerce et le mouvement idéologique de cette deuxième moitié du XIIe siècle.

Les défrichements se faisaient souvent dans des zones de forêts et de marais qui étaient restées sous leur domination nominale, et ils en furent donc les premiers bénéficiaires. D'autre part, l'essor des villes, l'expansion commerciale, exigeait un minimum de police et d'ordre sur des territoires assez vastes et eux seuls étaient susceptibles de les assurer. Les bourgeois, les évêques, les monastères se tournaient de plus en plus souvent vers eux pour tenter de s'émanciper de la domination arbitraire des châtelains locaux. Cette protection qu'ils étaient seuls à pouvoir accorder, constituait pour eux d'importantes sources de profit.

Mais ils avaient beaucoup de difficultés à s'imposer à des vassaux peu enclins à laisser remettre en cause leurs prérogatives et qui se considéraient comme les seuls maîtres de leurs châtellenie. Les Rois de France, par exemple, eurent le plus grand mal à réduire les petits seigneurs de l'Ile-de-France, qui les narguaient depuis leur forteresse et dont les coups de main constituaient une menace constante pour les voyageurs.

Pour asseoir leur domination, les princes devaient contester le bien-fondé de celle des châtelains. Pour les assujettir, pour s'immiscer dans leurs droits de justice, ils avaient besoin que se développe une vision plus structurée de l'univers où les groupes humains hiérarchisés puissent exister, prospérer et travailler dans la paix du prince, et où l'individu ne soit plus, entièrement assujetti à la personne d'un châtelain tout proche.

Pour que leur justice princière puisse se substituer à la vengeance privée, pour que le lignage n'entrave pas les aliénations de bien en leur faveur, il fallait que l'individu reprenne une certaine autonomie. Et que le modèle de regroupement et de dépendance exclusif autour du seigneur patriarcal, qui avait été implicitement magnifié à travers l'art roman et ses grands ensembles sculptés, soit remis en question.

G. Duby note que dans le Mâconnais, « à partir de 1160, la châtellenie cesse d'être la pièce maîtresse dans l'organisation des pouvoirs banaux... elle est d'abord englobée dans un système politique plus vaste. Vassal ou mandataire d'un prince qui se prétend la source de la paix et de la justice, le gardien de la forteresse est ainsi dépouillé par le haut des plus élevées de ses prérogatives. La protection qu'il accorde a moins de prix puisque les manants peuvent maintenant recourir directement au roi, au duc, aux puissances ecclésiastiques. »

Dans cette lutte difficile pour assurer leur domination sur leurs vassaux, les « princes » avaient tout intérêt à voir se répandre une idéologie et un système de pensée qui leur soit favorable et à s'assurer du soutien du clergé et de la bourgeoisie.

L'art gothique naissant, comme la première scolastique, ont favorisé, sur le plan des structures de pensée et de l'idéologie, cette évolution entre un système de châtellenies autonomes et une organisation plus hiérarchisée de sujétions féodales dont le prince occupe le sommet, et c'est pour cela que les cours princières en retour ont encouragé le renouveau artistique. Ce n'est pas un hasard si le premier chef-d'œuvre gothique fut la basilique royale de Saint-Denis dont l'ordonnateur fut l'abbé Suger, « conseiller et ami loyal » des rois de France, protecteur des commerçants, administrateur avisé, et ennemi juré des petits seigneurs, ces « serpents », ces « bêtes sauvages », qui troublent l'ordre du domaine et nuisent à la prospérité des églises.

Les couches inférieures de l'aristocratie, qui se voyaient peu à peu imposer la suprématie des princes, qui se trouvaient rejetées des villes (sauf en Italie et en Provence) sous la pression des bourgeois qui n'aimaient pas accueillir en leur sein des hommes fondamentalement étrangers à leurs préoccupations étaient beaucoup moins concernées par le mouvement de renouveau commercial et idéologique. Quand Bertrand de Born, modeste chevalier du Sud de la France, chante la guerre et dit : « Nous verrons bientôt comme la vie sera belle... par chemins n'iront plus convois de jours tranquilles, ni bourgeois sans tracas, ni marchands qui viendront de France. Mais sera riche qui pillera de bon cœur », on sent toute la distance qui sépare le petit seigneur guerrier par vocation et les groupes sociaux que nous avons passés en revue. Le nouveau système de pensée et la nouvelle idéologie qui se développent dans la deuxième moitié du XIIe siècle, déniaient à la petite et à la moyenne aristocratie, et notamment aux châtelains une bonne part de leurs prérogatives traditionnelles, et par-delà, mettaient en cause leur importance politique. Néanmoins, cette remise en cause idéologique n'entraînait pas pour eux la perte de leurs privilèges économiques. Au contraire, grâce à la fixation des coutumes, à la conversion en argent des redevances, leur situation se stabilisera et dépendra moins des rapports de force qu'ils pouvaient entretenir avec leurs dépendants et leurs voisins. Grâce aux juridictions supérieures, les conflits internes entre manants et nobles, ou entre les nobles entre eux, pourront être le plus souvent résolus de façon pacifique. Dans le Mâconnais :

« Insensiblement, entre 1166 et le milieu du XIIIe siècle, la haute société s'accoutuma à l'existence d'une autorité pacifique, et les procédés qui, durant l' " anarchie " du XIe siècle, étaient entrés spontanément en usage, l'arbitrage, les garanties, la *responsio pacis*, s'adaptèrent, se perfectionnèrent, devinrent à la fois d'emploi plus régulier et plus efficace. La paix de Dieu fit place à la paix du prince » (G. Duby).

Le mouvement socio-économique et idéologique de la deuxième partie du XIIe siècle tendait nous le voyons à dénier à la petite et moyenne aristocratie une part de son pouvoir politique. Il ne faudrait pas en conclure pour autant que ce groupe social est resté dans son ensemble indifférent, voire hostile, aux bouleversements du système de pensée et de l'idéologie dominante. Une classe sociale n'est pas un tout homogène et dans son sein les oppositions des classes d'âge, des sexes, voire des groupes régionaux ont une importance souvent considérable. Si beaucoup de châtelains et de chevaliers ont dû difficilement se résigner à perdre certaines de leurs prérogatives et à voir remettre en cause leur autorité, les jeunes et les femmes ont pu, quant à eux, profiter de cette évolution pour s'émanciper en partie de la sujétion patriarcale et de l'emprise du lignage qui, nous l'avons vu, devait être particulièrement étouffante.

Une longue évolution va s'amorcer qui conduira peu à peu au desserrement des emprises lignagères.

« Au sein même du groupe familial élémentaire, constate G. Duby dans son étude sur la région mâconnaise, l'autorité du père, qui s'était affirmée après l'an mil, se relâche rapidement dans la première moitié du XIIIe siècle... les fils de nouveau jouissent d'une certaine indépendance économique; souvent, lors de leur mariage, ils reçoivent une part de l'héritage et, bien avant la mort de leurs parents, ils ont leur fortune foncière personnelle et la faculté d'en disposer librement. »

A l'intérieur du couple même, le mari n'aura plus que la gestion des biens de sa femme dont il devra rendre compte.

Il est probable que la diffusion du nouvel ordre gothique, à travers ses multiples manifestations, a dû stimuler et accélérer cette évolution des structures familiales et des modèles de comportement qui affecte l'aristocratie au cours de la période gothique, et a dû de ce fait être encouragée par certains membres de ce groupe qui cherchaient à s'émanciper des contraintes lignagères.

Voyons, à présent, quel rôle a joué le clergé dans ce mouvement, ou plutôt, les divers groupes qui le constituaient, car l'église était très loin d'être alors un corps homogène, et les haines furieuses qui la rongeaient intérieurement dégénéraient souvent en troubles violents et parfois même sanglants.

Les évêques et les clercs séculiers voyaient leur pouvoir

contesté par les seigneurs et les princes, jaloux de leurs prérogatives temporelles et de leurs bénéfices, ainsi que par les manants et les bourgeois des alentours qu'ils exploitaient durement. Et les grands ordres monastiques, qui s'étaient renforcés à leurs dépens durant la période romane et avaient conquis une véritable suprématie spirituelle et temporelle, constituaient pour eux des concurrents redoutables, susceptibles de détourner vers eux la piété et les aumônes des foules laïques. Par ailleurs s'ils n'y prenaient garde, des mouvements hérétiques pouvaient miner, comme en pays cathare, les bases mêmes de leur domination.

Ce clergé séculier lui-même était loin de constituer toujours un groupe cohérent. Les évêques avaient de vives querelles d'intérêts entre eux, et les petits clercs, quelquefois durement exploités par les puissants, prenaient parti dans tous les conflits.

Pour assurer leur prééminence et maintenir la cohésion de leur groupe, les membres du clergé séculier devaient tenter de promouvoir une vision du monde et un système de pensée qui justifient leur rôle social et qui puissent être admis par les divers groupes antagonistes. Ils devaient s'efforcer de profiter de leur position ambiguë dans la hiérarchie féodale pour s'imposer spirituellement et matériellement comme des médiateurs dans les luttes de classes et les conflits locaux.

Les évêques, qui possédaient les chancelleries les mieux organisées et qui disposaient des armes spirituelles, furent les premiers choisis, au XIIe siècle, pour valider des contrats passés entre des particuliers. Et les mouvements communaux, à leurs débuts, s'ils furent parfois dirigés contre le pouvoir épiscopal furent parfois aussi, comme au Mans, encouragés et encadrés par le clergé séculier dans sa lutte contre les seigneurs des environs.

Les évêques et les clercs qui gravitaient autour des écoles urbaines, se trouvaient dans une position privilégiée pour profiter des progrès économiques et pour servir de médiateurs dans les conflits idéologiques entre les masses urbaines et les puissances féodales. Socialement, ils constituaient un lien entre les classes, puisque les évêques participaient assidûment aux assemblées convoquées par les princes, et que les petits clercs des villes étaient en contact quotidien avec les masses urbaines. Sur le plan de l'idéologie et du système de pensée, ils étaient seuls à pouvoir exprimer les nouvelles aspirations qui se faisaient jour du fait de l'évolution économique et socio-politique du monde féodal. Aspirations que les moines isolés sur leurs domaines et soumis à l'autorité patriarcale de l'abbé ne pouvaient même pas percevoir. De par sa vocation même, le clergé séculier était ouvert au monde laïc à qui s'adressaient ses offices et ses prédications et que ses écoles avaient pour mission d'enseigner. Il était plus divers aussi; ses membres étaient moins assujettis à la personne de l'évêque que les moines à leur abbé, ils étaient moins brisés par une discipline astreignante. Ils devaient souvent assumer une fonction administrative, de prédication ou d'enseignement et n'avaient pas, comme les moines, pour tâche unique de louer Dieu et de prier.

L'église n'est plus pour eux cet espace protecteur et impénétrable qui les protège au milieu d'un monde hostile, mais le centre de leurs activités qui sont dirigées vers le monde.

Les membres du clergé séculier ont trouvé dans le nouveau système de pensée, tel qu'il s'exprime à travers la première architecture gothique et la première scolastique, un cadre de pensée et des modèles de référence qui pouvaient être universalisés et qui correspondaient mieux à leurs besoins et aspirations que la vision monachiste et romane d'un monde foncièrement mauvais et sans consistancc, où seules quelques abbayes soumises au Seigneur-Dieu constituaient des pôles de paix et de salut. Pour les prédicateurs ou les maîtres, l'individu devait avoir une certaine autonomie, une certaine liberté, ne serait-ce que pour opter vers le bien par ses actions de pénitence ou ses aumônes. Et le monde quotidien devait être réhabilité comme une image de l'ordre voulu par Dieu. Image dégradée par le péché qu'il convenait de restaurer en se dérobant aux tentations des démons et en se conformant, chacun dans le cadre de son ordre ou de sa profession à la loi chrétienne telle que l'enseignait les clercs.

Le système de pensée gothique, que nous avons analysé dans ses grandes lignes, a dû être largement soutenu et impulsé par une bonne partie du clergé séculier, qui y a trouvé les principes d'ordre et les modèles grâce auxquels il a pu élargir son pouvoir au milieu des conflits qui parcouraient le monde féodal, et notamment, reprendre, à partir de la deuxième partie du XIIe siècle, le rôle de leader idéologique qui lui avait été ravi par les monastères bénédictins à l'époque précédente.

A la fin du XIIe siècle et au début du XIIIe, un nouveau monachisme, parfois à la limite de l'hérésie, et rompant avec toutes les traditions bénédictines, va se développer, essentiellement dans les milieux urbains, et viendra compléter le bouleversement idéologique amorcé dans la deuxième partie du XIIe siècle. Les ordres mendiants vont rompre avec les structures féodales, pour vivre dans les villes et les faubourgs, au milieu des bourgeois et en contact avec les corporations de métier auxquelles ils donneront un modèle de fraternité évangélique.

Face à ces nouveaux mouvements, les classes dominantes vont là encore se diviser.

« Des nobles et des grands, note le père Chenu, rentrent d'ailleurs dans le jeu, à l'encontre de la plupart des seigneurs domaniaux, laïcs ou prélats, qui cherchent à purger leur chrétienté de ces réformistes dangereux. Les uns le font par une conversion bouleversante, d'autres non sans politique contre leurs adversaires dans les luttes locales. »

Les groupes successifs qui ont été les leaders idéologiques de l'église à l'époque féodale : les moines bénédictins d'abord, le clergé séculier puis les ordres mendiants ensuite, se sont toujours situés au cœur même des conflits sociaux successifs qui parcouraient alors le monde féodal, au confluent de certaines aspirations émanant de groupes antagonistes, et c'est de cette position ambiguë qu'ils ont tiré leur puissance.

La mutation idéologique qui s'opère au XIIe siècle, ne privait pas les monastères bénédictins de leurs privilèges économiques essentiels, mais elle leur faisait perdre une bonne part de leur justification sociale et morale. Les moines traditionnels deviendront peu à peu ceux qui jouissent et non plus ceux qui prient. La discipline se relâchera, leurs ordres se fermeront de plus en plus aux paysans. Le mouvement de construction s'arrêtera, et les grands monastères commenceront à s'endetter.

Le dépassement du monachisme traditionnel à la fin du XIIe siècle, ne s'est pas opéré sans de violentes réactions. Sous la houlette de saint Bernard l'ordre cistercien tentera de restaurer les traditions les plus pures. Et les théologiens conservateurs ne manqueront pas de critiquer violemment la première scolastique comme le mouvement d'émancipation urbain, et plus tard, les initiatives des ordres mendiants. Comme le note le père Chenu :

« Le serment de vasselage, pivot institutionnel de la société féodale, de la moralité sociale et d'une société sacrale, se trouve peu à peu désaffecté de son triple contenu; sa mise en échec touche ici au scandale pour les théologiens traditionalistes. »

Et il remarque que vers 1160, à l'époque où l'art gothique prend tout son essor, les textes témoignent d'un « climat de hargneuse résistance » de la part des penseurs monastiques à l'encontre des novateurs.

Nous voyons donc que le nouveau système de pensée gothique, qui s'est propagé non sans de vigoureuses oppositions, est issu de la conjonction des aspirations et des désirs des masses urbaines, et par-delà, d'une bonne part de la population laborieuse, des aspirations de la haute aristocratie et de celles des membres du clergé séculier.

Certes, les évêques ne voyaient pas toujours d'un bon œil les mouvements d'émancipation des citadins, qui pouvaient bien souvent nuire à leurs privilèges. L'Église n'aimait pas non plus voir des princes trop puissants s'immiscer dans ses prérogatives et chercher à mettre la main sur les évêchés. Il n'y a pas eu, loin de là, une association d'intérêt entre les trois groupes en présence. Néanmoins, ces groupes cherchaient à dépasser l'ordre social et l'idéologie élaborée pendant la période précédente, et avaient besoin, pour ce faire, d'un cadre conceptuel nouveau susceptible d'être reconnu par tous.

Les vitraux du XIIIe siècle de la cathédrale de Chartres nous donnent une illustration vivante de cette conjonction de forces sociales qui est au cœur du nouvel ordre gothique. En effet, les donateurs se sont souvent fait représenter eux-mêmes dans la partie basse de la verrière, et l'on trouve ainsi figurées les principales corporations de métier, des personnages de la haute aristocratie et des membres du clergé séculier.

C'est parce que ces classes sociales antagonistes cherchaient alors à surenchérir de générosité vis-à-vis de l'église-cathédrale pour faire prise sur l'idéologie dominante et pour affirmer leur place dans l'ordre de la création, que l'art connut un tel essor à cette époque, et qu'il y eut un transfert de richesses, de talents et d'énergie d'une telle ampleur au profit de l'Église et de ses grands chantiers.

Le premier art gothique est l'œuvre d'artisans bourgeois : sculpteurs, maçons, tailleurs de pierre, morteliers, charpentiers, verriers, etc., qui se sont fixés dans les agglomérations importantes où le marché du travail était assez ouvert, et qui, de ce fait, dépendaient moins directement, moins individuellement qu'auparavant de leurs commanditaires auxquels ils n'étaient plus rattachés par un lien de dépendance personnel. Ces artisans travaillaient sous la conduite des clercs et devaient assister parfois aux sermons des prédicateurs et aux débats publics des maîtres de la première scolastique. Ils devaient, du fait de cette situation, être particulièrement à même de proposer à travers leurs œuvres, un système qui puisse correspondre à la fois aux aspirations des bourgeois dont ils faisaient partie et à celles des clercs qui vivaient au milieu d'eux, et qui eux-mêmes avaient des contacts fréquents avec la noblesse et les administrations princières.

Il est intéressant de remarquer que les régions où l'art gothique va se développer avec le plus de vigueur n'ont pas connu un grand essor artistique à l'époque romane. Dans le nord de la France, les nefs des églises n'étaient pas voûtées, mais couvertes le plus souvent par de simples charpentes, et la sculpture monumentale y était presque inexistante. Et pourtant, c'est dans ces régions, où l'émiettement du pouvoir était moins marqué que dans les zones plus méridionales, que les techniques très sophistiquées de voûtement sur croisée d'ogive vont être utilisées et que les programmes décoratifs les plus ambitieux seront entrepris.

Si l'art nouveau s'est développé particulièrement vite dans la France du Nord et surtout dans le domaine royal, alors que le niveau technique des bâtisseurs y était au départ moins élevé qu'ailleurs, c'est parce que c'était dans ces régions qu'au XIIe siècle la triple évolution, amenant à une reconstruction du pouvoir central autour des princes, à un essor urbain important lié à un renouveau commercial et artisanal et à une renaissance du clergé séculier avec le développement des écoles urbaines et des administrations épiscopales, se produira avec le plus de vigueur.

L'art roman et l'art gothique n'expriment pas la même vision du monde et ne sont pas issus de la même conjonction de forces sociales; aussi, il est normal que les milieux et les régions qui avaient été les plus favorables à l'un ne soient pas automatiquement les plus favorables à l'autre.

Les formes et les techniques artistiques ne s'engendrent pas mutuellement par je ne sais quel enchaînement logique, et l'évolution des styles ne peut être comprise qu'en analysant méticuleusement l'évolution des groupes humains par et pour lesquels ils ont été créés ainsi que celle de leurs aspirations les plus profondes. Certes, il ne faut pas sous-estimer l'importance des transferts technologiques. S'il n'y a pas de filiation idéologique directe entre la cathédrale gothique et l'abbatiale romane, si, à bien des égards, l'art nouveau s'est affirmé et s'est imposé en s'opposant à l'esthétique romane, et par-delà, au système de pensée traditionnel, il y a de toute évidence une filiation technique entre les prouesses du premier art gothique et les grandes constructions romanes des régions méridionales.

A la base de l'évolution de l'art du XIIe siècle dans la France du Nord, il y a, nous le voyons, deux mouvements complémentaires. Le premier, qui en constitue la synergie, est un transfert technique, qui permettra aux bâtisseurs gothiques de profiter du savoir faire acquis par les artisans romans en matière de construction, de métallurgie, de fabrication du mortier, d'extraction et de taille de la pierre, de résistance des matériaux, etc. Suger, qui fut un des organisateurs de ce transfert, se vantera d'avoir attiré à Saint-Denis des artisans de « toutes les parties du royaume ». Le second mouvement, qui motive l'évolution du style et ne se contente pas de la permettre, est une mutation du système de pensée, liée à une évolution économique, politique et sociale. Mutation dont ont devine les prémisses à l'époque romane dans certains des caractères originaux de l'art et de la société féodale dans la France du Nord. Si les nefs des églises romanes de Normandie par exemple n'ont pas été voûtées, mais couvertes de charpentes, ce n'est pas de l'inexpérience de la part des bâtisseurs ou un manque d'audace ou de moyens financiers de la part de leurs commanditaires. Un personnage aussi puissant que Guillaume le Conquérant aurait pu faire venir des techniciens de l'étranger s'il l'avait jugé nécessaire. Si les architectes ont finalement couvert les nefs de charpentes, c'est qu'ils préféraient des espaces amples et largement éclairés à des volumes plus resserrés, plus sombres et plus protecteurs. C'est parce qu'ils ne recherchaient pas avec autant de fougue à unir les différents membres de l'architecture en une même carapace de pierre, et qu'ils trouvaient dans la juxtaposition de parties aux fonctions bien caractérisées, comme les parois verticales de maçonnerie et les couvertures de bois, et dans la décomposition fonctionnelle des éléments de charpente, des principes d'ordre qui correspondaient bien à leurs aspirations, dans le monde plus organisé du duché de Normandie où l'autorité de l'État n'était pas un vain mot, et où les châtelains n'avaient pas accaparé tous les pouvoirs. Dans l'art roman de Normandie, tant au niveau de la composition des espaces qu'à celui du décor souvent constitué de motifs géométriques répétés à l'infini, et des éléments de structure qui font fortement saillie sur les murailles, on retrouve un certain goût de la juxtaposition, étranger dans son principe à l'esprit roman. Ce caractère spécifique de l'art normand ne s'exprime pas assez vigoureusement au XIe siècle pour mettre en question l'essentiel du système de pensée roman, et ne constitue en fait que le germe d'un ordre différent qui ne s'épanouira que plus tard.

On retrouve un phénomène analogue dans le domaine royal, où les rares vestiges d'art roman ont souvent des caractères qui semblent contenir les prémisses de la mutation gothique. Dans l'église de Morienval par exemple, dont le chevet du XIIe siècle constitue une des premières expériences de voûtement sur croisée d'ogives, on peut voir dans la nef du XIe siècle, couverte à l'origine en charpente, une suite de chapiteaux romans qui dérivent du modèle corinthien et ont des caractères très particuliers. Ils sont constitués d'un certain nombre de parties bien individualisées du point de vue de la décoration. Le médaillon central, qui figure souvent un visage, les volutes et la collerette sont comme autant de pièces ayant chacune ses caractères propres et que l'on aurait emboîtées ensemble pour constituer le tout. Ce découpage par éléments juxtaposés témoigne déjà de préoccupations en partie étrangères au système de pensée roman, et qui sont liées sans doute à certaines attitudes face à la réalité qui devaient se développer dans le contexte politique social et idéologique bien particulier du domaine royal.

La réaction cistercienne

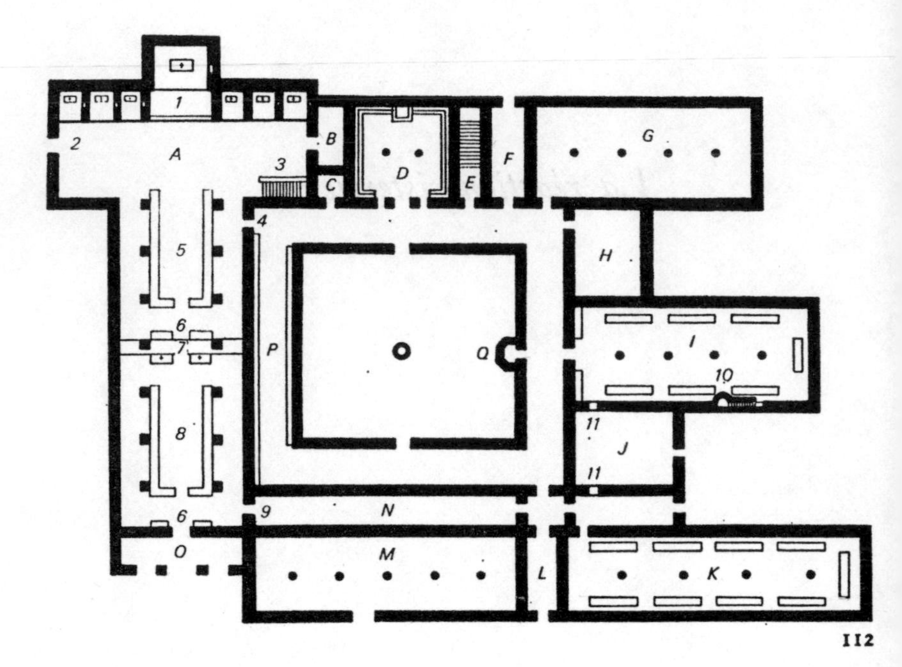

112. *Plan type d'un monastère cistercien.*

A Église
B *Sacristie*
C Armarium *ou bibliothèque*
D Chapitre
E *Escalier du dortoir des moines*
F Auditorium *ou parloir*
G Salle des moines
H Chauffoir
I Réfectoire des moines
J Cuisine
K *Réfectoire des convers*
L *Passage*
M Grand cellier
N *Cour ou ruelle des convers*
O *Narthex*
P *Cloître de la collation ou du* mandatum
Q Lavabo
1 Sanctuaire ou presbytère
2 Porte des morts
3 Escalier du dortoir
4 Porte des moines
5 Chœur des moines
6 Bancs des infirmes
7 Jubé
8 Chœur des convers
9 Porte des convers
10 Chaire du lecteur
11 Passe-plats

Face à l'évolution idéologique et sociale qui se dessine au XIIe siècle, les réactions furent multiples. La plus symptomatique et la plus vigoureuse s'exprimera à travers la réforme et l'art cistercien.

Fondé en 1098 à Cîteaux, et promu à un essor considérable sous l'impulsion de saint Bernard l'ordre cistercien regroupait trois cent cinquante monastères dès le milieu du XIIe siècle et allait essaimer, de la Scandinavie au Portugal et de l'Irlande à la Hongrie.

Ses constructions, qu'il s'agisse d'églises, de cloîtres ou de bâtiments conventuels, ont de nombreux caractères communs. Ce sont des édifices de belles pierres appareillées avec soin, voûtés dans toutes leurs parties et dont la décoration a été presque complètement exclue. Les églises ont généralement trois nefs et un transept (fig. 112), le chœur qui n'est pas très développé est souvent terminé par un chevet plat. L'église est fermée aux laïcs, et sa nef est séparée en deux parties, l'une où siègent les moines, d'origine aristocratique, et l'autre où se tiennent les frères convers, d'origine paysanne, dont les exercices liturgiques sont simplifiés et qui sont chargés de la culture du domaine. Deux portes donnent accès de l'église aux bâtiments conventuels, l'une est réservée aux moines, l'autre aux convers, et de là ils accèdent chacun à la zone qui leur est réservée avec son réfectoire et son dortoir particulier.

Les monastères cisterciens sont implantés dans des régions écartées et peu peuplées, dans des « solitudes », dans des « déserts », et ont peu de contacts avec les paysans du voisinage.

Le mouvement cistercien se définit comme un retour à une tradition rigoureuse et contraignante. Saint Bernard qui fut le champion de cette réforme, s'est opposé au luxe qui régnait dans les monastères clunysiens, à l'exubérance de la sculpture, de la peinture et de l'orfèvrerie romane qui selon lui ne pouvait que détourner le moine de la prière. Il s'est opposé aux théologiens qui mettaient en place la première scolastique. Il critiqua les étudiants des écoles urbaines. Il fit condamner Abélard en 1140 lors du synode de Sens. Il reprocha à Suger les fastes de la nouvelle basilique de Saint-Denis et l'amena à se justifier.

Si l'architecture des monastères cisterciens est extrêmement dépouillée, ce n'est pas par mesure d'économie. Les bâtiments d'exploitation voûtés en belles pierres appareillées en font foi, il eût été certainement plus économique de les construire en bois ou en petits moellons. Ce n'est pas non plus par désintérêt pour tout ce que peut exprimer l'architecture, car les artistes en jouant avec une gamme relativement limitée sont arrivés néanmoins à créer des chefs-d'œuvre où le moinde détail est traité avec le plus grand soin.

L'art cistercien fait appel à une esthétique de la sobriété et de la pureté, qui est étrangère à l'esprit roman. La muraille, qui est mise en question dans l'art gothique, et qui, dans l'art roman est un pôle d'attraction sur lequel viennent se presser toutes sortes d'éléments architecturaux et de motifs décoratifs sculptés ou peints, retrouve dans l'art cistercien sa nudité. Les absidioles, quand il y en a, ne font pas, le plus souvent, saillie à l'extérieur. L'église ne se présente pas comme un échelonnement de volumes, comme un lieu de regroupement. Il n'y a pas de portail, et les laïcs sont rejetés.

La simplicité volontaire et fastueuse de l'art cistercien a quelque chose d'affecté. Un peu comme certaines architectures modernes de prestige où, sous prétexte de rigueur et de fonctionnalisme, on fait appel à des techniques apparemment très simples, mais très soignées et très coûteuses.

Une abbaye comme le Thoronet est un chef-d'œuvre de perfection mais un chef-d'œuvre fermé, refermé sur lui-même, coupé du monde. L'art cistercien n'a guère inventé en matière d'architecture, son originalité c'est la façon très stricte et très pure dont il a utilisé le registre des formes romanes et par la suite, gothiques, en rejetant parmi celles-ci tout ce qui pouvait avoir un caractère baroque ou populaire, tout ce qui en constituait la créativité foisonnante.

Souvent, dans les églises cisterciennes, les doubleaux ou les colonnes engagées se terminent par un culot ou une console et ne descendent pas jusqu'au sol. A Fontfroide, les piles sont juchées sur des socles de deux mètres de haut et toute l'église semble suspendue au-dessus du pavement, de ce pavement qu'Honorius d'Autun comparait au peuple dans son association symbolique entre les classes sociales et l'église. Les monastères cisterciens cherchaient à se détacher des foules laïques, alors que les clunysiens tentaient au contraire d'attirer des dépendants et ouvraient largement leurs églises aux gens de l'extérieur. Leur recrutement était plus aristocratique. Les moines cisterciens ont été les premiers à rejeter de leurs rangs ceux qui étaient d'origine paysanne et à créer la classe des convers pour les servir. Saint Bernard, ancien seigneur de Fontaine près de Dijon est entré dans les ordres à l'âge de vingt-deux ans, avec trente gentilshommes de la région. Dans cette Bourgogne romane qui était « sans roi et sans duc » et où le morcellement du pouvoir était très avancé. Il avait une morale héroïque, qui gardait un aspect chevaleresque, il concevait la vie monastique comme « obéissance aveugle et total renoncement » et prônait le silence et l'éloignement à l'égard de l'agitation séculière. Il défendit les ordres militaires comme les templiers, qui, comme il le dit, « joignent à la douceur du moine le courage du chevalier ». Il fut l'un des organisateurs de la Deuxième Croisade où devait se conjuguer l'idéal chrétien et l'idéal chevaleresque et qui fut un échec. Dans sa relation exclusive et affective avec Dieu, il refusait tout intermédiaire, sinon celui de la Vierge, et rejetait notamment la méditation des artistes.

« Nous qui, au nom du Christ, écrivait-il, avons traité comme fumier, tout ce qui rayonne de beauté, enchante l'oreille, charme de son parfum, flatte le goût, plaît au toucher, de qui, je le demande, pourrions nous vouloir stimuler la dévotion au moyen de ces mêmes choses ? »

Le monastère cistercien est une micro-société où les deux groupes qui le composent, moines et convers, sont également soumis à l'autorité de l'abbé. Il justifie en la sacralisant et en l'idéalisant la société féodale traditionnelle et le pouvoir du châtelain qui domine à la fois ses paysans et ses chevaliers au nom de Dieu.

La réforme cistercienne, son idéologie, son art, constituent le contretype mystique de la morale et de l'héroïsme chevaleresque. Même la dévotion particulière des Cisterciens envers la Vierge n'est pas sans analogie avec le mouvement qui dans le monde civil mène à l'amour courtois. Les Vierges des enluminures cisterciennes diffèrent des Vierges romanes qui attirent la dévotion populaire. Celle que nous voyons sur un manuscrit de Cîteaux de la première moitié du XIIe siècle (Dijon, n° 129) est debout, elle porte son enfant sur son bras droit et le serre contre ses lèvres. Elle tient une fleur de la main gauche, et son costume est celui d'une grande dame de l'époque.

Le mouvement cistercien représente une réaction face à l'évolution sociale et idéologique qui remet en cause les fondements mêmes de l'autorité seigneuriale. Réaction aristocratique, qui cherche à affirmer la suprématie du modèle féodal traditionnel, en le hiérarchisant et en le débarassant de tous les éléments extérieurs et populaires qui en faisaient la force, mais qui inexorablement devaient le condamner à se transformer.

L'architecture cistercienne favorisée par les donations nobles, s'est imposée à l'échelle de l'Europe entière, comme un modèle faisant fi dans une grande mesure des particularismes locaux. Elle suit en cela l'évolution sociale qui entraîne à cette époque une prise de conscience de classe dans la chevalerie. Contestée dans certaines de ses prérogatives à l'échelon local, l'aristocratie a besoin de se raccrocher à une éthique générale qui lui soit propre et qui justifie, en quelque sorte, le bien-fondé de son existence et de son pouvoir.

Les sacrifices, les renoncements, la discipline stricte et contraignante que s'imposaient les moines cisterciens et qui s'exprime dans le dépouillement et la perfection de leur architecture, la faveur dont ils jouissaient et le dynamisme qui les conduisit à créer des établissements aux quatre coins de l'Europe, nous font sentir la vitalité du monde chevaleresque au XIIe siècle, la capacité qu'il avait de renoncer parfois à ses intérêts immédiats pour tenter de créer une utopie qui corresponde à ses aspirations profondes.

A ces motivations idéologiques sous-jacentes à la réforme et à l'art cistercien il faudrait en ajouter d'autres d'ordre affectif.

Dans l'idéal auquel aspire le moine cistercien, dans sa passion exclusive pour le Seigneur et pour la Vierge, dans les mortifications qu'il s'impose, on peut discerner des pulsions affectives inconscientes qui émergent de façon détournée.

Mais il ne suffit pas pour comprendre un tel mouvement de dégager un certain nombre de causalités psychologiques ou sociologiques distinctes. On ne peut pas dire que la réforme cistercienne, comme d'ailleurs la « croisade des cathédrales » ou le renouveau de l'église et de l'art religieux à l'époque romane, sont issus d'une simple conjonction fortuite entre les pulsions affectives inconscientes qui cherchent à se satisfaire par la sublimation et des besoins idéologiques et matériels, car cela ne rendrait pas compte de la cohésion de ces mouvements, du caractère volontariste, systématique et cohérent de ces phénomènes. En fait, là encore, il faut faire intervenir la notion de système de pensée.

Des hommes, des hommes d'exception comme saint Bernard, ou des créateurs anonymes comme les artistes romans et gothiques, proposent des systèmes de pensée, des utopies qui ont leur cohésion et leur logique interne, qui se nourrissent des pulsions individuelles et des aspirations sociales des hommes de leur temps mais sans pour autant se réduire à l'assemblage hétéroclite et fortuit de ces pulsions et de ces aspirations. Ces systèmes de pensée, ces utopies constituent des passages obligés, irréductibles à toutes contingences et qui sont seuls suceptibles de constituer les moteurs de la création, en transformant l'énergie des pulsions instinctuelles et des désirs sociaux en une action cohérente et volontaire.

L'art féodal aujourd'hui

Pour rendre compte des observations que nous avons faites sur l'art et la société féodale de l'époque romane à l'époque gothique, nous avons été amené à admettre l'apparition dans un milieu historique donné, d'un système de pensée permettant de décrire le monde extérieur, comme celui plus enfoui des pulsions et des désirs inconscients de l'individu, suivant des lignes de force adaptées à une certaine pratique sociale. Nous avons vu en outre que cette façon particulière à une époque d'appréhender les choses, pouvait se définir et se manifester dans les domaines d'expression les plus divers.

Fort de ces réflexions, on est amené tout naturellement à s'interroger sur notre propre système de pensée, ses structures, sa genèse et ses finalités eu égard au milieu dans lequel nous vivons. Et c'est dans une telle optique d'interrogation et de remise en cause éventuelle de notre façon, à nous, de décrire et de vouloir notre environnement, que la confrontation avec des créations artistiques provenant d'autres civilisations que la nôtre prend, je crois, toute sa valeur, car en nous permettant de sentir et de vivre certains des « possibles » de l'humanité, elle nous apprend à relativiser, en les comparant à d'autres, les caractères de notre monde, de notre pensée, de notre sensibilité que nous avons toujours tendance à considérer comme des données universelles et inamovibles. Et cette confrontation nous pousse par là à une plus grande imagination, à une plus grande audace, pour proposer à travers nos actions et nos créations d'aujourd'hui, une vision opératoire du monde, qui ne soit pas une simple transposition des schémas existants et qui ne se construise pas avec la même grammaire de la pensée.

Dans cette perspective, l'art féodal, qui, au cœur des villes et des villages d'Europe, nous fait pénétrer dans un univers où tous les principes d'ordre sont différents de ceux qui ont cours aujourd'hui, peut être pour nous beaucoup plus que l'objet de jouissances esthétiques ou d'études archéologiques. Il peut susciter une ouverture sur nos propres potentialités de création.

GLOSSAIRE

des termes techniques employés dans le texte

Appareil : nom que l'on donne aux différentes façons de tailler et d'assembler les pierres dans la construction.

Arcature : motif architectural fait d'un ensemble de petites arcades réelles ou factices servant d'ornement. Elles sont dites aveugles lorsqu'elles sont adossées hermétiquement à un fond vertical.

Arc-doubleau : arc placé en doublure sous la voûte et perpendiculairement au mur gouttereau.

Arc-boutant : (bouter : pousser) c'est un arc rampant, qui, partant d'un contrefort extérieur sur lequel il s'appuie, contrebute la voûte en un point plus élevé.

Archivolte : ensemble des claveaux décorés qui encadrent une arcade.

Arête (voûte d') : voûte constituée de l'intersection de deux voûtes en berceau perpendiculaires et de même hauteur.

Assise : pierres ou briques de même hauteur juxtaposées et formant un rang horizontal.

Besace : pour assurer une liaison entre deux murs ou entre un mur et un pilastre ou une demi-colonne qui lui est associée, on place à leur jonction, dans les assises successives des pierres alternativement dans le sens de la longueur et de la largeur. Cette disposition permet d'éviter d'avoir à tailler des blocs de liaison comportant des évidements.

Caryatide : statue servant de support, de colonne.

Claveau : pierre taillée en forme de coin qui entre dans la composition d'un arc ou d'une voûte.

Collatéral : nef latérale d'une église.

Colonne engagée : faisant corps avec un mur ou un pilier.

Console : élément en saillie destiné à être le support d'une corniche ou d'un balcon.

Crochet : ornement saillant recourbé à son extrémité qui marque les angles de certains chapiteaux.

Culot : (ou cul de lampe) sert à supporter une base de colonne, une statue, la retombée d'un arc ou les nervures d'une voûte.

Délit (en) : se dit d'une pierre dont la face correspondant au lit de sédimentation dans la carrière, est posée verticalement.

Encorbellement : des éléments posés en encorbellement sont en saillie et en porte à faux sur le nu du mur.

Entrelacs : ornement formé de lignes courbes qui se croisent en se recouvrant.

Grecques : ornement composé de lignes droites horizontales et verticales qui reviennent sur elles-mêmes.

Layer : dresser les parements d'une pierre avec une laie (sorte de courte hache dont le tranchant peut être dentelé).

Modénature : proportion et galbe des moulures déterminant par la combinaison des saillies et des retraits des jeux d'ombre et de lumière.

Modillon : pierre en saillie que l'on place sous les corniches pour les soutenir.

Moellon : pierre utilisée sans être entièrement dégrossie, qui par sa petite taille et son caractère fruste s'oppose à la pierre de taille.

Mortier : servant à relier entre elles les pierres ou les briques qui composent un ouvrage. A l'époque féodale les mortiers sont généralement composés de sable et de chaux.

Narthex : galerie ou portique intérieur placé à l'entrée d'une église.

Oves : ornement fait d'œufs tronqués se suivant en série et séparés par des dards ou des feuilles d'eau.

Pantocrator (Christ) : qualificatif de Dieu omnipotent, maître de tout. Nom donné à Zeus par les Grecs païens puis au Christ ressuscité et triomphant par les Grecs chrétiens.

Piédroit : jambage d'une baie, montant vertical soutenant une des voussures de l'archivolte d'un portail.

Pilastre : saillie rectangulaire de maçonnerie décorant et renforçant une paroi.

Pinacle : couronnement en forme de cône ou de pyramide plus ou moins orné, qui se place sur des contreforts ou des points d'appui verticaux. Les pinacles contribuent par leur poids à la stabilité des points d'appui qui les supportent.

Stylite : surnom donné à certains solitaires vivant au sommet d'une colonne, comme saint Siméon Stylite.

Tailloir : plateau carré ou polygonal qui couronne le chapiteau d'une colonne.

Triforium : dans les églises, ensemble des ouvertures par lesquelles la galerie haute au-dessus de la tribune ou des bas-côtés, donne sur l'intérieur de la nef.

Trompe : arc ou petite voûte en forme de coquille, placée dans chacun des angles d'une tour carrée, afin de transformer le plan carré de cette tour en plan octogonal et de lui permettre de recevoir une coupole.

Trumeau : pilier divisant en deux le portail d'une église pour soulager le linteau.

Tympan : espace compris entre le linteau et l'archivolte d'un portail.

TABLES DES ILLUSTRATIONS

TABLE DES FIGURES

Les figures 6 à 9, 12 à 45, 54, 57, 59 à 61 sont extraites de l'ouvrage de J. Baltrusaïtis : *La Stylistique ornementale dans la sculpture romane* (Paris 1931).

Les figures 1 à 5, 9 à 11, 46 à 53, 55, 56 58, 62 à 110 sont de l'auteur.

Les figures 111 et 112 proviennent des éditions Zodiaque (Paris).

Figures

TABLE DES PLANCHES

LA COMPOSITION, L'IMPRESSION ET LE BROCHAGE DE CE LIVRE
ONT ÉTÉ EFFECTUÉS PAR FIRMIN-DIDOT S.A.
POUR LE COMPTE DES ÉDITIONS GALLIMARD
ACHEVÉ D'IMPRIMER LE 4 OCTOBRE 1973

Imprimé en France
Dépôt légal : 4e trimestre 1973
N° d'édition : 18330 — N° d'impression : 3012

18330